新日本語の中級
本冊

AOTS
(財)海外技術者研修協会 編著

© 2000 by The Association for Overseas Technical Cooperation and Sustainable Partnerships (AOTS) (The former Association for Overseas Technical Scholarship (AOTS))

All rights reserved. No part of this publication may be reproduced, stored in a retrieval system, or transmitted in any form or by any means, electronic, mechanical, photocopying, recording, or otherwise, without the prior written permission of the Publisher.

Published by 3A Corporation.
Trusty Kojimachi Bldg., 2F, 4, Kojimachi 3-Chome, Chiyoda-ku, Tokyo 102-0083, Japan

ISBN978-4-88319-161-1 C0081

First published 2000
Printed in Japan

序

　財団法人海外技術者研修協会（The Association for Overseas Technical Scholarship略称AOTS）は、1959年に設立されて以来、開発途上諸国の産業技術研修生の受入れ、及び研修事業を行ってきた。2000年3月現在、受入れ研修生数は累計約9万5千人、受入れ対象国は150ヶ国に及んでいる。

　研修生が、日本で生活し企業で研修を受ける際、言葉の問題は大きい。日本語が分からなければ、日本になじめないし、日本を知ることも難しく、来日の目的である実地研修の成果を十分には期待できない。そのため協会は創立以来、日本語教育を重視してきた。

　協会の日本語教育は、企業の実地研修に先立って行われる一般研修の一環として実施されている。現在、日本語を主要科目とする一般研修には、6週間コースと13週間コースとがある。中心は6週間コースで、100時間弱を日本語教育に充てている。新しい外国語を学ぶには到底十分とは言えない短時間で、最も効率的で具体的効果の上がる方法を考えなければならない。教授法、カリキュラム、教科書・教材等全般にわたる、実践現場に即した研究が必要である。協会が開発した『新日本語の基礎』シリーズは、その長年の研究と検討の積み上げの足跡である。

　1980年代以降、海外での日本語学習熱の高まりと共に、来日前に日本語を学習して来る研修生が増加し、企業からも技術習得のためのより高度な日本語力を求められるようになった。また、『新日本語の基礎Ⅰ・Ⅱ』を使用している国内外の機関から、初級に続く中級テキストを望む声が多く寄せられた。このような新たな時代の要請に応えるため、1992年より中級テキストの開発に着手し、内部の検討と試行を積み重ねて、この度『新日本語の中級』の完成を見るに至った。

　この教科書は『新日本語の基礎Ⅰ・Ⅱ』の初級レベルを終了した人が、既習の知識を統合し、実社会で役立つ実践的会話能力を身につけ、日本人との豊かなコミュニュケーションができることを目指し作成した。本書は協会が対象とする技術研修生用に編纂されたものではあるが、一般の日本語教育機関においても、初級レベルの学習が終わり、中級レベルに移行する学習者に対し、無理なく段階的に日本語力を養成する目的として十分活用できるものと確信している。

　本書の作成にあたっては、各方面からの御助言を得た。深く感謝申し上げると共に、本書の活用と協会の日本語教育の充実のため、更に一層の御支援をお願いする次第である。

財団法人　海外技術者研修協会（AOTS）

凡例

Ⅰ．教科書の構成
　この教科書は本冊、英語分冊、中国語分冊、韓国語分冊、及びCDより成る。

Ⅱ．教科書の内容及び使い方
1．本冊
　1）本課
　　『新日本語の基礎Ⅰ＆Ⅱ』（全50課）に続く全20課構成で、内容は以下のように分けられる。

　（1）学習目標
　　　その課で達成すべき行動目標が掲げてある。

　（2）学習する前に
　　　学習に先立ち、その課の話題、内容についてどのくらい知っているのか、自国の事情はどうなっているのかなど、クラス内で話し合い、確認するために設けた。ここに挙げたような事柄を巡って意見や情報を交換し、経験を共有することによって、課に対する動機を高め、学習効率を上げることをめざしてほしい。

　（3）学習項目
　　　その課で学ぶ基本文型や表現を提出順に従って掲げてある。

　（4）会話
　　　会話は研修生が研修先へ赴き、社内または地域社会で必要となるであろうコミュニケーションの目的や場面の中から優先順位の高いものを20課分選んで、基本的なものから順番に配列した。特に初級教材からの移行が滑らかにできるよう、前半の課では、初級後半の文型を様々に組み合わせ、復習も兼ねて使えるよう考慮した。初級では大概文型は単独で扱い練習されるが、中級では様々な活用形を取り、他の文型と接続して使用される。勢い文も、段落も長くなる傾向があるので、十分な口頭練習が必要である。各課に挙げた会話文は典型的なパターンであるが、学習者や地域によって当然事情は異なると思われるので、臨機応変に地名人名・内容等を変更し、現場に合わせて使用してほしい。

（5）読もう

　　「読もう」には二つのタイプのものがある。ひとつは研修生が日本滞在中に社内外で目にする可能性のある看板やファックス、手紙などであり、それらに特有のパターンや表現などを学び、練習することによって、社会生活の幅を広げられることをめざしている。もうひとつのタイプは、日本事情の紹介や問題提起の文章で、クラスで読み合わせた上でディスカッションや発展活動につなげてほしい。

（6）練習

　　練習は学習項目の性格によって大きく二つのタイプに分かれている。ひとつは、語彙や文法事項の理解度を確認するものである。もうひとつは、文や談話の形式を押さえながら運用練習をするためのものである。また学習項目によっては複数の練習問題を作成したり、状況や場面が必要な場合にはイラストを付けた。例を読んで練習のパターンがわかったら、あとはイラストを見ながら文や会話を作ってみてほしい。そのあとでテキストを読んで確認すれば定着の強化につながる。

（7）活動

　　活動は、その課の学習事項が実際に使えるようにする実践練習である。課によってロールプレイやタスク活動、ディスカッション、ディベート、課外活動など様々なタイプのものがあるが、クラスのレベルや状況に合わせて、臨機応変に場面やテーマを工夫して使用してほしい。

（8）聞こう

　　「聞こう」は、その課で習った内容や学習項目についての聴解能力を伸ばすための練習である。実践的な聞き取りの力を伸ばすためには、一字一句聞こうとせずに、問題に示されたところに焦点を合わせて聞き取る練習をすることが望ましい。

2）関連表現のまとめ

　　副詞・副詞的表現、接続のいろいろ、「する」の用法、「気」の付く表現など複数の課にまたがって出ているものを巻末にまとめて提示した。復習の際の参考にしてほしい。

3）索引

　　各課の本文及び練習問題の新出語彙、表現などが載せてある。

2. 分冊

分冊はPARTⅠとPARTⅡの二部に分かれている。

1）PARTⅠ　語彙及び訳

　　各課の新出語彙とその各国語訳が載せてある。必要に応じて語彙には注と用例を付けた。＊印のついている語彙は、本文を理解するために必要なものだが、暗記する必要はない。

2）PARTⅡ　翻訳

　　本冊中の凡例、学習者の皆さんへ、各課の学習目標、学習する前に、学習項目、会話、読もう、活動及びロールプレイカードの指示、巻末の関連表現のまとめの各国語訳である。

3. 表記上の注意

　漢字は原則的に「常用漢字表」による。なお、以下のものについては、下の原則に従って表記した。

1）漢字で書くもの

（1）「常用漢字表」の「付表」中の語。

　　例：昨日、友達、兄さん、眼鏡、紅葉、etc

（2）「常用漢字表」の音訓のどちらにも存在しないが、日常よく使われる読み方の語。

　　例：私（わたし）、～達（たち）、誰（だれ）

（3）原則的に形式名詞は平仮名で書くが、次の語は漢字で書く。

　　～時（とき）、～の方（ほう）が～、～前（まえ）、～後（あと）

（4）原則的に補助動詞は平仮名で書くが、実質的意味を帯びる場合は漢字で書く。

　　例：都会に出て来る人が多い。（＊このごろ寒くなってきた。）

　　　　李さんをアナウンスで呼び出す。魚の骨を飲み込んだ。

2）漢字で書かないもの

（1）「常用漢字表」の音訓どちらかの読みが存在するが、次の語は平仮名で書く。

　　例：かまいません、いたします、ください、できる（可能の意味）、

　　　　また、いくら、いくつ、～たところ（で）

（2）複合助詞は平仮名で書く。

　　例：～をとおして、～によって、～にとって、～として

学習者の皆さんへ

はじめに

　皆さんがこの本を使って、クラスで、または一人で勉強するときのヒントをいくつか紹介します。

1．学習項目の確認

　初級の文法と違って、いつどこで誰と話す時に使うのか、どんな気持ちの時に使うのか、かなり限定されています。例文を読んで、自分の知っている似たような表現と比べて、どこが違うかよく確認してください。

2．会話本文の確認と音読

　本文を読んでみて、知らない単語があったら、単語帳を見て確認してください。だいたい意味がわかったら、ＣＤを聞きながら、何度も音読をしてください。できれば教科書を見ないで、強く言うところ、弱く言うところにも注意して練習してください。

3．会話の練習問題に挑戦

　会話の中に出てくる学習項目について、チェックしてみましょう。もし答えに不安があったら、先生か身近な日本人に尋ねて確認してください。文型の機械的な練習はできるだけ声に出して練習してください。

4．読もう

　読もうの文章を読んで、知らない単語があったら、単語帳で確認してください。それから、読もうの中に出てくる学習項目について練習問題でチェックしてみてください。

5．実際に使ってみよう

　会話や読もうの練習問題の後に「活動」が付いています。皆さんが、日本人と実際にコミュニケーションをしたり、手紙やファックスを送る時の参考にしてください。
　また、「学習する前に」の質問の中には、日本人と話す際の話題がたくさんありますので、自分の国について紹介するとともに日本人にいろいろ質問してみましょう。

6．単語・漢字・カタカナ語について（中級の単語の覚え方）

　中級になると、初級と違って毎日は使わないけれども、特定の場面では必須の単語というのがたくさん出てきます（例　初級「食べる」「行く」、中級「診察」「徒歩」「クリック」）。初級のように日常的に使用しないので、なかなか覚えにくいと思います。単語の中には和語のほかに、漢語やカタカナ語がありますが、それぞれリストを作ってみましょう。そして漢字は、まず読み方を覚えて、その後で自分の生活の中で書く必要のある漢字を選んで、練習してください。カタカナ語は技術関係の仕事にはたくさん出てきますので、ぜひリストを作って覚えてください。和語の中には擬音語・擬態語のように、訳を見てもよく理解できない感覚的な単語もあります。それらは実際にどのように使われているかよく観察し、また自分で意図的に使ってみて、その使い方が正しいかどうか周囲の日本人に確認してみましょう。

以上

新日本語の中級
目次

		ページ
第1課	尋ねる・確かめる	12
第2課	電話で連絡する	26
第3課	頼む	39
第4課	許可をもらう	53
第5課	誘う・断る	65
第6課	訪問する・紹介する	79
第7課	症状を伝える	93
第8課	買い物する	107
第9課	道を尋ねる	120
第10課	手順を説明する	133
第11課	人とつきあう	146
第12課	比較する	160
第13課	苦情を言う・謝る	172
第14課	褒める・けんそんする	187
第15課	仕事について話す	199
第16課	例える	211
第17課	相談する・提案する	223
第18課	計画を立てる	236
第19課	意見を述べる	249
第20課	環境を考える	261

このテキストの

李 民
（中国の研修生）

馬 新
（中国の研修生）

東京コンピューターで実習中

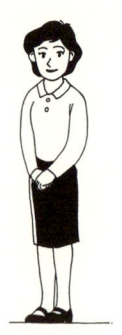

伊藤 正
（課長）

小川 健
（実習担当者）

山口 英子

佐々木 真一

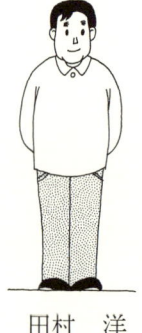

田村 洋

田村 直子

（東京コンピューター社員寮の管理人）

主な登場人物
おも　とうじょうじんぶつ

アナン　ソンディ
（タイの研修生）
横浜自動車で実習中

金　基安
（韓国の研修生）
日本建設で実習中

松本　愛
（横浜自動車の実習担当者）

小林　雄太
（日本建設の社員）

井上　道男
（研修センターの日本語の先生）

第1課
だい か

尋ねる・確かめる
たず　　　たし

学習目標
がくしゅうもくひょう

1. 漢字の読み方や言葉の意味が尋ねられる
   かんじ　よ　かた　ことば　いみ　たず

2. 聞き取れなかった内容が尋ねられる
   き と　　　　　ないよう　たず

3. 看板や表示を読んで、意味が確認できる
   かんばん　ひょうじ　よ　　　いみ　かくにん

学習する前に

1. あなたの国では、町の中でどんな看板をよく見ますか。
   また日本ではどうですか。
2. 日本へ来てから、看板や案内板などが分からなくて困ったことがありますか。
3. 町の中にどんな案内があったら便利だと思いますか。
4. あなたの国では、店の中や駅でどんなアナウンスが流れていますか。
5. 日本の駅やデパートの中では、どんなアナウンスが流れていますか。

学習項目

会話1　分からない言葉について尋ねる

1) 合成語①：～口：窓口
2) ～って／～て：「みどりの窓口」って書いてありますね。
3) V-ればいい：あそこへ行けばいいんですね。
4) ～というのは～っていうことだ：
   「時差通勤に・・・」というのは、通勤時間を短くしましょう、っていうことですか。
5) 外来語：ラッシュ

会話2　アナウンスを聞く

6) Nのことだ：禁煙時間のことです。
7) Nによって違う：駅によって違います。

読もう　表示

会話

会話1　分からない言葉について尋ねる

駅で／李、小川

①「みどりの窓口」

李　　：　随分にぎやかですね。

小川　：　金曜日の晩ですからね。

李　　：　ああ、明日休みの人が多いんですね。あの、小川さん、あそこに「みどりの窓口」って書いてありますね。

　　　　　あれはどういう意味ですか。

小川　：　ああ、あれは指定席券とか新幹線の切符とかを売っている所です。

李　　：　指定席券・・・ああ、そうですか。

②「お忘れ物取り扱い所」

李　　：　あの、あれは何て読むんですか。「お忘れ物取り…」

小川　：　ああ、あれは「お忘れ物取り扱い所」。

李　　：　忘れ物をしたら、あそこへ行けばいいんですね。

小川　：　ええ。

③「時差通勤に御協力ください」

李　　：　あの「時差通勤に・・・」というのは、通勤時間を短くしましょう、っていうことですか。

小川：　いいえ、そうじゃなくて、みんな違う時間に会社に行きましょう、っていうことです。

李　　：　ああ、ラッシュがすごいからですね。

小川：　ええ、そうです。李さんの国でもそうですか。

李　　：　ええ、同じです。

会話2　アナウンスを聞く

駅で／馬、山口

(毎度御利用くださいましてありがとうございます。当駅では、朝7時から9時30分まで、夕方5時から7時まで禁煙タイムを実施しております。この時間内のおたばこは御遠慮ください。)

馬　　：　禁煙・・・何て言っているんですか。
山口：　禁煙タイム、禁煙時間のことです。
馬　　：　ああ、time。どこの駅も禁煙タイムは同じなんですか。
山口：　いいえ、駅によって違います。一日中禁煙の駅もありますよ。
馬　　：　ああ、それはいいですね。
山口：　ええ、だんだん禁煙の場所が増えています。

読もう

表示

下の表示はどんな所に書いてあると思いますか。

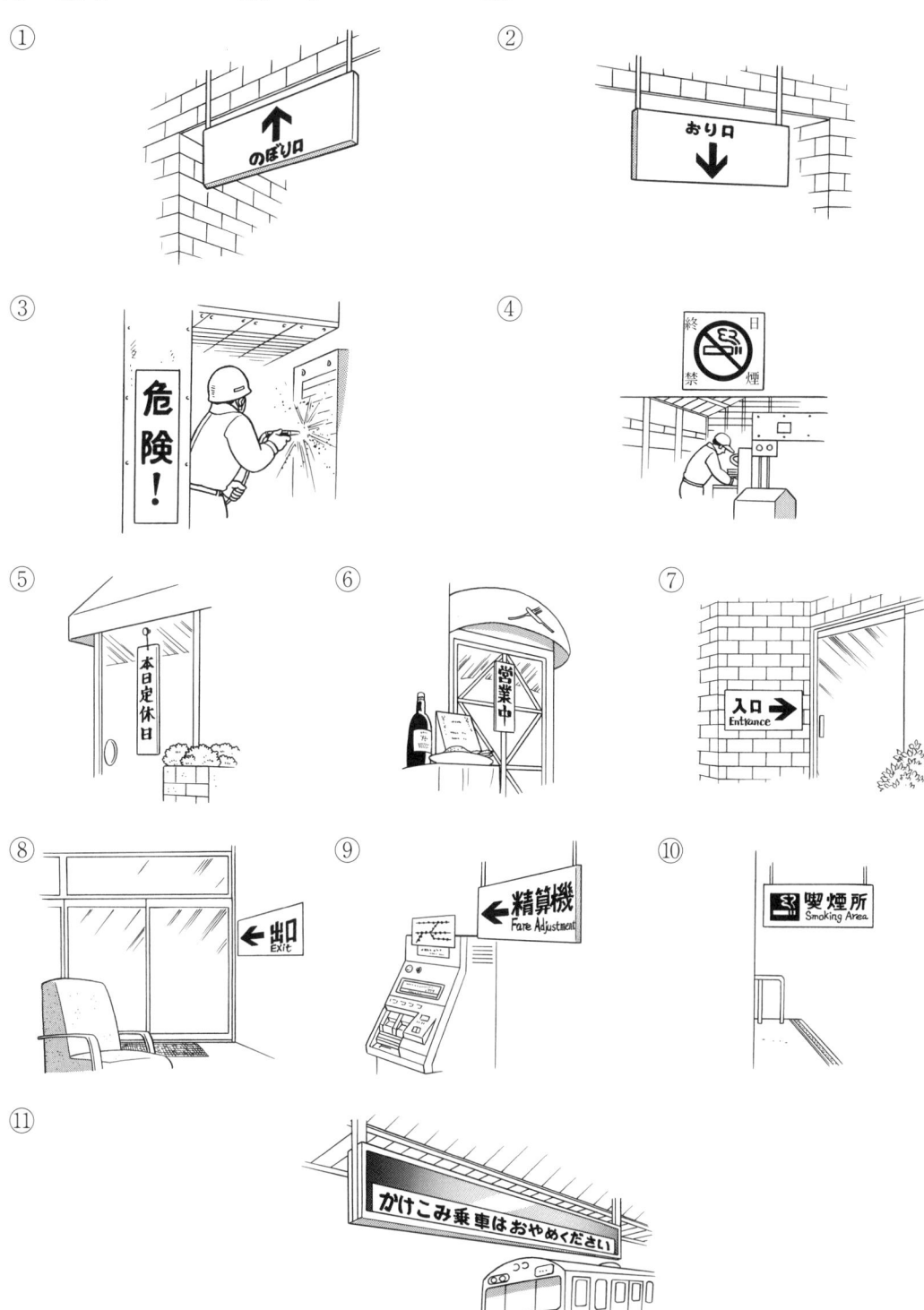

会話の練習

1. 下の絵を見て、「～口」の付く言葉を書いてください。

   例　　出口

   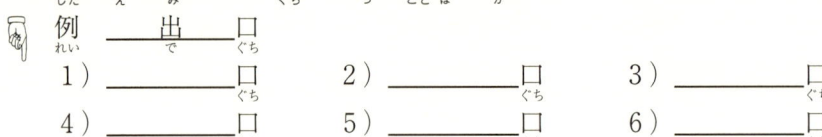

   1) ＿＿＿＿口　　2) ＿＿＿＿口　　3) ＿＿＿＿口
   4) ＿＿＿＿口　　5) ＿＿＿＿口　　6) ＿＿＿＿口

2. 例：　電話番号が分からない（104）
   　　　……電話番号が分からなかったら、104で聞けばいいですよ。
   1)　お金を間違えて入れる（この取り消しボタン）……
   2)　切符が出ない（駅の人）……
   3)　天気予報が聞きたい（177）……
   4)　使い方が分からない（マニュアル）……

3. 例：　時差通勤というのは、どういう意味ですか。（みんなと違う時間に会社へ行く）
   　　　……みんなと違う時間に会社へ行くっていうことです。
   1)　無理というのは、どういう意味ですか。（できない）
   　　　……

   2)　駆け込み乗車というのは、どういう意味ですか。
   　　（ドアが閉まりそうな時、走って電車に乗る）
   　　　……

3) 留守というのは、どういう意味ですか。（家にいない）
……

4) 「立ち入り禁止」というのは、どういう意味ですか。
（入ってはいけない）
……

4．（A：李　　B：小川）
A：小川さん、あそこに①「下り・・・」って書いてありますね。
あれは何て読むんですか。
B：ああ、あれは①「下り口」です。
A：①「下り口」？　どういう意味ですか。
B：②こちらの方から下りてください、っていうことです。
A：ああ、そういうことですか。

1) ① 本日定休日　　　② 今日は休みだ
2) ① お忘れ物取り扱い所　② 忘れ物をしたら、あそこへ行けばいい

5．次の片仮名の言葉を外の言葉に換えてください。
例：　ミルク　　　……　牛乳
1)　トイレ　　　……
2)　サイズ　　　……
3)　ダンス　　　……
4)　ミーティング……
5)　スケジュール……

6．（A：研修生　　B：日本人）
A：①ミーティングというのは、どういう意味ですか。
B：②会議のことです。

1) ① サイズ　　　② 大きさ
2) ① レポート　　② 報告書
3) ① スケジュール　② 予定
4) ① マニュアル　② 説明書

7．（A：研修生　　B：日本人）

A：①この本屋は文房具も売っていますね。

　　②日本ではどこの①本屋も同じなんですか。

B：いいえ、①本屋によって違います。

1）① この事務所は禁煙だ　　　　　　② この会社
2）① この駅は英語のアナウンスもしている　　② 日本

活動
かつどう

1．次の内容で会話をしてください。

ロールプレイカード　１－１　　　　　　　　　　　　　　　　　　　A

例のように、次の順番でＢシートの人に質問してください。

①表示の読み方を聞く→　②意味を聞く→　③もし、②の内容と違うことをしたら、どうなるかを聞く→　④外の所でも同じかどうかを聞く

例：駆け込み乗車は危険ですから、おやめください

質問例
①A：　あの、あれは何て読むんですか。
②A：　どういう意味ですか。
③A：　もし駆け込み乗車をしたら、どうなりますか。
④A：　どこの駅にも、あの表示はありますか。

１）たばこは喫煙所で

２）今日はノー残業デーです

３）名古屋図書館：貸し出し期間３週間、一人６冊まで

ロールプレイカード　1-1　　　　　　　　　　　　　　B

例のように、Aシートの人に答えてください。

> 例：駆け込み乗車は危険ですから、おやめください

答え例
- ①B：　ああ、あれは「駆け込み乗車は危険ですから、おやめください」です。
- ②B：　「ドアが閉まるときに、走って乗るのは危ないから、やめてください」という意味です。
- ③B：　駅員に注意されますよ。
- ④B：　ええ、どこの駅にもありますよ。

1）　たばこは喫煙所で

2）　今日はノー残業デーです

3）　名古屋図書館：貸し出し期間3週間、一人6冊まで

1）2）3）の答えの例

1) ① たばこは喫煙所で
   ② たばこを吸ってもいい所だけで、吸ってください
   ③ もし外の場所で吸ったら、注意される
   ④ 会社によって違う

2) ① きょうはノー残業デー
   ② 残業をしてはいけない日
   ③ 会社によって違うが、多分残業しても、お金はもらえないと思う
   ④ 会社によって違う

3) ① 貸し出し期間、3週間、一人6冊まで
   ② 一人6冊まで、3週間借りられる
   ③ 図書館から電話がかかって、「すぐ返してください」と言われる
   ④ 図書館によって、規則が違う

読もうの練習

1. 下から言葉を選んで、（　　）の中に入れてください。
   - 例1：　あの店は開いているようですよ。（営業中）と書いてありますから。
   - 例2：　朝から（一日中）コンピューターを使っていたので、目が疲れてしまった。
   1) 子供が（　　　　）泣いて、全然寝られなかった。
   2) 私のうちでは、（　　　　）はいつもテレビを消しています。
   3) （　　　　）は、辞書や本はしまってください。
   4) 課長は今（　　　　）で、多分4時ごろ終わる予定ですが…。
   5) あそこは（　　　　）暑いので、いつでも泳げる。
   6) 部長は今、タイへ（　　　　）なので、帰りましたら、すぐ御連絡いたします。

営業中	会議中	試験中	食事中	電話中	出張中・・・ちゅう
一日中	一晩中	一年中			・・・じゅう

2. 「読もう」の表示はどこにあると思いますか。次のページの絵のA～Kの（　　）の中に①～⑪を入れてください。

3. 「読もう」の①～⑪はどんな意味ですか。下の（　　）の中に①～⑪を入れてください。
   - 例：　危ない。　　　　（　③　）
   1) 入る所。　　　　　（　　　）
   2) 今日は休みです。　（　　　）
   3) ここは一日中禁煙です。　（　　　）
   4) 出る所。　　　　　（　　　）
   5) 上る人はこちら側を歩いてください。　（　　　）
   6) 今店が開いています。　（　　　）
   7) 足りないお金を払う機械。　（　　　）
   8) 下りる人はこちら側を歩いてください。　（　　　）
   9) ドアが閉まる時に、走って乗るのはやめてください。　（　　　）
   10) たばこはここで吸ってください。　（　　　）

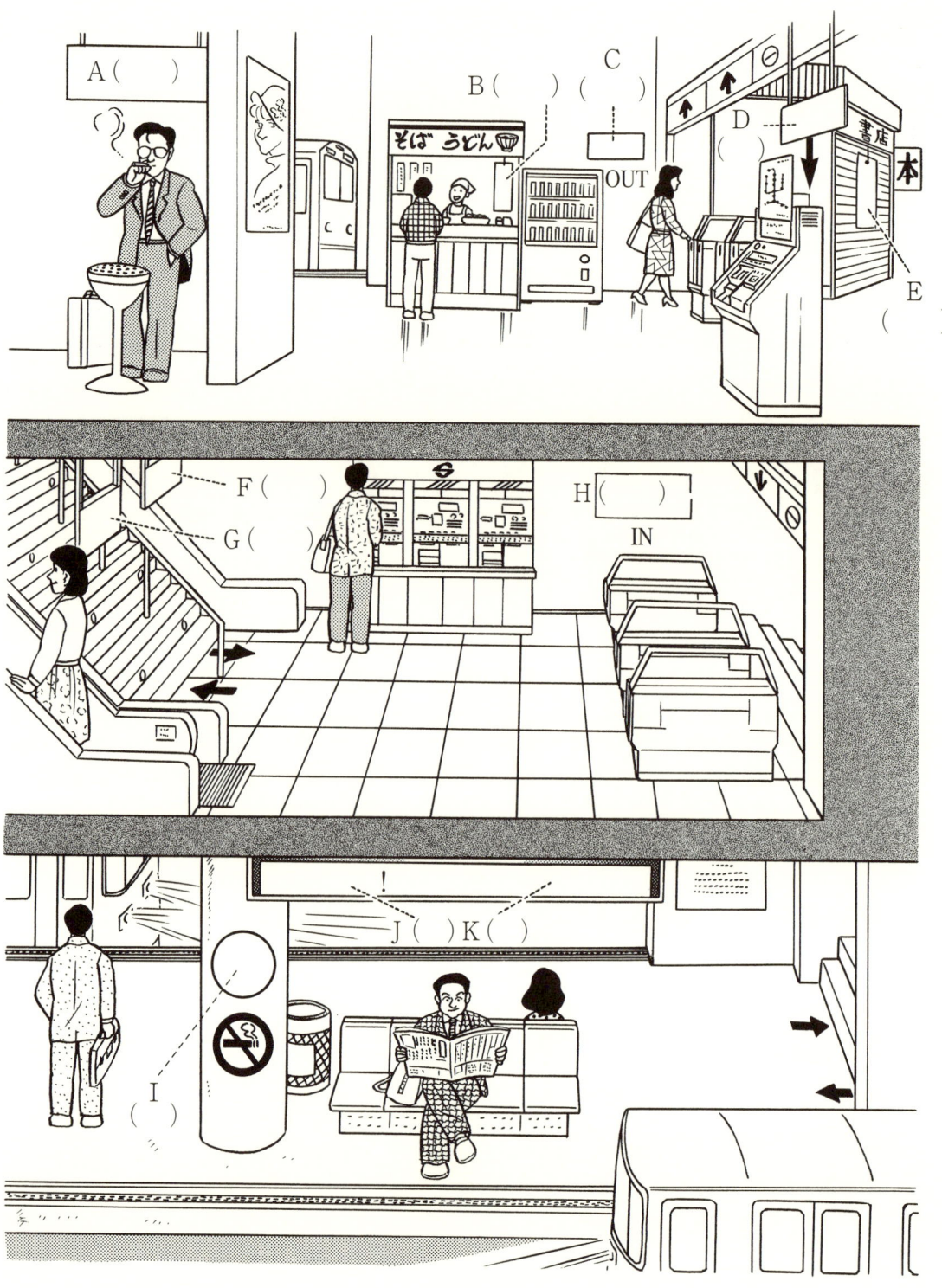

聞こう

問題1

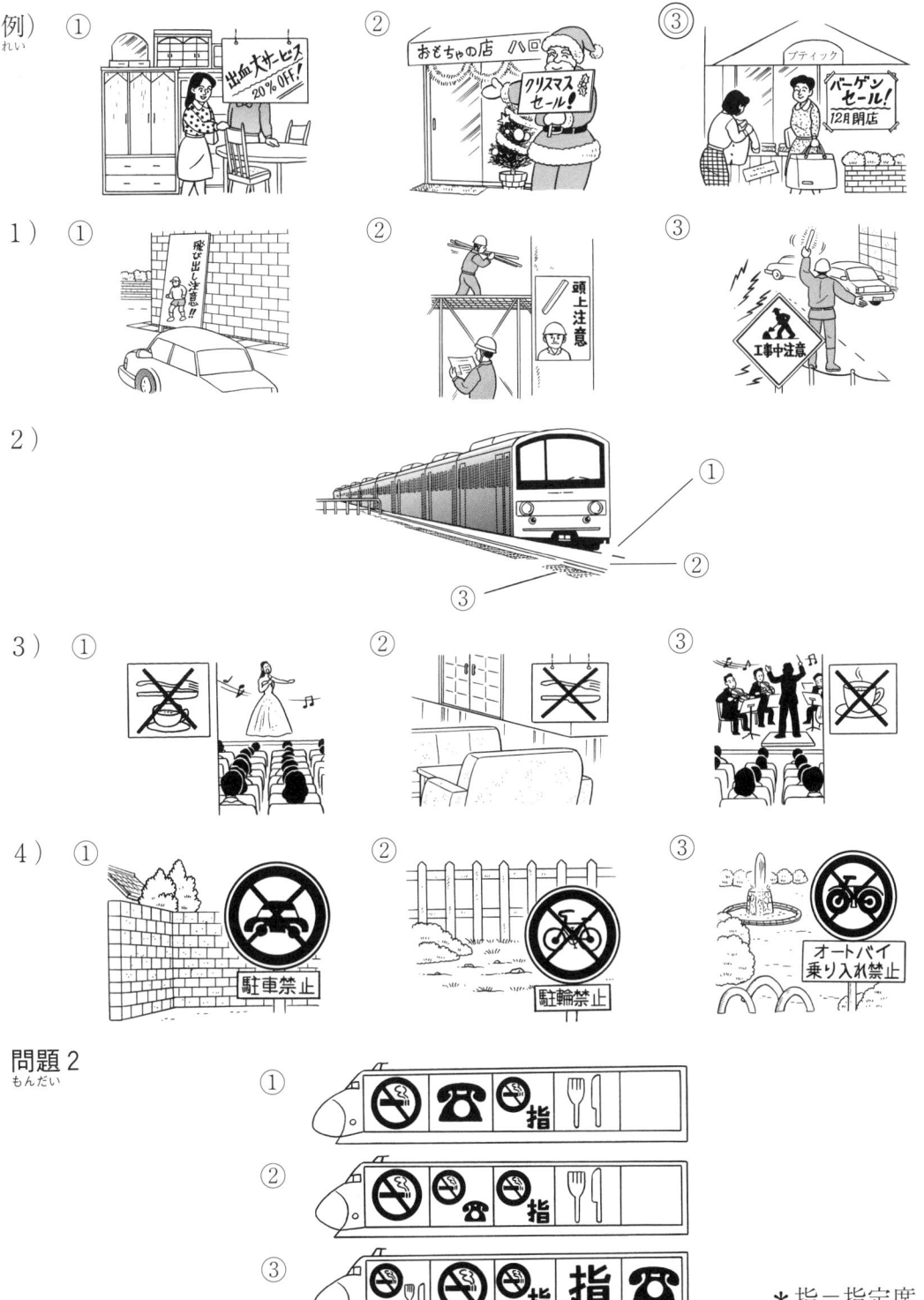

問題2

*指＝指定席

第2課
電話で連絡する

学習目標

1. 遅刻や休みの連絡ができる

2. 伝言が頼める

3. ファックスの内容が読める

学習する前に

1. 朝会社に遅れそうだったら、どうしますか。
2. 今までに日本の会社に電話をかけたことがありますか。
3. 電話をかけた時、相手が留守だったら、どうしますか。
4. 電話で伝言を頼んだことがありますか。
5. ファックスを送ったことがありますか。ファックス用紙には普通どんなことを書きますか。

学習項目

会話1　遅刻の連絡をする

1) ～ほど：30分ほど
2) V(-ます)そうだ：遅れそうなんです。

会話2　伝言のお願いをする

3) ～でしょうか：井上さんのお宅でしょうか。
4) あいにく：あいにくまだ帰っておりませんが・・・
5) ～と伝えていただきたい：
   修了式で東京へ行くと伝えていただきたいんですが・・・
6) ～ということですね：今度の木曜日に修了式で東京へいらっしゃるということですね。

読もう　ファックス通信

7) ～だけでなく、～も：日本の車だけでなく、外の国のも展示されています。
8) もしV-るなら、：もし行かれるなら、時間を決めたいと思います。

会話

会話1　遅刻の連絡をする

会社で／受付の人、李、伊藤

受付の人： おはようございます。東京コンピューターでございます。

李： 中国の研修生の李ですが、技術部の伊藤さんをお願いします。

受付の人： はい、少々お待ちください。

....

伊藤： もしもし、お電話代わりました。伊藤です。

李： あ、伊藤さんですか。おはようございます。李です。

伊藤： ああ、李さん、どうしましたか。

李： 実は今新宿駅にいるんですが、電車の事故があって、30分ほど遅れそうなんです。

伊藤： そうですか。分かりました。

李： すみませんが、よろしくお願いします。

会話2　伝言のお願いをする

家で／李、井上夏子

李　　：　もしもし、井上さんのお宅でしょうか。

井上：　はい、そうです。

李　　：　中国の研修生の李と申しますが、井上さんはいらっしゃいますか。

井上：　あいにくまだ帰っておりませんが・・・

李　　：　あ、そうですか。じゃ、すみませんが、今度の木曜日に修了式で東京へ行くと伝えていただきたいんですが・・・

井上：　分かりました。今度の木曜日に修了式で東京へいらっしゃるということですね。

李　　：　はい。

井上：　主人が帰りましたら、そのように伝えておきます。

李　　：　じゃ、よろしくお願いいたします。失礼します。

井上：　失礼します。

読もう
ファックス通信

	（株）吉田モーターズ
ファクシミリ送信票	〒102-0083 東京都千代田区麹町５丁目３番地 TEL　03-3222-5421 FAX　03-3222-1730 2001年10月12日

［あて先］ABC研修センター 　234号室　ブディ・スシロ　様	［発信者］ 吉田
［件　名］モーターショー	送信枚数 １枚 （このページを含む）

［通信欄］
ブディさん　お変わりありませんか。
先日は　本当に楽しい１日でした。
今度の日曜日に、今晴海で開かれているモーターショーに行こうと思っていますが、一緒にいかがですか。
入場料は無料です。
日本の車だけでなく、外の国のも展示されています。
そこでは実際の運転は無理だけど、乗ってみることはできるようです。
もし行かれるなら、待ち合わせ場所と時間を決めたいと思います。
すみませんが、今晩10時ごろお電話ください。

以上

会話の練習

1. 「ほど」または「ごろ」を（　　　）の中に入れてください。
    1) 高速道路で交通事故が起きたので、10時（　　　）事務所に着きます。
    2) 李さんは1時間（　　　）で帰って来ます。
    3) すみませんが、1,000円（　　　）貸してください。
    4) 4月の初め（　　　）もう一度来たいです。

2. 例：　電車の事故があって、30分ほど（遅れ）そうです。
    1) 工事はなかなか終わりませんでしたが、来週やっと（　　　　　）そうです。
    2) 今日は天気がいいから、洗濯物が早く（　　　　　）そうです。
    3) これからも日本はごみの量が（　　　　　）そうです。
    4) レポートをまとめるのに苦労しましたが、やっと（　　　　　）そうです。

3. （A：伊藤　　B：李）
    A：もしもし、李さん、どうしましたか。
    B：実は今、新宿駅にいるんですが、<u>電車の事故があって</u>、30分ほど遅れそうなんです。
    A：そうですか。分かりました。
    B：すみませんが、よろしくお願いします。

    1) 電車を間違えてしまった
    2) 電車に忘れ物をしてしまった

4. 例1：　もしもし、井上さんのお宅ですか
    　　　……もしもし、井上さんのお宅でしょうか。
    例2：　井上さんは何時ごろ来られますか
    　　　……井上さんは何時ごろ来られるでしょうか。
    1) ファックスの番号は電話番号と同じですか　……
    2) 伝言をお願いしてもよろしいですか　……
    3) 井上はあいにく外出中ですが、どちら様ですか　……
    4) 井上さんの出張はいつからですか　……
    5) 井上さんはもう出張からお帰りになりましたか　……
    6) ファックスはもう届きましたか　……
    7) この近くに郵便局はありませんか　……
    8) 明日そちらに伺いたいと伝えていただけませんか　……

5. 例： (電話で)
    A：もしもし、井上さんはいらっしゃいますか。
    B：いいえ、あいにく（出かけて）おりますが…

   1) (カメラ屋で)
       A：このカメラ、修理してもらいたいんですが、日曜日までにできますか。
       B：すみません。あいにく今、店に部品が（　　　　）ので、すぐにはできませんが…
   2) (仕事の後、事務所で)
       A：明日一緒にサッカー、見に行きませんか。
       B：あのう、あいにく明日は（　　　　）て…
   3) (会社の受付で)
       A：技術部の伊藤さんをお願いしたいんですが。
       B：すみません。あいにく今（　　　　）ので、そちらで少々お待ちください。
   4) (電話でレストランの予約をする)
       A：今週の土曜日、5人、大丈夫でしょうか。
       B：申し訳ございません。あいにくその日は（　　　　）んですが。

6. (A：李　B：井上夏子)
    A：もしもし、井上さんのお宅でしょうか。
    B：はい、そうです。
    A：中国の研修生の李と申しますが、井上さんはいらっしゃいますか。
    B：あいにく今、出かけておりますが…
    A：そうですか。じゃ、またお電話します。

    1) 来週まで出張している
    2) まだ帰っていない

7. 例1： 木曜日に会議があると伝えていただきたいんですが…
　　　　……木曜日に会議があるということですね。
　　例2： 明日東京へ行くと伝えていただきたいんですが…
　　　　……明日東京へいらっしゃるということですね。

　　1） ミーティングは10時半からだと伝えていただきたいんですが…
　　　　……

　　2） 発表は火曜日の午後1時からになったと伝えていただきたいんですが…
　　　　……

　　3） 明日国へ帰ると伝えていただきたいんですが…
　　　　……

　　4） 来週のパーティーに出席すると伝えていただきたいんですが…
　　　　……

　　5） 旅行の申し込みは金曜日までだと伝えていただきたいんですが…
　　　　……

　　6） 夕方5時の飛行機に乗ると伝えていただきたいんですが…
　　　　……

8. （A：李　　B：井上夏子）
　　A：すみませんが、伝言をお願いできますか。
　　B：ええ、どうぞ。
　　A：あのう、今日から2週間東京にいると伝えていただきたいんですが…
　　B：分かりました。今日から2週間東京にいらっしゃるということですね。
　　A：はい。よろしくお願いいたします。

　　1） 昨日無事に実習が終わった
　　2） 日曜日そちらへ伺う

活動
かつどう

1．次の内容で会話をしてください。

```
ロールプレイカード　２　研修生（李）                         A
状況（ゆうべから熱があって、薬を飲んでも下がらないので、会社を休みたいと思って
います。）
→会社の担当者に電話で状況を説明して、今日１日休みたいと伝えてください。
```

```
ロールプレイカード　２　課長（伊藤）                         B
状況（朝、研修生の李さんから会社に電話がありました。）
→李さんの話を聞いてください。
→休んでもいいと言ってください。
```

読もうの練習

1. 下の絵を見て言葉を（　　　）に入れてください。

   例： 今度のモーターショーでは（日本）の車だけでなく、（外国）の車も展示されています。

   1) 李さんは（　　　）だけでなく、（　　　）も話せます。
   2) センターのロビーには（　　　）の新聞だけでなく、（　　　）の新聞も置いてあります。
   3) 実習のレポートには（　　　）だけでなく、（　　　）も書いてください。
   4) センターには（　　　）の研修生だけでなく、（　　　）の研修生もいます。

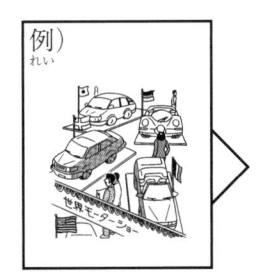

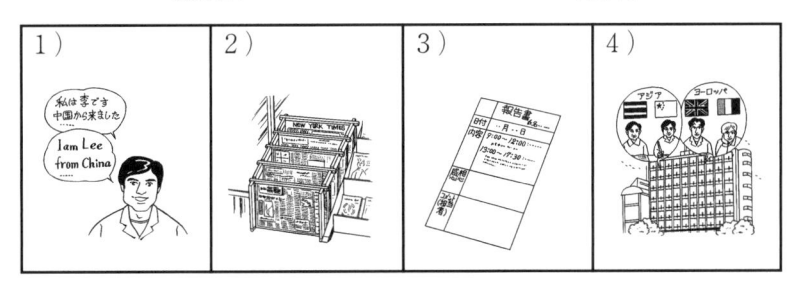

2. 例： A： 日曜日のモーターショーに行きますか。
       B： そうですね。面白そうですね。
       A： もし（行く）なら、待ち合わせ場所と時間を決めましょう。

   1) A： 日曜日センターへ来ますか。
      B： そうですね。まだ分からないんですが、多分行けると思います。
      A： もし（　　　）なら、電話してください。一緒に食事しましょう。

   2) A： 2月にスキー旅行があるんですよ。
      B： スキー旅行ですか。いいですね。
      A： もし（　　　）なら、15日までに申し込んでください。

   3) A： 今年の日本語能力試験、受けてみますか。
      B： そうですね。ちょっと難しそうですが。
      A： もし（　　　）なら、申し込み用紙を送ってあげますよ。

   4) A： ワープロ、もう使いましたよ。
         もし（　　　）なら、このまま置いておきますが…
      B： じゃ、そのままにしておいてください。

3．「読もう」の内容を読んで正しいものには○、正しくないものには×を入れてください。
　　例1： このファックスは吉田さんがブディさんに送ったものだ。　　　　　　　（○）
　　例2： このファックスはブディさんが吉田さんに送ったものだ。　　　　　　　（×）
　　1） この間吉田さんはブディさんに会った。　　　　　　　　　　　　　　　　（　）
　　2） モーターショーでは車に乗って、自分で運転してみることができる。　　　（　）
　　3） モーターショーでは日本の車や外国の車が展示されている。　　　　　　　（　）
　　4） 吉田さんはブディさんがモーターショーに行くかどうか、まだ分からない。（　）

活動

1. 次の内容のファックスを書いてみましょう。
   1) 会社の内線番号が変わったことを研修センターの井上さんに知らせる。
   2) 研修センターに夏休みの間の宿泊を頼む。
   3) 国へ帰ってから、引っ越しして住所が変わったことをホームステイの家族に知らせる。

ファクシミリ送信票	
	年　月　日
[あて先]	[発信者]
[件　名]	送信枚数　　　　枚 （このページを含む）
[通信欄]	

聞こう

問題1

例)
伝言メモ
(高木)様へ
(李)様から
― メモ ―
(23)日、(9)時に
もう一度(電話 する)
そうです。

1)
伝言メモ
(   )様へ
(   )様から
― メモ ―
(   )月(   )日は
(   )の都合で
(   )できなく
なったそうです。

2)
伝言メモ
(   )様へ
(   )様から
― メモ ―
(   )の(   )
に(   )か
どうか、(   )が
欲しいそうです。

3)
伝言メモ
(   )様へ
(   )様から
― メモ ―
会議が(   )たら、
(   )てください。
番号は
(-   -   )です。

4)
MEMO
(   )さんから
無事に
(   )て、
(   )、国へ
(   )そうです。

問題2

1)
(   )の受付時間は(   )曜日から(   )曜日までの
午前(   )時から午後(   )時までです。急いでいるときは
(-   -   )番にかけます。ファックスは(-   -   )です。

2)
李さんは(   )月(   )・(   )・(   )日が休みなので、吉田さんの家に
(   )たいと思っています。李さんの電話番号は(-   -   )です。

第3課
だいか

頼む
たの

学習目標
がくしゅうもくひょう

1. 何かを頼む前に、理由が説明できる
   なに　たの　まえ　　りゆう　せつめい

2. いろいろな頼み方が工夫できる
   　　　　　　たの　かた　くふう

3. 簡単な手紙文が書ける
   かんたん　てがみぶん　か

韓国語

学習する前に

1. ホテルなどで、困った経験がありますか。
2. 事務所のパソコンを使いたい時、何と言って頼みますか。
3. 何か頼みたい時、相手が忙しそうだったら、どうしますか。
4. 日本での生活の様子を、国の家族や友人にもう伝えましたか。
5. 日本語で手紙や葉書を書いたことがありますか。

学習項目

会話1　蛍光灯の取り替えを頼む

1) 縮約形①：蛍光灯が1本切れちゃったんです。
2) V-てほしい：取り替えてほしいんですが。

会話2　韓国語を教えてもらう

3) ～ことになる／～ことにする：今度韓国に転勤することになったんです。
4) 省略：ちょっとお願いがあるんですが・・・
5) ～ものですから：ずっと使ってないものですから、もうすっかり忘れてしまって。
6) V-ていただけないでしょうか：教えていただけないでしょうか。
7) ただV-るだけでいい：ただ一緒におしゃべりするだけでいいんです。

読もう　依頼の葉書、お礼の葉書

8) 助詞＋は：センターではいろいろお世話になり、ありがとうございました。
9) 連用中止：いろいろお世話になり、ありがとうございました。

会話

会話1　蛍光灯の取り替えを頼む

夜、会社の寮で／李、田村

李　　：あのう、304号室の李です。ちょっとお願いがあるんですが。
田村　：はい、何でしょうか。
李　　：天井の蛍光灯が1本切れちゃったんです。取り替えてほしいんですが。
田村　：今ですか。すいません、今、ちょっと手が離せないんですが、30分ぐらい後でもかまいませんか。
李　　：はい、かまいません。じゃ、よろしくお願いします。

会話2　韓国語を教えてもらう

会社で／小林、金

小林：　金さん、今、お忙しいでしょうか。

金　：　いいえ、何でしょうか。

小林：　あの、実は今度韓国に転勤することになったんです。

金　：　えっ、そうなんですか。ソウルですか。

小林：　ええ。それでちょっとお願いがあるんですが。

金　：　はい、私にできることでしたら、何でも。

小林：　私、学生時代にちょっと韓国語を勉強したんですが、ずっと使ってないものですから、もうすっかり忘れてしまって。

　　　　それで金さんの都合のいい時でいいんですが…

金　：　ええ。

小林：　ちょっと韓国語を教えていただけないでしょうか。

金　：　えっ、私が教えるんですか。ううん、ちょっと自信がないですね。

小林：　いえ、ただ一緒に韓国語でおしゃべりをするだけでいいんですよ。

金　：　ああ、そうですか。それなら私にもできそうです。

小林：　あっ、やっていただけます？

金　：　ええ、喜んで。

小林：　ああ、良かった。ありがとうございます。

読もう
依頼の葉書、お礼の葉書

１）依頼の葉書

井上先生、お元気でいらっしゃいますか。センターではいろいろお世話になり、ありがとうございました。お陰様で、今、私は元気に実習しております。そちらでは新しいコースが始まりましたか。

ところで実習中、会社の人と話していると、新しい単語をよく耳にします。でも私が持っている辞書は小さいので、あまり役に立ちません。それで何か良い辞書がありましたら、紹介していただけないでしょうか。

よろしくお願いいたします。お返事、お待ちしております。

では、お元気で。

2000年5月23日
李　民

追伸
　私の日本語に間違いがありましたら、是非教えてください。お願いします。

2）お礼の葉書

井上先生、お元気ですか。
先日は、良い辞書を紹介していただき、ありがとうございました。
いつも持って歩いて、わからない言葉があると、引いています。
単語がたくさん入っているので、とても役に立っています。
本当にありがとうございました。
また、お世話になると思いますが、よろしくお願いします。
それではお元気で。

六月十五日
李　民

会話の練習

1. 例1： 食べてしまった……食べちゃった
   例2： 飲んでしまった……飲んじゃった
   1) 忘れてしまった
   2) 読んでしまった
   3) 寝てしまった
   4) 遊んでしまった
   5) 泣いてしまった
   6) 休んでしまった
   7) 間違えてしまった
   8) 死んでしまった

2. (A、B：日本人の同僚)
   A：ああ、困ったな。
   B：どうしたの？
   A：①車のキーをかばんに入れておいたのに、②なくなっちゃったんだ。
   　　どうしよう・・・

   1) ① 借りた傘だ　　　　　　　　　② 電車に忘れてきた
   2) ① 会議の資料をパソコンで打った　② その内容を消した

3. 例： 今雨が（降ってます　…降っています）か。
   1) 辞書を（持ってる　…　　　　　　）？
   2) その荷物はあそこに（置いといて　…　　　　　　）。
   3) 困ったな。定期を（なくしちゃった　…　　　　　　）。
   4) この手帳が入り口の近くに（落ちてました　…　　　　　　）。
   5) この資料を（読んどいてください　…　　　　　　）。
   6) 工具は元の所に（しまっときました　…　　　　　　）。

4. 実は今度①エジプトへ転勤することになったんです。
   それでいろいろ考えたんですが、②家族と一緒に行くことにしたんです。
   1) ① 仕事で中国へ行く　　　② 子供も一緒に連れて行く

2）① ブラジルへ1年出張する　② 家族を日本に置いて一人で行く
3）① 兄が新しい会社を作る　② 国へ帰って私も手伝う
4）① 10月に結婚する　② 両親と一緒に住む

5．例：　私は健康のために、毎日30分ほど散歩することに（なって／<u>して</u>）いる。
1）いろいろ考えたけど、夏休みに友達と九州へ遊びに行くことに（なりました／しました）。
2）来月から1か月、大阪工場で研修を受けることに（なって／して）いるのがわかった。
3）前はよくたばこを吸っていたが、今は周りの人がいくら吸っても、私は絶対に吸わないことに（なって／して）いる。
4）会社の規則によると、私は国へ帰ってから、1週間休めることに（なって／して）いる。

6．次の文の中で、省略できるところに（　　　）を付けてください。
例：　スポーツセンターへ行きたいんですが、（どうやって行ったらいいですか。）
……この道をまっすぐ行くとありますよ。
1）どうしたんですか。
……今の電車にかばんを忘れてしまったんですが、どうしたらいいでしょうか。
2）李さんは日本語がとても上手ですね。
……いいえ、そんなことありません。もっと話す練習をしないとだめだと思っているんですよ。
3）隣の部屋の人がうるさくて、夜寝られないんです。
……じゃ、管理人さんに話してみたらどうですか。
4）弁当、外で食べない？
……そうだね。天気もいいし、桜もきれいだし、外で食べようか。

7．（A：小川　　B：李）
A：国で①<u>パソコンの使い方</u>、習った？
B：一度習ったんですが、②<u>それから全然使ってない</u>ものですから、まだあまりできないんですが。
A：それじゃ、もう一度説明しましょう。

1）① この書類の書き方　② それから全然書いてない
2）① この機械の使い方　② それからほとんど触ってない

8．(A：李　　B：小川)

A：小川さん、ちょっとすみません。
B：何？
A：①新しいパソコンの使い方がよく分からないんです。
　　すみませんが、②教えていただけないでしょうか。

1)　① 機械の故障の原因　　　② 調べる
2)　① 電話の相手の日本語　　② 代わる

9．「～てほしい」か「～ていただけないでしょうか」のどちらかを選んで、文を作ってください。

例1：　蛍光灯が1本切れちゃった、取り替える（寮の管理人さんに）
　　　……蛍光灯が1本切れちゃったので、取り替えてほしいんですが。
例2：　日本語でレポートを書いた、見る（上司に）
　　　……日本語でレポートを書いたんですが、見ていただけないでしょうか。

1)　シャワーのお湯が出ない、調べる（寮の管理人さんに）
　　……

2)　漢字を勉強したい、いい本を紹介する（先生に）
　　……

3)　エアコンが壊れている、修理する（寮の管理人さんに）
　　……

4)　国の会社でも使いたい、この資料をコピーさせる（上司に）
　　……

5)　部屋の鍵が掛かりにくい、見る（ホテルの受付に）
　　……

6)　国から両親が会いに来る、2、3日休ませる（上司に）
　　……

10. （A：日本人　　B：韓国人社員）
　　A：金さん、すみませんが、①韓国語を教えていただけないでしょうか。
　　B：えっ、私が①教えるんですか。それはちょっと…
　　A：いえ、ただ②一緒に韓国語でおしゃべりするだけでいいんです。

　1）① 韓国料理の作り方を教える
　　　② ここの説明だけ訳していただく
　2）① 漢字の韓国語の読み方を教える
　　　② このページにある名前の読み方を書いていただく

活動
かつどう

1．例のように、依頼の1)「丁寧な会話」と2)「普通の会話」を作ってください。

例： 「会社の上司／会社の友達」に「将棋を教えてもらう」ことを依頼する。
1) 「丁寧な会話」 　A：研修生　　B：会社の上司
A： 鈴木さん、今ちょっといいですか。
B： ええ、どうぞ。
A： 将棋が強いって聞いたんですが。
B： えっ、そんなに強くないよ。
A： 日本で是非、将棋を習いたいんですが、教えていただけないでしょうか。
B： えっ、私より強い人がいると思うけど・・・
A： いえ。寮にもできる人がいないので、是非。
　　鈴木さんの都合のいい時で結構ですから。
B： そう。じゃ、昼休みならいいけど。
A： どうもありがとうございます。

2) 「親しい友達との会話」　　A：研修生　　B：会社の友達
A： 加藤さん、今、ちょっといい？
B： うん。
A： 加藤さん、将棋が強いって聞いたんだけど、教えてくれない？
B： えっ、もっと強い人がいると思うけど…
A： いや、寮にもできる人がいないので、是非。
　　加藤さんの都合のいい時でいいから。
B： そう。じゃ、昼休みならいいけど。
A： わあ、ありがとう。

① 「先生／友達（女の人／男の人）」に「レポートのチェック」を依頼する。
② 「会社の上司／友達」に「ノートパソコンを借りる」ことを依頼する。

読もうの練習

1. 例のように助詞に気をつけて、（　　）の文を変えてください。
   例：　札幌は寒いでしょうね。（札幌／もう雪が降っている）
   　　　……ええ、札幌ではもう雪が降っていますよ。
   1) 来週、軽井沢へ行くんですよ。（軽井沢／どのくらいいるんですか）
   　　　……へえ、いいですね。＿＿＿＿＿＿＿＿＿＿＿＿＿＿＿＿＿＿
   2) 来週、京都へ行くんですよ。（京都／来週から大きなお祭りが始まるよ）
   　　　……へえ、そう。＿＿＿＿＿＿＿＿＿＿＿＿＿＿＿＿＿＿＿＿＿
   3) 先週、鈴木先生に会いました。（鈴木先生／学生時代、随分お世話になりました）
   　　　……へえ、そうですか。＿＿＿＿＿＿＿＿＿＿＿＿＿＿＿＿＿
   4) 長野に友達がいるんですよ。（長野／98年に冬のオリンピックがあったんですよ）
   　　　……へえ、そう。＿＿＿＿＿＿＿＿＿＿＿＿＿＿＿＿＿＿＿＿＿

2. 例1：　センターではいろいろお世話になりました、本当にありがとうございました
   　　　……センターではいろいろお世話になり、本当にありがとうございました。
   例2：　2、3日前に風邪をひいて、せきがなかなか止まらない
   　　　……2、3日前に風邪をひき、せきがなかなか止まらない。
   1) 日本の食べ物にもかなり慣れました、楽しく生活しております
   　　　……
   2) 午前は講義を聞いて、午後は工場へ見学に行った
   　　　……
   3) 昨日無事に実習が終わりました、日曜日に国へ帰ることになりました
   　　　……
   4) この間は招待していただいて、とてもうれしかったです
   　　　……
   5) 製品の40％はアジアへ輸出されます、60％は国内で売られます
   　　　……
   6) 漢字には読み方がいろいろあって、日本人でも間違えやすい
   　　　……

3．「読もう」の内容を読んで例のように（　　　）に書いてください。
　　1）依頼の葉書
　　例：　初めのあいさつ・・・・（　1　）行目　〜　（　1　）行目
　　　　　お礼の言葉など　　　　（　　　）行目　〜　（　　　）行目
　　　　　依頼　　　　　　　　　（　　　）行目　〜　（　　　）行目
　　　　　終わりのあいさつ　　　（　　　）行目　〜　（　　　）行目
　　　　　追伸　　　　　　　　　（　　　）行目　〜　（　　　）行目
　　2）お礼の葉書
　　　　　初めのあいさつ・・・・（　1　）行目　〜　（　1　）行目
　　　　　お礼の言葉　　　　　　（　　　）行目　〜　（　　　）行目
　　　　　感想　　　　　　　　　（　　　）行目　〜　（　　　）行目
　　　　　終わりのあいさつ　　　（　　　）行目　〜　（　　　）行目

4．葉書の内容について答えてください。
　　1）依頼の葉書
　　（　　　　　　　　　　　　　　　　　　　　　）ので、
　　（　　　　　　　　　　　　　　　　　　　　　）ほしいという内容。

　　2）お礼の葉書
　　（　　　　　　　　　　　）て、よく引いている。
　　（　　　　　　　　　　　　　　　　）ので、役に立っているという内容。

活動

1．次の内容で依頼の手紙を書いてみましょう。
　　研修センターの先生に、日本語の会話の練習をするためのボランティアを紹介してもらう手紙。

聞こう

問題1

1)　I.　　II.　　III.

2)　I.　　II.　　III.

3)　I.　　II.　　III.

問題2

例　まだゴルフが（　　下手だ　　）から

1) ずっと（　　　　　　　）から

2) 仕事が（　　　　　　　）から

3) お金が（　　　　　　　）から

第4課
だいか

許可をもらう
きょか

学習目標
がくしゅうもくひょう

1. 丁寧に許可を求めることができる
   ていねい きょか もと

2. 許可が欲しい理由をきちんと説明できる
   きょか ほ りゆう せつめい

3. 許可願いの申請書が正しく書ける
   きょかねが しんせいしょ ただ か

学習する前に

1. 仕事のために、国で何か研修を受けたことがありますか。
2. 仕事に必要な研修をしたいと思ったら、誰に相談しますか。
3. 会社で遅刻や早退をしたことがありますか。その理由は何ですか。
4. 遅刻や早退をしたい時は、どうやって許可をもらいますか。
5. 会社でどんな時、申請書を書きますか。

学習項目

会話1　パソコンフェアーに行く許可をもらう

1) 文脈指示の「あれ」「あの」「それ」「その」：
   あれね、僕のところにも案内状とパンフレットが来てるよ。
2) Nのところ：僕のところにも案内状が来てるよ。
3) V-させていただきたい：行かせていただきたいんですが。
4) V(-ます)なさい：是非行って来なさい。

会話2　早退の許可をもらう

5) ～の？：どうしたの？
6) V-てくる①：寒くなってきたからね。
7) ～がする：ちょっと寒気がするんです。

読もう　社員研修申請書

8) ～である：生きた英語の会話力が不可欠である。

会話

会話1 パソコンフェアーに行く許可をもらう

会社で／李、伊藤

李　　：　伊藤さん、ひとつお願いがあるんですが・・・
伊藤　：　何ですか。
李　　：　馬さんに聞いたんですが、来週の水曜と木曜に、名古屋の産業会館でパソコンフェアーがあるそうですね。
伊藤　：　あ、あれね。僕のところにも案内状とパンフレットが来てるよ。
李　　：　あの、できれば是非行かせていただきたいんですが・・・
　　　　　今作っているコンピューターソフトにも役に立つと思いますので。
伊藤　：　パソコンフェアーね・・・うん、かまわないよ。
　　　　　是非行って来なさい。
李　　：　どうもありがとうございます。

会話2　早退の許可をもらう

会社で／馬、伊藤

馬　　：　伊藤さん、今よろしいでしょうか。

伊藤　：　あ、馬さん、どうしたの。

馬　　：　今朝からずっと頭が痛くて・・・
　　　　　すみませんが、早退させていただけないでしょうか。

伊藤　：　そう、風邪かな？　このごろ寒くなってきたからね。

馬　　：　ええ。ちょっと寒気もするんです。

伊藤　：　それはいかんな。
　　　　　じゃ、今日は無理しないで、ゆっくり休みなさい。

馬　　：　どうもすみません。それでは失礼します。

伊藤　：　ひどくなるようだったら、すぐ病院へ行った方がいいよ。

馬　　：　はい、そうします。

読もう
社員研修申請書

研修申請書

総務部長　殿

申請日　　：　2000年12月9日
所属課名　：　海外協力課
申請者氏名：　山口　英子　㊞

次のとおり、社員研修を申請いたします。

1　研修内容　　　：　ビジネス英会話コース

2　実施希望理由：　海外協力の仕事には、生きた英語の会話力が不可欠である。「ビジネス英会話コース」はこの会話力を身に付けるのにふさわしいプログラムなので是非受講したい。

3　実施機関　　　：　AOTS外語学院

　　場所　　　　　：　名古屋市中区光が丘1丁目5番地

4　研修期間　　　：　2001年1月10日　～　2001年7月10日
　　　　　　　　　　　（6か月）

　　時間　　　　　：　毎週水曜日18時30分　～　20時30分

5　経費合計金額：　150,000円

6　その他　　　　：　「学校案内」

以上

会話の練習

1. 例： A：小川さん、大阪工場の吉田さんを知ってますか。
      B：ああ、（ その/(あの) ）人ね。会ったことあるよ。

   1) A：小川さん、今年の社員旅行、箱根の富士ホテルに泊まるそうですよ。
      B：そうですか。（ その/あの ）ホテル、箱根のどこにあるんですか。

   2) A：新宿にある「さくらレストラン」、行ったことある？
      B：ええ。
      A：今度（ そこ/あそこ ）へ行きたいんだけど、場所を教えてくれない？

   3) A：山口さん、仕事が終わったら、「ジャズクラブ」へ飲みに行かない？
      B：ううん...また（ そこ/あそこ ）ですか。今日は外の店にしませんか。

   4) A：日曜日どこか行った？
      B：ええ。田中さんに食事に連れて行ってもらいました。
      A：え、誰？（ その/あの ）人、センターの人？
      B：ええ、そうですよ。伊藤さんも、先月、センターのロビーで会ったでしょう？
      A：さあ... あ、思い出した！（ その/あの ）背が高くて、眼鏡をかけていた人だね。
      B：ええ。

2. 例1： 窓（に/(のところに)）田中さんが立っている。
   例2： 部屋（(に)/のところに）テレビが置いてある。

   1) ノート（に/のところに）名前を書いておく。
   2) 両親（に/のところに）恋人を連れて行く。
   3) 電話（に/のところに）ワープロのマニュアルがある。
   4) パソコン（に/のところに）カバーが掛けてある。

3. 例： 早退したい ...... 早退させていただきたいんですが。
   1) 明日休みたい ......
   2) 病院へ行きたい ......
   3) ワープロを使いたい ......
   4) もう一度この仕事をやりたい ......
   5) 会議に出席したい ......
   6) お先に失礼したい ......
   7) もう少し考えたい ......
   8) この資料を読みたい ......

4．例： パソコンフェアーに行って来る …… パソコンフェアーに行って来なさい。

1) 無理しないで、ゆっくり休む ……
2) 慌てないで、ゆっくりやる ……
3) すぐに決めないで、よく考える ……
4) 試験を出す前に、もう一度チェックする ……
5) 体に悪いから、たばこをやめる ……
6) 外の人に聞く前に、よくマニュアルを読む ……
7) 遅れる場合は、必ず電話で連絡する ……
8) 赤いランプがついたら、すぐ機械を止める ……

5．（会社で／A：李　B：伊藤）

A：あのう、今ちょっとよろしいですか。

B：ああ、李さん、どうしたの。

A：実は、今朝から頭が痛くて、寒気もするんです。
　　できれば、①早退させていただきたいんですが…

B：そう、それはいけないね。
　　じゃ、②今日は無理しないで、ゆっくり休みなさい。

1) ① 午後から失礼する　② 今日はできるだけ早く帰る
2) ① 今日1日休む　② ゆっくり休んで、早く治す

6. 次の [ ] のような時、何と言いますか。

   例： [友達は大きなかばんやカメラを持って出かけるところだ。]
   ……そんな大きなかばんを持って（ どこへ行く ）の？

   1) [1週間病気で休んでいた木村さんが会社へ来た。]
   ……木村さん、もう（　　　　　　　　）の？

   2) [社員旅行の食事の時、李さんは刺身を全然食べない。]
   ……あれ、李さん、刺身を食べてないね。（　　　　　　　　）の？

   3) [昼休み4、5人の社員が集まっている。]
   ……楽しそうだね。（　　　　　　　　）の？

   4) [昼御飯の時、友達は少ししか食べていない。体の調子が悪そうだ。]
   ……（　　　　　　　　）の？　大丈夫？

7. 例： 1時間前は道がかなり込んでいたが、やっと少しずつ（すいた／(すいてきた)）。
   1) 始めはあまり食べられなかったが、このごろ少しずつ日本料理の味に（慣れた／慣れてきた）。
   2) この間車にガソリンを入れたばかりなのに、もう全部（無くなった／無くなってきた）。
   3) 李さんは前はあまり日本語が話せなかったが、だんだん上手に（なった／なってきた）。
   4) この事務所は、今年から禁煙に（なった／なってきた）そうだ。

8. 下から言葉を選んで、（　）に入れてください。

   例： 昨日から（ 寒気 ）がする。風邪をひいたかもしれない。

   1) 倉庫に人がいるようだ。さっき中から誰かの（　　　　　）がした。
   2) この洗濯機は故障しているようだ。スイッチを入れると、変な（　　　　　）がする。
   3) この牛乳はちょっと古いようだ。飲んでみたら、変な（　　　　　）がした。
   4) ゆうべお酒を飲みすぎて、（　　　　　）がする。

   | 寒気、 味、 音、 吐き気、 形、 声 |

活動
かつどう

1．次の内容で会話をしてください。
　つぎ　ないよう　かいわ

```
ロールプレイカード　4　研修生（李）　　　　　　　　　　　　　　A
　　　　　　　　　　　けんしゅうせい　リー
状況（会社で実習していますが、日本語が下手で、毎日困っています。
じょうきょう　かいしゃ　じっしゅう　　　　にほんご　へた　　まいにちこま
　　この間、日本語学校の夜間コースの広告を見ました。）
　　　あいだ　にほんごがっこう　やかん　　　　こうこく　み
→課長に相談して、週に2回、夜に日本語学校へ行く許可をもらってください。
　かちょう　そうだん　　しゅう　かい　よる　にほんごがっこう　い　きょか
→費用（1か月3万円）を会社から出してもらえるように、頼んでください。
　ひよう　　げつ　まんえん　　かいしゃ　だ　　　　　　　　　　たの
＊（課長がだめだと言ったら、少しだけでも希望が通るように、話をしてください。）
　　かちょう　　　　　い　　　すこ　　　　　きぼう　とお　　　はなし
```

```
ロールプレイカード　4　課長（伊藤）　　　　　　　　　　　　　　B
　　　　　　　　　　　かちょう　いとう
状況（李さんは、先週実習を始めたばかりで、まだ会社に慣れていません。
じょうきょう　リー　　せんしゅうじっしゅう　はじ　　　　　　かいしゃ　な
　　でも日本語が下手なので、どこかで習いたいと思っているようです。）
　　　にほんご　へた　　　　　　　なら　　　　おも
→まず李さんの話を聞いてから、会社に慣れるまでは、学校は週に1回ぐらいにした方
　　　リー　　はなし　き　　　　　かいしゃ　な　　　　　がっこう　しゅう　かい　　　　　ほう
がいい、と話してください。
　　　はな
→週に1回なら、会社から授業料を払ってもいいと許可してください。
　しゅう　かい　　かいしゃ　じゅぎょうりょう　はら　　　　　きょか
```

読もうの練習

1. 次の中から、「〜です」の代わりに「〜である」を使ってもいいものを2つ選んで、例のように書き換えてください。

　例： 海外協力の仕事には英語の会話力が不可欠です。従って社員研修を申請します。
　　　……海外協力の仕事には英語の会話力が不可欠である。従って社員研修を申請する。

　1）　この機械を使う時には十分気をつけてください。間違えると危険です。
　　　……

　2）　現在世界で最も人口が多い国は中国です。次にインド、アメリカと続きます。
　　　……

　3）　初めまして。私は中国の李です。上海から参りました。
　　　……

　4）　ＡＴＣは、製品の7割を海外へ輸出している自動車メーカーです。本社は大阪にあります。
　　　……

2. 申請書を読んで、（　）に言葉を入れてください。

　例： これは（　社員研修　）をするために書かれた申請書である。
　　　この申請書を書いた人は（　　　　）課の（　　　　）で、書いた日は（　　　　）だ。名古屋市にある（　　　　）で（　　　　）を受講するために、必要な費用（　　　　）円を会社に出してほしいと申請した。

活動

1．次の文を読んで、研修申請書を書いてください。

李さんへ
　10月9日午後1時から5時まで、新宿のMSビルで、東京コンピューターネット（株）のパソコンフェアーがあります。新しいソフトウェアの知識はきっと実習に役に立つと思いますから、一緒に行ってみませんか。入場料は1,000円です。
　研修申請書を書いて、10月2日までに総務部長に出せば、費用は会社から出ます。

小川

研修申請書

_____殿

申請日　　：　　　年　月　日
所属課名　：　ソフトウェア事業部
申請者氏名：　　　　　　　印

次のとおり、社員研修を申請いたします。

1　研修内容　　：

2　実施希望理由：

3　実施機関　　：

　　場所　　　　：

4　研修期間　　：　　年　月　日　～　　年　月　日

　　時間　　　　：　　　　　　　～

5　経費合計金額：　　　　円

6　その他　　　：

以上

聞こう

問題1

例)
- ⓐ 李さんは女の人の写真を撮る。
- b 女の人は李さんの写真を撮る。
- c 李さんは女の人に写真を撮らせる。

1)
- a 課長は李さんに会議室を使わせない。
- b 李さんは昼休みに会議室を使う。
- c 課長は昼休みに会議室を使う。

2)
- a 小川さんはあとでゲームをやる。
- b 女の人はあとで小川さんにゲームをやらせる。
- c 女の人はあとでゲームをやる。

3)
- a 李さんは小川さんの資料をコピーする。
- b 小川さんは自分で資料をコピーする。
- c 李さんは小川さんに資料をコピーさせる。

4)
- a 女の人は資料をコピーする。
- b 小川さんは資料をコピーする。
- c 小川さんは女の人に資料をコピーさせる。

問題2

1)
- a 会社のスキー旅行
- b センターのスキー旅行
- c センターの研修旅行

に是非

- a 行って
- b 行かせて
- c 行かないで

ほしいということ。

2) d → (　) → (　) → g → (　) → (　) → (　)

- a 昨日井上さんと話しました。
- b あと1か月でプログラムが完成できるように頑張ります。
- c わたしはスキーをしたことがないので、やってみたいんです。
- d いま、よろしいでしょうか。
- e ありがとうございます。よろしくお願いします。
- f 来月スキー旅行があるそうです。
- g ぜひ、参加させてください。

第5課
だいか

誘う・断る
さそ　　ことわ

学習目標
がくしゅうもくひょう

1. 相手の意向や都合を聞きながら誘うことができる
   あいて　いこう　つごう　き　　　　　　さそ

2. 待ち合わせ時間や場所を確かめながら話が進められる
   ま　あ　　　じかん　ばしょ　たし　　　　　　はなし　すす

3. 相手に失礼のないように、丁寧に誘いを断ることができる
   あいて　しつれい　　　　　　　　　ていねい　さそ　ことわ

学習する前に

1. 仕事の後や休みの日に、友達と出かけることが多いですか。
2. 友達と出かける時、どちらから誘うことが多いですか。
3. 待ち合わせの時間や場所を間違えたことがありますか。
4. 体の調子が悪い時、会社の上司に飲みに行こうと誘われたらどうしますか。
5. 誘いを断る手紙を書く場合、どんなことに気をつけたらいいですか。

学習項目

会話1　Jリーグに誘う

1) 終助詞：李さん、サッカー好きだったよね。
2) 確か～たよね：李さん、確かサッカー好きだったよね。
3) ～んだけど、一緒にどうかなと思って：
　　Jリーグの切符が2枚あるんだけど、一緒にどうかなと思って・・・
4) Nでも(一緒に)どうですか：食事でも一緒にどうですか。

会話2　二次会を遠慮する

読もう　誘いの手紙、断りの手紙

5) V(-ます)たがる/欲しがる：子供達も李さんにとても会いたがっています。
6) せっかく～のに：せっかく誘っていただいたのに、申し訳ありません。
7) V-られた(可能)らと思っている：お会いできたらと思っております。

会話

会話1　Ｊリーグに誘う

仕事の後、会社で／小川、李

小川：　李さん、確かサッカー好きだったよね。
李　：　ええ、大好きです。
小川：　実はＪリーグの切符が２枚あるんだけど、一緒にどうかなと思って・・・
李　：　Ｊリーグですか。わあ、うれしいなあ。
小川：　今週の土曜日の午後なんだけど、空いてる？
李　：　土曜日の午後ですね。はい、大丈夫です。何時からですか。
小川：　ええと、２時半から国立競技場で。行ったことある？
李　：　いいえ、ありません。
小川：　じゃ、どうしようかな。どこかで待ち合わせしようか。
李　：　ええ。
小川：　じゃ、１時半に千駄ヶ谷駅で会おうか。
李　：　千駄ヶ谷駅ですね。
小川：　うん、南口の改札で。
李　：　分かりました。じゃ、土曜日楽しみにしています。
　　　　小川さん、これから食事でも一緒にどうですか。
小川：　いいね。行きましょう。

会話2　二次会を遠慮する

仕事の後、飲み屋の前で／伊藤、李

伊藤：　さあ、もう一軒行こうか。

李　：　あのう、すみませんが、私はこれで失礼させていただきます。

伊藤：　えっ、帰るの？

李　：　ええ、最近ちょっと飲みすぎなんで・・・

伊藤：　まあ、そんなこと言わないで。

李　：　いえ、本当にちょっと体の調子が良くないんです。

伊藤：　そう。

李　：　また次の機会にお願いします。

伊藤：　そうか・・・じゃ、お疲れさま。

李　：　どうもすみません。じゃ、お先に失礼します。

読もう

誘いの手紙、断りの手紙

手紙1　誘いの手紙「お正月の招待」…ホームステイ先の家族から

　李さん、寒い日が続いていますが、お変わりありませんか。
　こちらは家族全員、元気に過ごしています。横浜での研修はいかがですか。日本語も大分上達されたでしょうね。
　さて、もうすぐお正月ですが、冬休みの予定はもう決まりましたか。もしよろしかったら、うちへ遊びにいらっしゃいませんか。お正月料理をごちそうしますよ。子供達も李さんにとても会いたがっています。
　では、お返事をお待ちしています。

2001年12月10日
高木一郎

手紙2　断りの手紙「李さんの返事」

　高木さん、お手紙どうもありがとうございました。

　こちらでは昨日初雪が降りました。寒い日が続いていますが、私の方は研修にも慣れて、お陰様で毎日元気に過ごしております。

　さて、冬休みのことですが、あいにく年末から友達とスキーに行く計画を立ててしまいました。本当に残念ですが、今回はお伺いすることができません。せっかく誘っていただいたのに、申し訳ありません。

　でも、2月に2週間ほど大阪支店で実習する予定がありますので、その時にお会いできたらと思っております。予定がはっきり決まりましたら、御連絡いたします。

　では、御家族の皆様にもよろしくお伝えください。

2001年12月18日
李　民

会話の練習

1. 例： A：金曜日のミーティングは3時からにしましょう。
   　　　B：3時からです（よ／⊛）。分かりました。

   1） A：今日の会議、確か3時からでしたね。
   　　B：ううん、予定が変わって、明日になったんだ（よ／ね）。

   2） A：あのう、すみません、田中さんってどの人ですか。
   　　B：田中さん？　ほら、あの窓のところに立っている人です（よ／ね）。
   　　A：ああ、あの眼鏡をかけている人です（よ／ね）。

   3） A：あーあ、今日は本当に眠い（な／かな）。
   　　B：講義、何時に終わる（な／かな）。

   4） A：今度、車を買うんだ。
   　　B：え、本当？　いい（な／かな）。
   　　A：君もそろそろ買いたいって言ってたね。
   　　B：うん、そのうちに買おう（な／かな）って思ってるんだけど・・・

   5） A：まだ10月なのに、もう冬みたいだね。
   　　B：うん、このごろ本当に寒い（かな／よね）。

   6） A：来月のスキー、山口さんも誘ってみようか？
   　　B：さあ、山口さんは行く（かな／よね）。
   　　　スポーツはあまり好きじゃないって言ってたけど・・・

2. 例： 李さんの家は上海だ……李さんの家、確か上海だったよね。

   1） 社員旅行は10月の初めだ　……
   2） 会議の資料はあさってまでに必要だ　……
   3） 鈴木さんは明日の晩忙しい　……
   4） 田中さんの家は駅から近い　……
   5） 加藤さんはタイ語ができる　……
   6） このコンピューターは故障で使えない　……

3. 例： Jリーグの切符がある
   　　　……Jリーグの切符があるんだけど、一緒にどうかなと思って…

   1） 今晩ナイターを見に行く
   2） 日曜日コンサートがある
   3） 会社の近くにいいレストランが出来た
   4） 横浜でモーターショーをやっている

4．(A：小川   B：李)
　A：李さん、確か①サッカー、好きだったよね。
　B：ええ、大好きです。
　A：②Jリーグの切符が2枚あるんだけど、一緒にどうかなと思って…
　B：②Jリーグですか。わあ、うれしいなあ。

　1) ① 音楽   ② コンサートのチケットを2枚もらった
　2) ① 日本料理 ② おいしいすし屋が出来た

5．(A：佐々木   B：小川)
　A：これから①食事でも一緒にどう？
　B：ごめん、今日はちょっと…
　A：そう。じゃ、②明日は？
　B：あ、②明日なら、空いてるよ。

　1) ① カラオケ ② 土曜日
　2) ① 映画   ② 日曜日

活動
かつどう

1. 次の内容で会話をしてください。

ロールプレイカード　5-1　友達（小川）　　A

状況（映画を見に行きたいので、友達を誘います。）
→映画の情報誌の中から好きなものを選んでください。
→友達を誘って、行く日、待ち合わせの時間、場所などを話し合って、決めてください。

ロールプレイカード　5-1　友達（佐々木）　　B

状況（友達に映画に誘われました。）
→スケジュール表を見ながら相談して、いつ行くか、決めてください。

〈今月の映画〉

スターウォーズ	チャップリンの映画	００７ (ゼロゼロセブン)	侍の映画
1)	2)	3)	4)

スケジュール　今月

月	火	水	木	金	土	日
	1 英会話	2	3 英会話	4	5	⑥
7	8 英会話	9	10 出張	11	12	⑬
14	⑮ 英会話	16	17 英会話	18	19 社員旅行	⑳
21	22 英会話	㉓	24 英会話	25	26	㉗ 友達の結婚式
28	29	30				

73

2．次の内容で会話をしてください。

```
ロールプレイカード　5－2　課長（伊藤）                          A
状況（今日は仕事が早く終わったので、佐々木さんと飲みに行きたいと思っています。）
→佐々木さんを誘ってください。
　行けないという返事の場合は、その理由を聞いてください。
```

```
ロールプレイカード　5－2　社員（佐々木）                        B
状況（仕事の後で、課長に一緒に飲みに行こうと誘われましたが、今日は都合が悪いです。）
→行けない理由を言って、丁寧に誘いを断ってください。
```

3．会話1と同じ内容で、李さんが研修センターの井上さんを誘う会話を作ってみましょう。
　　例：　李　：井上さん、確かサッカー好きでしたよね。
　　　　　井上：うん、大好きだよ。
　　　　　李　：
　　　　　井上：
　　　　　李　：
　　　　　　　・
　　　　　　　・
　　　　　　　・

4．次のような時、何と言って誘いますか。考えてみましょう。
　1）野球のチケットを2枚もらったので、友達を誘う。
　2）日曜日、寮で友達と自分の国の料理を作ってパーティーをすることになったので、実習している会社の担当者を誘う。

読もうの練習

1. 例： 夏休み、どこへ行くの？（僕は山／彼女は海）
   ……僕は山へ行きたいけど、彼女は海へ行きたがっているんだ。
   1) 箱根でどこに泊まるの？（私はホテル／母は旅館）
      ……
   2) 今度の送別会、どんな料理にする？（僕は中華／小川さんは和食）
      ……
   3) どんな所に住みたい？（僕は田舎／妻は都会）
      ……
   4) 今度のボーナスで何を買うの？（僕はパソコン／妻は冷蔵庫）
      ……

2. 例： 弟は前からアメリカで（a．勉強したがる ⓑ．勉強したがっている）。
   1) 妹は甘い物を見ると、すぐ（a．食べたがる　b．食べたがっている）。
   2) 妻は前から日本へ（a．来たがる　b．来たがっている）。
   3) 李さんは夏休み北海道へ（a．行きたがる　b．行きたがっている）。
   4) 私の子供はおもちゃ売り場へ行くと、すぐいろいろ（a．欲しがる　b．欲しがっている）ので、困る。

3. 例： 冬休み／友達とスキーに行く計画を立てた
   ……冬休みのことですが、あいにく友達とスキーに行く計画を立ててしまいました。
   1) 明日のパーティー／風邪をひいて、熱が出た
      ……
   2) 来週のキャンプ／出張の予定が入った
      ……
   3) 今度のピクニック／急用が出来た
   4) 来月の旅行／研修の予定が変わって、もうすぐ国へ帰ることになった
      ……

4. 例： せっかくお菓子を買って友達の家へ行ったのに、留守だった。
   1) せっかく友達からスキー道具を借りたのに、＿＿＿＿＿＿＿＿＿＿。
   2) 日曜日せっかくレポートを書いたのに、＿＿＿＿＿＿＿＿＿＿。
   3) ひどい雨の中を歩いてせっかくデパートまで行ったのに、＿＿＿＿＿＿＿＿＿＿
      ＿＿＿＿＿＿＿＿。
   4) せっかくパーティーに誘ってもらったのに、＿＿＿＿＿＿＿＿＿＿＿＿＿＿
      ＿＿＿＿＿。

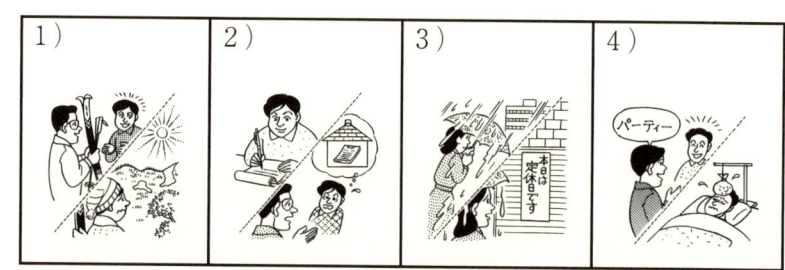

5. 例： 2月に大阪へ行く予定があるので、その時（お会いしたい…お会いできたら）と思っております。
   1) 来月の出張の時、そちらへ（伺いたい…　　　　　　　　）と思っております。
   2) 帰国される前に、一度うちへ遊びに（来ていただきたい…　　　　　　　　　）と思っております。
   3) 来月スキー道具を（お借りしたい…　　　　　　　　　　）と思っております。
   4) 来週の送別会に（出席していただきたい…　　　　　　　　　　　）と思っております。

活動
かつどう

1. ①「人を誘う手紙」と②「誘いを断る手紙」を書いてみましょう。

   ① 人を誘う手紙
      手紙の相手…友達（王／今、広島にいる）
      手紙の内容…「夏休み一緒に旅行しよう」と誘う

   ② 誘いを断る手紙
      手紙の相手…友達（李／今、東京にいる）
      手紙の内容…「夏休み一緒に旅行しよう」と誘われたが、断る。
                  行けない理由も書いてください。

<封筒の書き方>

表：
〒473-0927
愛知県豊田市中田町37の12
井上 道夫 様

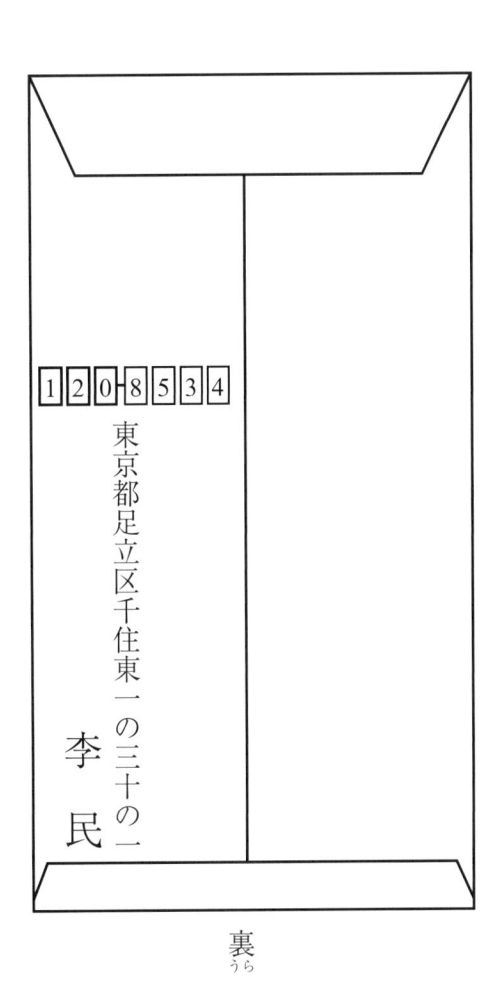

裏：
〒120-8534
東京都足立区千住東一の三十の一
李 民

聞こう

問題1

例） Ⅰ．　　Ⅱ．　　Ⅲ．

1） Ⅰ．　　Ⅱ．　　Ⅲ．

2） Ⅰ．　　Ⅱ．　　Ⅲ．

3） Ⅰ．　　Ⅱ．　　Ⅲ．

4） Ⅰ．　　Ⅱ．　　Ⅲ．

問題2

例） Ⅰ．　　Ⅱ．　　Ⅲ．

1） Ⅰ．　　Ⅱ．　　Ⅲ．

2） Ⅰ．　　Ⅱ．　　Ⅲ．

3） Ⅰ．　　Ⅱ．　　Ⅲ．

4） Ⅰ．　　Ⅱ．　　Ⅲ．

問題3

李さんは伊藤さんから（　　　　）曜日に（　　　　）に行かないかと誘われた。そこでは、日本や外国の（　　　　　　）の車が展示されるという。この展示会が人気があるのは、（　　　　）車や（　　　　　　）を使った車がいろいろ見られるかららしい。それに、自動車の説明をしてくれる（　　　　）もきれいだという。李さんは伊藤さんと（　　　　）時に（　　　　）駅の（　　　　）で会うことにした。

第6課
だい か

訪問する・紹介する
ほうもん　　しょうかい

学習目標
がくしゅうもくひょう

1. 人を訪問した時のあいさつができる
   ひと　ほうもん　　とき

2. 自分のことや出身地について紹介ができる
   じぶん　　　　しゅっしんち　　　　しょうかい

3. ペンパル募集の自己紹介文が書ける
   ぼしゅう　じこしょうかいぶん　か

学習する前に

1. あなたが住んでいる町や出身地について、日本人に聞かれたら、どんなことを話しますか。
2. 今までに日本人の家を訪問したことがありますか。その時、何か困ったことがありましたか。
3. 日本人の家を訪問した時、どんなことに気をつけなければならないと思いますか。
4. あなたの国では、外の人の家を訪問する時間や、お土産の渡し方、食事のお礼などについて、どんなマナーがありますか。
5. もし日本人と文通する機会があったら、どんな人と文通したいですか。

学習項目

会話1　上司の家を訪問する

会話2　自分の町を紹介する

1) 〜のは：生まれたのは上海から5時間ぐらいの小さな町です。
2) 〜。で、〜：そうですか。で、いつ上海に移られたんですか。
3) Nって、〜けど、〜ね：上海って、テレビで見たんですけど、随分活気のある町ですね。
4) 〜みたいに／〜みたいだ：私みたいに大都会に出て来る人が多いんですよ。
5) V-て来る②：大都会に出て来る人が多い。

読もう　ペンパル募集の手紙

6) Nをとおして：日本の方との文通をとおして、日本人の考え方を学びたいと思っている。

会話

会話1　上司の家を訪問する

伊藤さんの家で／李、伊藤正、伊藤夕子

(玄関で　ベルの音)

李　　　　：ごめんください。

伊藤正　　：あ、李さん、いらっしゃい。どうぞ上がってください。

李　　　　：はい、お邪魔します。

(居間で)

李　　　　：初めまして。中国の李と申します。会社ではいつも伊藤さんにお世話になっております。

伊藤夕子　：初めまして。お名前はよく伺っております。

李　　　　：今日はお招きいただきまして、どうもありがとうございます。

伊藤夕子　：いいえ、私達も李さんがいらっしゃるのを楽しみにしていたんですよ。

李　　　　：あのう、これ、つまらない物ですが、どうぞ。

伊藤夕子　：まあ、御丁寧に・・・どうもすみません。

....

伊藤夕子　：さあ、何もございませんが、どうぞ召し上がってください。

李　　　　：はい、じゃ、遠慮なく頂きます。

伊藤夕子　：どうぞ足を崩して、お楽にしてください。

李　　　　：はい、どうも。

会話2　自分の町を紹介する

伊藤さんの家で／李、伊藤正、伊藤夕子

伊藤夕子：　李さんは中国のどちらに住んでいらっしゃいますか。

李：　上海です。でも生まれたのは上海から5時間ぐらいの小さな町です。

伊藤夕子：　そうですか。で、いつ上海に移られたんですか。

李：　18歳の時です。上海の大学に入って、卒業した後も、ずっと上海に住んでいます。

伊藤夕子：　上海って、テレビで見たんですけど、随分活気のある町ですね。

李：　ええ。最近、新しいビルや店がどんどん出来ています。

伊藤正：　3年前に一度上海に行ったことがあるんだけど、通りや地区によって町の印象ががらりと違うので、驚いたよ。

李：　ええ、旧市街に行くと、古い建物もかなり残っていますね。

伊藤正：　うん、あの辺は独特の雰囲気があって、いいね。

李：　そうですね。

伊藤正：　上海は人口も年々増えてるって聞いたけど・・・

李：　ええ、今は東京とだいたい同じで、1,300万人くらいです。私みたいに大都会に出て来る人が多いんですよ。

伊藤夕子：　ああ、そうですか。

・・・

伊藤正：　李さん、ビールもう少しいかがですか。

李：　いえ、もう十分頂きました。

　　　あ、もうこんな時間ですね。そろそろ失礼します。

伊藤正 ： 明日は休みだから、もう少しゆっくりしていったら。
李 ： ええ、でももう遅いですし・・・
伊藤正 ： そうですか。じゃ、是非また遊びに来てください。
李 ： はい、ありがとうございます。今日はとても楽しかったです。

読もう
ペンパル募集の手紙

中国の李さんは雑誌にペンパル募集の手紙を出しました。

私は李と申します。3か月前に中国の上海から日本へ参りました。1か月間日本語を学習した後、現在コンピューターの会社でソフトウェアの研修を受けております。日本には1年間滞在する予定です。私の趣味は映画や囲碁です。またスポーツも好きで、休みの日は友達とよくテニスをしています。日本の方との文通をとおして日本人の考え方や習慣などを学びたいと思っています。中国に関心を持っていらっしゃる方、是非お便りをください。

（李民・東京）

会話の練習

1. 下のa～jの中から言葉を選んで、（　）に入れてください。

例）①（a）②（h）

1) ③（　）④（　）
2) ⑤（　）⑥（　）
3) ⑦（　）⑧（　）
4) ⑨（　）⑩（　）

［客］	［家の人］
a）ごめんください。	f）ビール、もう少しいかがですか。
b）じゃ、遠慮なく頂きます。	g）もう少しゆっくりしていってください。
c）いえ、もう十分頂きました。	h）あ、いらっしゃい。どうぞお上がりください。
d）これ、中国のお土産ですが、どうぞ。	i）御丁寧に、どうもすみません。
e）あ、もうこんな時間ですね。そろそろ失礼します。	j）何もございませんが、どうぞ召し上がってください。

2. 例： 先日高木さんのお宅を訪問しました
　　　　……先日訪問したのは高木さんのお宅です。

1) 先月京都を案内してもらいました
　　……

2) 実習中、伊藤さんにお世話になりました
　　……

3) 昨日本社から会議の資料を送ってもらいました
　　……

4) 北京から3時間ぐらいの小さな町で生まれました
　　……

3. 例： A：昨日駅の近くに出来たレストランへ行ってみたよ。
     B：そう。で、｛ⓐ．味はどうだった？
              　　 b．駅の近くにレストランは多いの？

1) A：受付の木村さん、もうすぐ結婚するそうだよ。
   B：え、そうなの。で、｛a．木村さんの趣味は何？
              　　　　　　b．相手はどんな人？

2) A：今度の金曜日、木村さんの送別会があるそうだよ。
   B：あ、そう。で、｛a．場所はどこ？
              　　　 b．木村さんの家はどこ？

3) A：今朝電車の中に大切な書類を忘れちゃってね。
   B：えっ。で、その書類、｛a．日本語で書いたの？
              　　　　　　b．見つかったの？

4) A：技術部の加藤さん、来月会社を辞めるそうだよ。
   B：えっ。で、｛a．加藤さんの家はどこ？
              　 b．辞めてどうするのかな？

4. 例： A：昨日、秋葉原でカメラを買ったよ。
     B：そう。で、<u>いくらだった</u>？
     A：29,800円。

1) A：日曜日、ディズニーランドへ行って来たよ。
   B：そう。で、_____？
   A：すごい人だったよ。

2) A：来月社員旅行があるんですよ。
   B：そうですか。で、_____んですか。
   A：箱根です。

3) A：今朝アメリカで飛行機が落ちたそうですね。
   B：本当ですか。で、_____んですか。
   A：サンフランシスコの北の方だそうです。

4) A：木村さん、夏休みはどこか行くの？
   B：ええ、友達とちょっとハワイまで。
   A：いいな。で、_____の？
   B：1週間くらい。

5. 例： 伊藤さん、とても背が高い
　　　　…… 伊藤さんって、とても背が高いですね。
　1） 上海、随分人が多い ……
　2） 長崎、独特の雰囲気がある ……
　3） 大阪、随分活気がある ……
　4） 東京電気、コンピューターの技術がかなり進んでいる ……

6. 例： 天ぷらって、この間食べましたけど、本当においしいですね。
　1） 山口さんの恋人って、この間＿＿＿＿＿＿＿けど、とても＿＿＿＿＿＿＿ですね。
　2） 京都って、先週＿＿＿＿＿＿＿けど、＿＿＿＿＿＿＿町ですね。
　3） 東京ディズニーランドって、友達に＿＿＿＿＿＿＿けど、＿＿＿＿＿＿＿そうですね。
　4） 伊藤課長のお宅って、日曜日＿＿＿＿＿＿＿けど、本当に＿＿＿＿＿＿＿ですね。

7. 例： 私は日本の歴史に興味があるので、京都みたいに歴史が古い町へ行ってみたい。
　1） 私はコンピューターの技術を身に付けたいので、東京コンピューターみたいに＿＿＿＿＿＿＿会社で勉強したい。
　2） 大阪の夏は毎年蒸し暑くて大変だが、今年はちょっと違う。
　　　今年みたいに＿＿＿＿＿＿＿年は珍しい。
　3） 今年会社に入社して来た林さんは英語だけでなく、中国語やタイ語も話せる。
　　　最近林さんみたいに＿＿＿＿＿＿＿若い人が増えている。
　4） 先週から1週間ずっと雨だったが、今朝やっとやんだ。
　　　今日みたいに＿＿＿＿＿＿＿日はどこかへ遊びに行きたい。

8. 例： 今朝から寒気がする。風邪をひいたみたいだ。
　1） 交差点の近くに人がたくさん集まっている。＿＿＿＿＿＿＿みたいだ。
　2） 外がだんだん暗くなってきた。もうすぐ＿＿＿＿＿＿＿みたいだ。
　3） 李さんの部屋のドアをノックしたが、返事がない。＿＿＿＿＿＿＿みたいだ。
　4） スイッチを入れても、ランプがつかない。この機械は＿＿＿＿＿＿＿みたいだ。

9. 例： A：課長、すみませんが、金曜日、早退させていただけませんか。
   B：どうしましたか。
   A：実は田舎から母が { a. 出る / ⓑ. 出て来る } ので、東京駅まで迎えに行かなければならないんです。

1) A：伊藤さんまだ事務所にいますか。
   B：いいえ、かばんがありませんから、もう家へ { a. 帰った / b. 帰って来た } ようです。

2) A：来月本社からここへ { a. 転勤する / b. 転勤して来る } 人は誰ですか。
   B：加藤さんです。

3) A：駅まで迎えに行きますから、電車を { a. 降りたら / b. 降りて来たら } 改札口のところで待っていてください。
   B：はい、わかりました。

4) A：李さん、遅いなあ。
   B：あ、来た。ほら、あそこ。こっちへ { a. 走ってる / b. 走って来る } よ。

活動
かつどう

1．クラスで自分の町について話してみましょう。

A：＿＿＿さんは＿＿＿のどこに住んでいらっしゃいますか。

B：＿＿＿です。でも生まれたのは
　　＿＿＿から＿＿＿時間ぐらいの
　　＿＿＿という町です。

B：＿＿＿です。
　　生まれも育ちも＿＿＿です。
　　ですから＿＿＿のことなら
　　よく知っています。

A：で、いつ＿＿＿に移られたん
　　ですか。

B：＿＿＿歳の時です。
　　＿＿＿＿＿＿＿て、それから
　　ずっと＿＿＿に住んでいます。

A：＿＿＿って＿＿＿＿＿けど、随分＿＿＿＿＿＿＿＿＿ね。

B：ええ、最近＿＿＿＿＿＿＿＿＿＿＿＿＿＿＿＿＿＿。

2．あなたの町の紹介を書いてみましょう。（有名な所、人口、町の様子など）

読もうの練習

1. 例： 文通、日本人の考え方や習慣などを学びたい
   …… 文通をとおして日本人の考え方や習慣などを学びたい。
   1) 実習、日本人の仕事のやり方がわかるようになった
      ……
   2) 日本語の勉強、いろいろな国の友達ができた
      ……
   3) 遊び、子供はいろいろなことを身に付ける
      ……
   4) アルバイト、学生の時いろいろな社会勉強ができた
      ……

2. あなたは日本でどんなことをしてみたいですか。＿＿＿＿に言葉を入れてください。
   この一般研修をとおして＿＿＿＿＿＿＿＿＿＿＿＿＿＿＿＿＿＿＿＿たい。
   また、会社へ行ったら、＿＿＿＿＿＿をとおして＿＿＿＿＿＿＿＿＿＿たい。

活動

1. 次の質問に答えてください。
   1) 李さんの文通相手に一番いいと思う人を次の投書の中から選んでください。また、どうしてその人がいいか、理由も書いてください。
      名前：（　　　　　　　）さん／　理由（　　　　　　　　　　　）
   2) 次の3人の中にあなたが文通をしたい人がいるかどうか、探してください。
   ・いい人がいた場合
      名前：（　　　　　　　）さん／　理由（　　　　　　　　　　　）
   ・いない場合
      どんな人と文通をしたいですか。
      （　　　　　　　　　　　　　　　　　　　　　　　　　　　）

---

① 私は29歳の主婦で、夫はイギリス人です。得意な言葉は英語と中国語です。外国のことをいろいろ知りたいので、できれば外国の方と文通をしたいと思います。英語か中国語のお手紙をお待ちしています。
（女性の方を希望）
（真由美　グラハム・東京）

② 韓国人のエンジニアです。2年前から日本のコンピューターの会社で働いています。家内は日本人ですが、二人でよく日本と韓国について話しています。日本語でお手紙ください。よろしくお願いします。

(金容大・大阪)

③ 中国に大変興味があります。中国語の勉強を始めて、1年ぐらいです。中国や台湾の方、是非お手紙ください。日本語か簡単な中国語のお便りをお待ちしています。お返事は必ず書きます。

(鈴木洋子・名古屋)

2．ペンパル募集の手紙を書いてみましょう。

私は＿＿＿＿＿と申します。＿＿＿＿前に＿＿＿＿＿から日本へ参りました。
＿＿＿＿＿で日本語を勉強した後、現在は＿＿＿＿＿で
＿＿＿＿＿＿＿ております。日本には＿＿＿＿滞在する予定です。
私の趣味は＿＿＿＿＿＿です。文通をとおして＿＿＿＿＿＿＿
たいと思います。＿＿＿＿＿＿＿＿方、是非お便りをください。

聞こう

問題1

> a. こちらこそどうぞよろしく。　b. どうぞお楽に。
> c. お上がりください。　　　　　d. 御丁寧に。
> e. お邪魔します。　　　　　　　f. あ、これはおいしいですね。

例）・・・・・・
　　　伊藤：伊藤です。（　a　）。

1）・・・・・・
　　　井上：これは、これは（　　　　　）。

2）・・・・・・
　　　伊藤：まあ、まあ、よく来てくれました。さあ、（　　　　　）。

3）・・・・・・
　　　伊藤：無理なさらなくてもいいですよ。（　　　　　）。

4）・・・・・・
　　　李　：はい、（　　　　　）。

問題2

1）例　　（○）
　　a.　（　）　　b.　（　）
　　c.　（　）　　d.　（　）

2）　（　）　　　　　　　　　　　（　）

　ブラジル人のためのレストラン 　　５年前に初めてブラジルのダンスを踊る

　　　（　）　　　　　　　　　　　（　）

　子供がブラジルのダンスを踊る 　　一緒に祭りを見るために通りへ出る

第7課
だい か

症状を伝える
しょうじょう つた

学習目標
がくしゅうもくひょう

1. 病気やけがの様子が詳しく説明できる
   びょうき　　　ようす　くわ　　せつめい

2. 医者の説明や注意を聞いて、それが理解できる
   いしゃ　せつめい　ちゅうい　き　　　　　　りかい

3. 問診表に記入できる
   もんしんひょう　きにゅう

学習する前に

1. 日本へ来てから、病院へ行ったことがありますか。あなたの国の病院とどんな違いがありましたか。
2. 日本の薬を飲んだことがありますか。その時、飲み方の説明を誰かに聞きましたか。
3. けがをして医者に診てもらう時、どんなことを説明しなければなりませんか。
4. あなたの国の言葉では歯が少し痛い時、どう表現しますか。
   また何も食べられないぐらいひどく痛む時は、どうですか。
5. あなたの国では医者に診てもらう前に、問診表を書きますか。

学習項目

会話1　症状を伝える

1) おV(-ます)ください：そちらでお待ちください。
2) そのうち～かと思って～んですが：
   そのうち治るかと思って様子を見てたんですが、～。
3) 擬態語①：ひじの辺りがずきんとします。
4) 念のため：念のためレントゲンを撮りましょう。

会話2　診察の結果を聞いて薬をもらう

5) (時間)する：4、5日しても治らない場合は、また来てください。
6) ～ずつ：この薬は食後に1カプセルずつ飲んでください。

読もう　問診表

会話

会話1　症状を伝える

病院で／李、受付の人、医者

（病院の窓口で）

李　　： お願いします。

受付　： 初診ですか。

李　　： はい。

受付　： じゃ、これに記入してください。

李　　： はい。

受付　： 順番が来たら、お名前をお呼びしますから、そちらでお待ちください。

……………………………………………………………………

　　　　 李さん、どうぞ。中にお入りください。

李　　： はい。

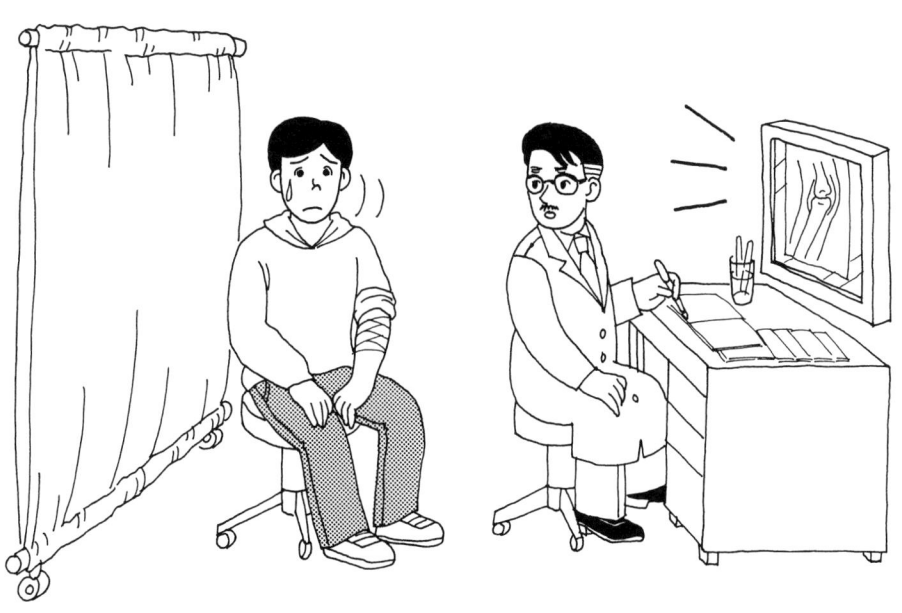

（診察室で）

医者： どうしましたか。

李： 左腕が痛いんです。テニスをしてた時、転んじゃって・・・

医者： いつですか。

李： 2日前です。そのうち治るかと思って様子を見てたんですが、なかなか痛みが取れないんです。それにだんだんはれてきたみたいで・・・

医者： じゃ、ちょっと診てみましょう。ああ、大分はれてますね。ここ、痛いですか。

李： はい、少し。

医者： じゃ、ひじを曲げてみてください。

李： 痛っ・・・

医者： 痛みますか。

李： はい、この辺がずきんとします。

医者： 骨には異常ないと思いますが、念のためレントゲンを撮りましょう。こちらへどうぞ。

李： はい。

会話2　診察の結果を聞いて薬をもらう

病院で／医者、李、受付の人

（診察室で）

医者：　（レントゲン写真を見ながら）

骨には異常ありませんね。

李：　そうですか。良かった。

医者：　軽いねんざですね。痛み止めの薬と湿布薬を出しておきましょう。

4、5日しても治らない場合は、また来てください。

李：　はい、分かりました。どうもありがとうございました。

（窓口で）

受付：　李さん、今日は痛み止めのお薬と湿布薬が出ています。

この薬は食後に1カプセルずつ飲んでください。

李：　はい。

受付：　それからこれは診察券です。次回からこれを受付にお出しください。

李：　はい、分かりました。

どうもありがとうございました。

受付：　じゃ、お大事に。

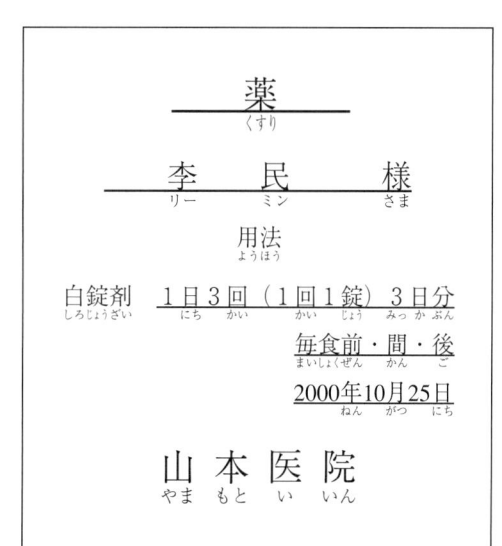

```
       薬
     李　民　様
       用法
白錠剤　1日3回（1回1錠）3日分
          毎食前・間・後
          2000年10月25日

     山 本 医 院
```

読もう

問 診 表

記入日（2000）年（9）月（13）日

（1）氏名　　　　（　李　民　）
（2）住所　　　　（　東京都足立区千住東1丁目30-1　）
　　　電話番号　（03）-（3888）-（8211）
（3）性別　　　　㊚　　女
（4）生年月日　　（1970）年（12）月（6）日
（5）年齢　　　　（　29　）歳
（6）症状

> テニスしていて転んだ時、左ひじを強く打って、それからずっと痛みが取れない。じっとしているとあまり痛くないが、ひじを曲げたりすると、ずきんとする。

　　　いつから　　　　（2日前　　　　　　）から

（7）アレルギーがありますか。
　　　　a．ある　　　　⓫．ない
　　　aの場合、どんなアレルギーですか。（　　　　　　　　　　　　）

（8）大きな手術の経験がありますか。
　　　　ⓐ．ある　　　　b．ない
　　　aの場合
　　　　　いつごろ（　5年前　　　　　）
　　　　　どんな手術ですか。（　　盲腸　　　　）

（9）その他　気になることがあれば、何でも書いてください。

会話の練習

1．「お～ください」を使って、文を作ってください。

例： お名前をお呼びするまで、そちらで<u>お待ちください</u>。
1） 順番が来たら、すぐ診察室に＿＿＿＿＿＿＿＿＿＿＿＿。
2） この薬を食後に必ず＿＿＿＿＿＿＿＿＿＿＿＿＿。
3） 次回からはこの診察券を受付に＿＿＿＿＿＿＿＿＿＿＿＿＿＿。
4） 薬を飲む前に、説明書をよく＿＿＿＿＿＿＿＿＿＿＿＿＿。

2．（A：医者　　B：李）

A：どうしましたか。
B：①<u>右足が痛い</u>んですが…
　　②<u>スキー</u>をしていた時、③<u>人とぶつかっ</u>ちゃって…
A：そうですか。じゃ、ちょっと診てみましょう。

1）① 手にやけどをした　② 料理　③ お湯をこぼす
2）① 左ひじが痛い　　　② テニス　③ 打つ

3．（A：李　　B：小川）

A：なかなか<u>雨</u>が<u>やみ</u>ませんね。
B：そのうち<u>やむ</u>と思いますよ。もう少し待ちましょう。
A：そうですね。

1）バスが来る
2）連絡がある

4. 例： けがはもう治りましたか。
　　　　…… いえ、そのうち治るかと思って様子を見てたんですが、なかなか治らないんです。
　　1) 熱はもう下がりましたか。
　　2) 痛みはもう取れましたか。

5. 下から言葉を選んで、(　)に入れてください。
　　例： 今日は朝御飯を食べないで会社へ来たから、おなかが（ぺこぺこ）だ。
　　1) 熱があって、頭が（　　　　　　　）する。
　　2) やけどをして、手が（　　　　　　　）する。
　　3) 風邪をひいて（　　　　　　　）する。
　　4) ゆうべから歯が（　　　　　　　）痛んで、寝られなかった。
　　5) 10キロ走ったので、のどが（　　　　　　　）だ。
　　6) ゆうべお酒を飲みすぎて、今朝から胸が（　　　　　　　）する。

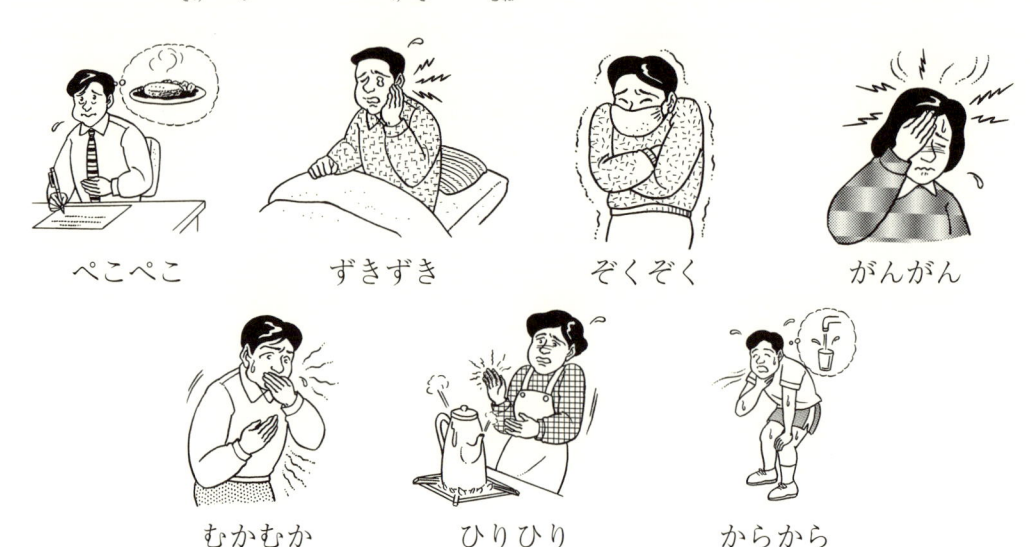

　　　ぺこぺこ　　　ずきずき　　　ぞくぞく　　　がんがん

　　　むかむか　　　ひりひり　　　からから

6. 例： （A：李　　B：医者）
　　　A：先生、ひじが痛いんですが…
　　　B：骨には異常ないと思いますが、念のためレントゲンを撮りましょう。
　　1) （A：先生　　B：学生）
　　　A：発表の準備はもう終わりましたか。
　　　B：はい。でも念のため＿＿＿＿＿＿＿＿＿＿おきます。
　　2) （A：店の人　　B：客）
　　　A：サイズはこれでよろしいですか。
　　　B：大丈夫だと思うけど、念のため＿＿＿＿＿＿＿＿みようかな。

3） （A：李　　B：小川）
　　A：天気予報によると、今日は雨は降らないそうですよ。
　　B：そうですか。でも念のため＿＿＿＿＿＿＿＿＿＿ましょう。
4） （A：佐々木　　B：小川）
　　A：山口さん、あしたのパーティーの時間知ってるかな？
　　B：うん、多分。でも、念のため＿＿＿＿＿＿＿＿＿＿おくよ。

7．（A：医者　　B：李）
　　A：風邪ですね。薬を出しておきましょう。
　　　①3、4日しても②のどの痛みが取れない場合は、また来てください。
　　B：はい、分かりました。どうもありがとうございました。

　　1） ① 2、3日　　　② 熱が下がる
　　2） ① 4、5日　　　② せきが止まる

8．例： 薬を飲んで（2、30分した）ら、痛みが取れるでしょう。（2、30分）
　　1） 友達にファックスを送って（　　　　　）ら、返事が来た。（1時間ほど）
　　2） 毎日この薬を塗ってください。（　　　　　）ば、治るでしょう。（4、5日）
　　3） 家を出て（　　　　　）ら、雨が降ってきた。（5、6分）
　　4） すぐ電話してほしいと頼んだのに、（　　　　　）も彼から連絡がない。（2、3時間）

9. (食事の後……食後、食事の前……食前、食事と食事の間……食間／
   〜カプセル、〜錠）

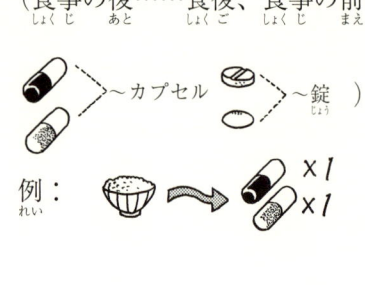

   例： … <u>食後</u>　に<u>1カプセルずつ</u>飲んでください。

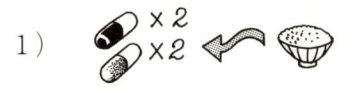

   1) …＿＿＿＿に＿＿＿＿＿＿飲んでください。

   2) …＿＿＿＿に＿＿＿＿＿＿飲んでください。

   3) …＿＿＿＿に＿＿＿＿＿＿飲んでください。

10. 例： この本を毎日（10…10ページずつ）読んでください。
   1) 名前を呼ばれたら、（1…　　　　　　）部屋に入ってください。
   2) この薬、食後に（2…　　　　　　）飲んでください。
   3) 一つの箱に鉛筆が（12…　　　　　）入っています。
   4) この紙、一人（1…　　　　　　）取ってください。

活動
かつどう

1. 次の内容で会話をしてください。
   つぎ ないよう かいわ

   1)

   ロールプレイカード　7-1　患者　　　　　　　　　　　　　　A
                              かんじゃ
   状況（熱があって頭が痛いので、病院へ行きました。）
   じょうきょう ねつ　　　あたま いた　　　　びょういん い
   →診察室で医者に症状を説明してください。（例：せき、痛みの種類など）
     しんさつしつ いしゃ しょうじょう せつめい　　　　　　れい　　　　いた　　しゅるい
   →お風呂、たばこ、お酒などについての注意点を医者に聞いてください。
     ふろ　　　　　　　さけ　　　　　　　　ちゅういてん いしゃ き

   ロールプレイカード　7-1　医者　　　　　　　　　　　　　　B
                              いしゃ
   状況（頭が痛いという患者が診察室へ入って来ました。）
   じょうきょう あたま いた　　　　　　かんじゃ しんさつしつ はい き
   →患者の説明を聞いて、診察してください。
     かんじゃ せつめい き　　　　しんさつ
   →生活上の注意点を患者にアドバイスしてください。
     せいかつじょう ちゅういてん かんじゃ
     （お風呂、たばこ、お酒など）
       ふろ　　　　　　さけ

   2)

   ロールプレイカード　7-2　患者　　　　　　　　　　　　　　A
                              かんじゃ
   状況（歯が痛くて、病院へ行きました。）
   じょうきょう は いた　　　びょういん い
   →診察室で医者に症状を説明してください。
     しんさつしつ いしゃ しょうじょう せつめい
     （2週間くらい前から冷たい物を食べると、歯が少し痛かったが、ゆうべはとても痛く
       しゅうかん　　　まえ　　つめ　　もの　た　　　　は　すこ いた　　　　　　　　　　　　いた
     て、寝られなかった。）
       ね

   ロールプレイカード　7-2　医者　　　　　　　　　　　　　　B
                              いしゃ
   状況（歯が痛いという患者が診察室へ入って来ました。）
   じょうきょう は いた　　　　　　かんじゃ しんさつしつ はい き
   →患者の様子を聞いて、診察してください。歯の状態がひどいので、抜いたほうがいい
     かんじゃ ようす き　　　　しんさつ　　　　　　は じょうたい　　　　　　　　ぬ
     と説明してください。
       せつめい

2．下の薬の袋を見て、答えてください。

1）薬は何種類ありますか。　（　　　　　　）種類

2）いつ飲みますか。

薬の種類	飲む時

3）薬は何日分ですか。　（　　　　　　）日分

4）薬は全部でいくつ入っていますか。

薬の種類	数
	合計（　　　　　　）

薬

田中　一郎　様

用　法

青カプセル　1日3回（1回1個）　3日分

毎食前・間・㊡　（30分以内）

白錠剤　1日2回（1回2錠）　3日分

毎食前・㊙・後

2001年　2月　26日

大阪市住吉区浅香一丁目7番5号
(06) 6690-2682

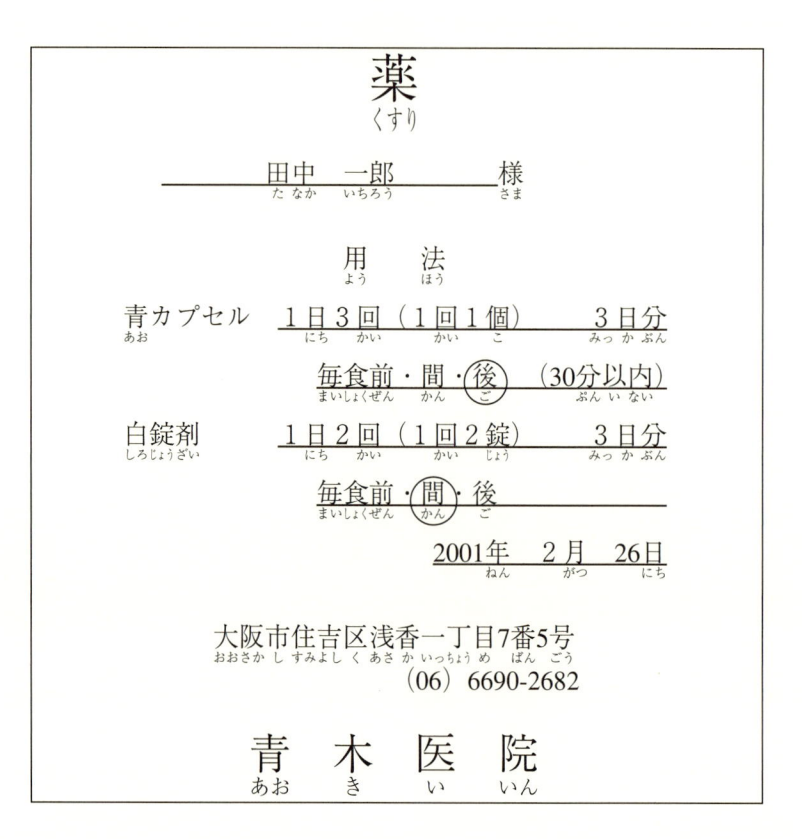

青　木　医　院

読もうの練習
よ   れんしゅう

活動
かつどう

1. 質問に答えてください。
   1）あなたの国の薬の袋にはどんな注意が書いてありますか。
      また日本のにはどんな注意が書いてあると思いますか。
      （例： 外の種類の薬を一緒に飲まないでください。）
   2）日本では医者に診てもらった後で、薬を近くの薬屋でもらう場合が増えていますが、あなたの国ではどうですか。
2. あなたも問診表に記入してみましょう。
   「スキーをしていた時、人とぶつかって、足にけがをしました」

問　診　表

記入日（　）年（　）月（　）日

(1) 氏名　　　　（　　　　　）
(2) 住所　　　　（　　　　　　　　）
    電話番号　（　）-（　　）-（　　）
(3) 性別　　　　男　　　女
(4) 生年月日　（　）年（　）月（　）日
(5) 年齢　　　　（　　）歳
(6) 症状 ☐

　　　　いつから　　　　　（　　　　　　　）から

(7) アレルギーがありますか。
　　　a．ある　　　　b．ない
　　　aの場合、どんなアレルギーですか。（　　　　　　　　　　）
(8) 大きな手術の経験がありますか。
　　　a．ある　　　　b．ない
　　　aの場合
　　　　いつごろ（　　　　　　　）
　　　　どんな手術ですか。（　　　　　　　　）
(9) その他　気になることがあれば、何でも書いてください。

☐

聞こう

問題1

（例） 風邪

（　）やけど　　（　）骨が折れている　　（　）ねんざ　　（　）歯が痛い

問題2

問診表

1999年2月1日

（1）氏名　　　　李　民

（2）住所　　　　東京都足立区千住東1丁目30-1
　　電話番号　　03 - 3888 - 8211

（3）性別　　　　男　　女

（4）生年月日　　（　　）年（　　）月（　　）日

（5）年齢　　　　　　　歳

（6）症状

　　（　　　　　　）してころんで、（　　　　　　）を強く打った。
　　それからずっと（　　　　　　）て、（　　　　　　）にくい。

　　いつから　（　　）日前から

（7）アレルギーがありますか。
　　a．ある　　　　b．ない
　　aの場合、どんなアレルギーですか。

（8）大きな手術の経験がありますか。
　　a．ある　　　　b．ない
　　aの場合
　　いつごろ（　　　　　　　　　）
　　どんな手術ですか。（　　　　　　　　　）

第8課
だいか

買い物する
か　もの

学習目標
がくしゅうもくひょう

1. 買いたい物の説明ができ、店員の説明も理解できる
   か　もの　せつめい　　　　　てんいん　せつめい　りかい

2. 理由を説明して、買った物を取り替えてもらうことができる
   りゆう　せつめい　　　か　もの　と　か

3. 広告やチラシから必要な情報が読み取れる
   こうこく　　　　　　ひつよう　じょうほう　よ　と

学習する前に

1. 日本へ来てから、買い物をしたことがありますか。どんな物を買いましたか。
2. 店の様子や店員の対応はどうでしたか。
3. 電気製品を買う時、値段が同じぐらいの物がたくさんあったら、どうやって選びますか。
4. 一度買った物を外の商品と取り替えてもらったことがありますか。どうやって取り替えてもらいましたか。
5. 日本でチラシを見たり、もらったりしたことがありますか。どんなチラシをもらいましたか。

学習項目

会話1　ウォークマンを買う

1) おV(-ます)ですか：何をお探しですか。
2) Nなんか：これなんかお買い得です。

会話2　買った物を取り替える

3) V-たら、V-た：カタログをよく見ていたら、新製品でもっといいのがあったんです。
4) V-るように言う：領収書を持って来るように言われたんです。

読もう　チラシ

5) Nとして：折り込み広告として入って来ます。
6) V-られる(受身)N：戸別に配られる物がある。
7) V-られる／V-られない(受身)＋と：毎日配られると、紙の無駄である。

会話

会話1　ウォークマンを買う

電気屋で／店員、アナン

店員　　：　いらっしゃいませ。何をお探しですか。

アナン　：　ウォークマンを探しているんですが・・・

店員　　：　御予算はどのくらいですか。

アナン　：　3万円くらいです。それからラジオが付いている物がいいんですが・・・

店員　　：　それでしたら、こちらなんかお買い得ですよ。

アナン　：　随分安くなっていますね。

店員　　：　はい。ショーケースに展示してあった物で、現品限りですから、お安くしてあるんです。

アナン　：　そうですか。通勤途中でラジオを聞きたいんですが、電車の中でもよく聞こえますか。

店員　　：　それは心配ございません。今のは感度もいいし、どこでもよく聞こえますよ。

アナン　：　じゃ、これください。

店員　　：　ありがとうございます。保証期間は1年ですから、何かありましたら、御連絡ください。

アナン　：　はい、分かりました。

会話2　買った物を取り替える

電気屋で／金、店員

金　：あのう、これ、昨日こちらで買ったカメラなんですけど・・・

店員：はあ。

金　：寮に帰ってからカタログをよく見ていたら、新製品でもっといいのがあったんです。

店員：はい。

金　：それですぐこちらに電話して取り替えてほしいと話したら、領収書を持って来るように言われたんです。

店員：あ、そうですか。

金　：すみませんが、これ、このカタログのと取り替えていただけませんか。

店員：分かりました。でもちょっと高くなりますが、よろしいですか。

金　：ええ、かまいません。

読もう
チラシ

　チラシというのは商品の広告や宣伝のため、紙に宣伝文や写真、絵などを印刷した物である。衣類、食品、電気製品、住宅の広告、求人案内などが多い。
　毎日の新聞と一緒に折り込み広告として入って来る物や、戸別に配られる物がある。いろいろな広告が載っていて便利だが、毎日配られると、紙の無駄である。

会話の練習

1. 下の左側の言葉と意味が近いものを右側から選んでください。

例： 配達　　　　　　　　　　（g）	a． 折り込み広告
1） お買い得　　　　　　　　（　）	b． これ以上安くならない
2） 保証期間　　　　　　　　（　）	c． 一人が一つだけ買える
3） 現品限り　　　　　　　　（　）	d． 安く買える
4） お一人様一品限り　　　　（　）	e． 今店にある物はこれだけだ
5） チラシ　　　　　　　　　（　）	f． 故障の種類によっては修理が無料になる期間
	g． 品物を届ける

2. 例： これから帰りますか　……　これからお帰りですか。
　　　　何を探していますか　……　何をお探しですか。
　　　　この雑誌はもう読みましたか　……　この雑誌はもうお読みですか。

　1） これから出かけますか　……
　2） 何時に戻りますか　……
　3） どちらを選びますか　……
　4） 何番にかけていますか　……
　5） どんなパソコンを使っていますか　……
　6） パスポートを持っていますか　……
　7） もう決まりましたか　……
　8） もう話は済みましたか　……

3. （会社で／A：小川　　B：伊藤）
　A：伊藤さん、①何をお探しですか。
　B：②会議の書類を探しているんですが…

　1） ① 何時ごろ出かける　　② 3時ごろ出かけようと思う
　2） ① どなたを待っている　② 東京電気の加藤さんを待つ

4．（店で／Ａ：店の人　　Ｂ：研修生）
　　Ａ：何をお探しですか。
　　Ｂ：①ウォークマンを探してるんですが…
　　Ａ：こちらにいろいろございます。
　　Ｂ：②ラジオが付いているのが欲しいんです。

　　１）① ビデオカメラ　　　② 軽くて、操作が簡単だ
　　２）① 電子辞書　　　　　② 言葉の数が多くて、使いやすい

5．例：　３万円ぐらいのウォークマンが欲しいんですが…
　　　　……　じゃ、これ（なんか、の方が）いかがですか。
　　１）　このカメラ、外のと取り替えられますか。
　　　　……　ええ、できますよ。こちら（なら、なんか）いかがですか。
　　２）　ワープロとパソコンとどっちが使いやすい？
　　　　……　私はいつもワープロを使ってるから、ワープロ（なんか、の方が）使いやすいな。
　　３）　今度の日曜日買い物に行かない？
　　　　……　土曜日（なんか、なら）都合がいいんだけど、日曜日はちょっと…
　　４）　韓国料理はどこがおいしい？
　　　　……　そうだね。韓国料理（なんか、なら）、駅前においしいレストランがあるよ。
　　５）　夏休み大阪に行こうと思ってるんだけど、どこを見物したらいい？
　　　　……　そうだね。大阪城（なんか、の方が）いいよ。
　　６）　この仕事、李さんに頼もうかな。
　　　　……　えっ、私（なんか、の方が）だめですよ。

6．例：　かばん、中をよく見る、小さな傷がある
　　　　……　このかばん替えていただけませんか。
　　　　　　　中をよく見たら、小さな傷があったんです。
　　１）　ドレス、もう一度着てみる、少しデザインが派手すぎる
　　　　……
　　２）　ビデオカメラ、カタログをよく見ている、新製品でもっといいのがある
　　　　……
　　３）　靴、もう一度履いてみる、足の先が少し痛い
　　　　……
　　４）　カメラ、説明書をよく読んでいる、特別なフィルムしか使えないことが分かる
　　　　……

7. 例： 課長は書類をコピーしてくれと言いました
   …… 課長に書類をコピーするように言われました。

   1) 店の人は領収書を持って来てくださいと言いました
      ……

   2) 先生は毎日日本語で話してくださいと言いました
      ……

   3) 課長はレポートを金曜日までにまとめてくれと言いました
      ……

   4) 店の人は保証書をなくさないでくださいと言いました
      ……

8. （店で／Ａ：研修生　　Ｂ：店の人）

   Ａ：すみません。この①カメラなんですけど…

   Ｂ：はあ。

   Ａ：昨日こちらに電話して②取り替えてほしいと話したら、③領収書を持って来るように言われたんですが…

   Ｂ：そうですか。じゃ、ちょっと見せてください。

   1) ① ズボン　　　　　　　② すそを短くする
      ③ サービスカウンターへ来る

   2) ① ラジカセ　　　　　　② 修理する
      ③ 保証書を持って来る

活動
かつどう

1. 友達に次の質問をして、下の表を完成してください。
   1) 日本で買いたい物は何ですか。
   2) 予算はどのくらいですか。
   3) 買いたい理由は何ですか。
   4) どんな機能があればいいですか。

名前	買いたい物	予算	買いたい理由	機能など
例：李	デジタルカメラ	75,000円	会社で専門の勉強に使うため	プリント機能

2. 次の内容で会話をしてください。

```
ロールプレイカード　8　客                                    A
状況（靴を買いましたが、家へ帰って履いてみると、少しサイズが小さかったので、店
    へ取り替えに行きました。）
    →店の人に状況を説明して、取り替えてほしいと頼んでください。
```

```
ロールプレイカード　8　店員                                   B
状況（客が店に来て、買った靴を取り替えてほしいと言っています。）
    →客の話を聞いてください。
    →取り替える時、レシートが必要ですが、持っているかどうか、聞いてください。
```

3．近くのデパートやスーパーに電話をかけて、店が開いている時間や今月の休みの日、欲しい物の値段などを聞いてみましょう。

店の名前	営業時間	今月の休みの日	あなたが欲しい物	値段
例：アサクサデパート	10：00～20：00	第2、第4水曜日	日本人形	7,000円

読もうの練習

1. 例： 李さんは自動車の会社で働いている（エンジニア）
    ……李さんは自動車の会社でエンジニアとして働いている。
    1) ＮＴＣは有名である（電気製品のメーカー）
       ……
    2) ここで検査に合格した物は輸出される（製品）
       ……
    3) 昨日李さんの送別会に出席した（会社の代表）
       ……
    4) 李さんは３年前にも日本へ来たことがある（研修生）
       ……
    5) まだ使える物を捨てるのはやめた方がいい。（ごみ）
       ……
    6) このチラシの文はあまり役に立っていない。（宣伝文）
       ……

2. 下から言葉を選んで、（　　）に入れてください。
    例： 私は泥棒にお金を（とられた）ことがある。
    1) 今から名前を呼びますから、（　　　　）人は前に出てください。
    2) 間違ったことを言って、みんなに（　　　　）と恥ずかしい。
    3) 田中さんに食事に（　　　　）けど、行かなかった。
    4) 課長に急に仕事を（　　　　）て、困っている。
    5) 日本人に道を（　　　　）て、困った。
    6) この本に（　　　　）ている内容は難しい。

    | 配る、 呼ぶ、 とる、 誘う、 聞く、 頼む、 笑う、 書く |

3. ＿＿＿＿のところがＡ受身、Ｂ可能、Ｃ尊敬のどの意味で使われているか、（　　）の中にＡ，Ｂ，Ｃを入れてください。

例：　弟にカメラを壊されて、困った。　　　　　　　　　　　　　　（ Ａ ）
　　　社長は10時に会社へ来られます。　　　　　　　　　　　　　　（ Ｃ ）
　　　私はもう一度日本へ来られると思います。　　　　　　　　　　（ Ｂ ）

1）　受付でテープレコーダーが借りられるかどうか、聞いてみよう。　（　）
2）　友達に手紙を読まれたら、どうしよう。　　　　　　　　　　　　（　）
3）　中国へ帰られる時は、連絡してください。　　　　　　　　　　　（　）
4）　この荷物はどこから送られて来たか、分からない。　　　　　　　（　）
5）　今話された方がＮＴＣの社長です。　　　　　　　　　　　　　　（　）
6）　上司にいろいろ言われると、嫌になる。　　　　　　　　　　　　（　）
7）　このごろ毎晩よく寝られるので、体の調子がいい。　　　　　　　（　）
8）　もう富士山には行かれましたか。　　　　　　　　　　　　　　　（　）
9）　今日は6時に起きたんですが、いつもはこんなに早く起きられないんです。
　　　　　　　　　　　　　　　　　　　　　　　　　　　　　　　　（　）

活動

1．日本のチラシにはどんな物があるか、調べてみましょう。

2．チラシによく使われているのはどんな言葉ですか。
　　1）
　　2）
　　3）

3．チラシについてどう思うか、クラスで話し合ってください。

聞こう

問題1

例）　（ 配られ ）てる　→　（ 配る ）
1）　（　　　　）て　→　（　　　　）
2）　（　　　　）てる　→　（　　　　）
3）　（　　　　）た　→　（　　　　）
4）　（　　　　）てる　→　（　　　　）

問題2

例）　（ e ）
1）　（　　）　　　2）　（　　）
3）　（　　）　　　4）　（　　）

a.ビデオカメラ　b.テープレコーダー　c.傘　d.手帳　e.ラジオ　f.電子辞書

(例)

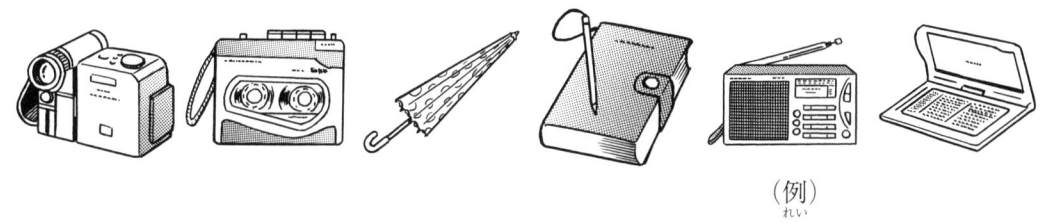

問題3

例：　女の人が買いたいものは辞書だ。（ ○ ）

1）　女の人は漢字がよく読める。（　　）

2）　女の人は漢字の読み方を調べるために辞書を買う。（　　）

3）　女の人は小学生がよく使っている辞書は買わない。（　　）

4）　女の人は全部の漢字に振り仮名が付いている辞書を買う。（　　）

5）　女の人は外国人があまり買わない辞書を買う。（　　）

第 9 課
だい か

道を尋ねる
みち たず

学習目標
がくしゅうもくひょう

1. 道順が尋ねられる
   みちじゅん たず

2. 道順の説明を聞きながら大切な点が確認できる
   みちじゅん せつめい き たいせつ てん かくにん

3. 町の中で見かける道案内の看板や表示が理解できる
   まち なか み みちあんない かんばん ひょうじ りかい

学習する前に

1. 日本人に道を聞いたことがありますか。その時、説明がよく分かりましたか。
2. 日本人に道を聞かれたことがありますか。
3. 道を聞いた時や聞かれた時、一番困ったことは何ですか。
4. 電車の乗り換えを間違えたことがありますか。
5. 日本で外出した時、道案内の看板や表示をよく見ますか。

学習項目

会話1　技術センターへの行き方を聞く

1) V-たところで：100mぐらい行ったところで、道が二つに分かれますから、その右側の道を行ってください。
2) (名前)というN：桜通りという商店街になっています。

会話2　ディズニーランドへの行き方を聞く

3) V-るには：ディズニーランドへ行くにはどう行ったらいいですか。

読もう　町で見かける道案内

4) 名詞止め：横浜駅西口すぐ右
5) 動詞の名詞化：東京駅で地下鉄丸ノ内線乗り換え

会話

会話1　技術センターへの行き方を聞く

町の中で／アナン、通行人

アナン：　　ちょっと伺いますが、技術センターへ行く道を教えていただけませんか。

通行人：　　技術センターですか。

アナン：　　はい。

通行人：　　ええと、そこの角を左へ曲がって、少し行くと、交差点があります。

アナン：　　ええ。

通行人：　　その交差点を渡って、そうですね、100mぐらい行ったところで道が二つに分かれますから、その右側の道を行ってください。

アナン：　　右側ですね。

通行人：　　ええ。その道は桜通りという商店街になっています。

アナン：　　桜通りですね。

通行人：　　はい。その商店街を抜けて、しばらく行くと、右側に技術センターが見えます。

アナン：　　分かりました。どうもありがとうございました。

会話2　ディズニーランドへの行き方を聞く

寮、東京駅で／馬、田村直子、駅員

（寮で）

馬　　：　すみません。ここからディズニーランドへ行くにはどう行ったらいいですか。

田村　：　あ、ディズニーランドへ行くの？　いいね。ええと、馬さんは東京駅までは行けるよね。

馬　　：　ええ、地下鉄で行けばいいんですね。

田村　：　ええ、そう。で、東京駅でJRの京葉線に乗り換えて・・・

馬　　：　京、葉、線？

田村　：　ええ。京葉線の舞浜っていう駅で降りるの。

馬　　：　舞、浜、ですか。

田村　：　そう。東京駅から大体30分ぐらい。どの電車でも行けるから、大丈夫よ。

馬　　：　そうですか。舞浜駅からどう行くんですか。

田村　：　駅からはすぐよ。目の前に見えるし、人が大勢行くから、ついて行けばいいのよ。

馬　　：　そうですか。分かりました。どうも・・・

田村　：　あ、そうそう、東京駅で京葉線に乗り換えるのがちょっと面倒よ。分かりにくいから、駅で誰かに聞いた方がいいと思う。

馬　　：　はい、どうもありがとうございました。

(東京駅で)

馬　：　すみません。京葉線の乗り場はどこでしょうか。

駅員：　京葉線ですか。あそこを南口の方に向かって行くと、案内標識が見えますから、そのとおりに行ってください。

馬　：　南口ですね。

駅員：　はい、そうです。乗り場までは動く歩道と下りのエスカレーターが四つありますよ。

馬　：　そうですか。どうもありがとうございました。

読もう
町で見かける道案内

町で見かける道案内板・チラシの中の道案内

1） ＳＴビル　横浜駅西口すぐ右

2） 東　京　銀　行
　　中野交差点横、区役所前

3） 産業センター：JRまたは地下鉄新横浜駅より徒歩10分

4） ㈱東京機械　：東京駅で地下鉄丸ノ内線乗り換え、大手町下車　A2出口、
　　　　　　　　大手町交差点　右折すぐ

5） 東京モーターショー会場交通案内
　　●東京駅八重洲口　高速バスターミナルより会場まで無料送迎バスあり
　　所要時間15分
　　●新宿駅西口より都バス③乗車　東京見本市会場前下車
　　お問い合わせ：03-3123-5678

6） 山下市民会館：山下駅バス停から市バス⑧
　　　　　　　　市役所経由山下大学行き、桜通り一丁目下車

会話の練習

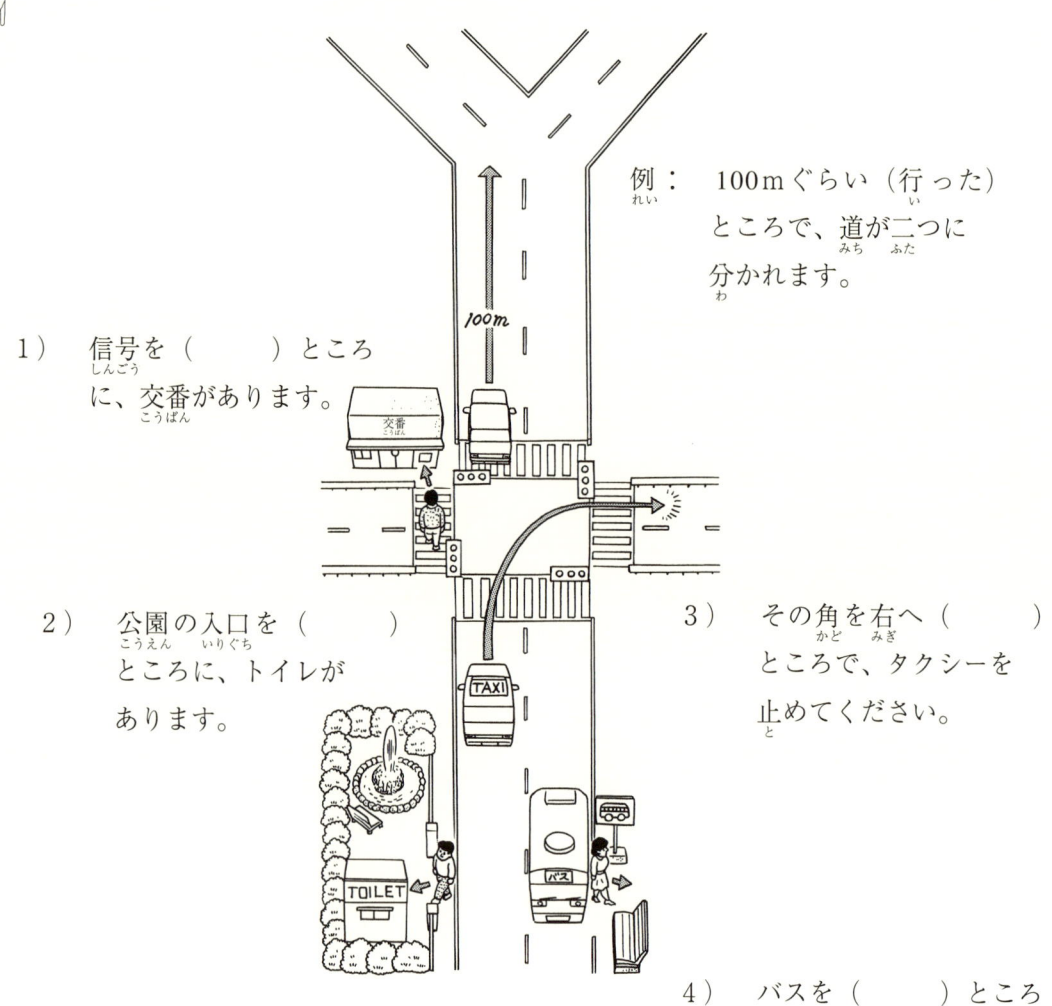

1. 下の絵を見て、（　）の中に言葉を入れてください。

例： 100ｍぐらい（行った）ところで、道が二つに分かれます。

1) 信号を（　　）ところに、交番があります。

2) 公園の入口を（　　）ところに、トイレがあります。

3) その角を右へ（　　）ところで、タクシーを止めてください。

4) バスを（　　）ところで、待っています。

2. 正しいものを一つ選んで○をつけてください。

例： （駅で）
　　A： すみません。（この、その、あの）近くに、コインロッカーはありませんか。
　　B： ええと、そこの角を曲がると「みどりの窓口」があります。
　　A： はい。
　　B： 確か（この、その、あの）近くにあったと思います。
　　A： どうも。

☞ 1) （駅で）
　　　　A：すみません。銀座線に乗り換えたいんですが…。
　　　　B：このホームをまっすぐ行って、階段を上がると、改札口があります。
　　　　A：はい。
　　　　B：（ここ、そこ、あそこ）を出ると、銀座線の案内標識が見えますから、（この、その、あの）とおりに行ってください。
　　　　A：はい、分かりました。どうもありがとうございました。

☞ 2) （町の中で）
　　　　A：ちょっと伺いますが、技術センターへ行く道を教えていただけませんか。
　　　　B：技術センターですか。
　　　　A：はい。
　　　　B：ええと、あの角を左へ曲がってまっすぐ行くと、商店街があります。（この、その、あの）商店街をまっすぐ100mぐらい行ったところで、道が二つに分かれます。
　　　　A：あのう、（ここ、そこ、あそこ）の角を左へ曲がって、商店街をまっすぐ行くと、道が二つに分かれているんですね。
　　　　B：はい、そうです。（この、その、あの）左側の道を少し行くと、すぐ見えますよ。
　　　　A：分かりました。御丁寧にどうもありがとうございました。

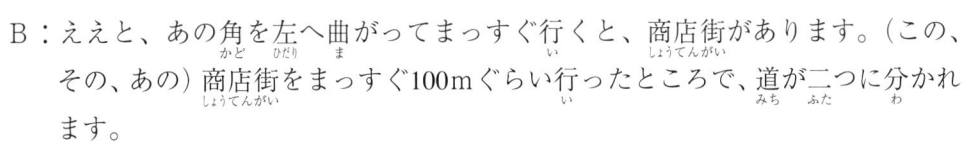

3．例：　ディズニーランドはどの駅で降りたらいいですか。
　　　……（舞浜）という（駅）で降りてください。
　1）　どこで生まれたんですか。
　　　……（　　　　）という小さな（　　　　）です。
　2）　今お国ではどんな歌がはやっていますか。
　　　……そうですね。（　　　　）という（　　　　）がはやっています。とてもいい歌ですよ。
　3）　日本に来てから友達が出来ましたか。
　　　……はい。この間（　　　　）という（　　　　）と友達になりました。
　4）　最近何か映画、見た？
　　　……うん。この間（　　　　）という（　　　　）を見たけど、とても面白かったよ。

4．（町の中で／A：研修生　　B：日本人）
　　A：ちょっと伺いますが、①技術センターへ行く道を教えていただけませんか。
　　B：①技術センターですか。

A：はい。
B：そこの②交差点を渡って、100mぐらい行ったところで道が二つに分かれますから、その右側の道を行ってください。
A：右側ですね。どうもありがとうございました。

1) ① 映画館　　　② 商店街を抜ける
2) ① 産業会館　　② 歩道橋を渡る

5. 例：　ディズニーランドへ行く、どうやって行く
　　　　……ディズニーランドへ行くにはどうやって行けばいいですか。

1) 外国へ荷物を送る、どこへ持って行く
　　……

2) この書類を両面コピーする、どうする
　　……

3) 会議室を使う、どこで許可をもらう
　　……

4) 日本の大学に入る、どうする
　　……

6. (東京駅で／A：研修生　　B：日本人)
A：ちょっとすみません。①京葉線の乗り場はどこでしょうか。
B：①京葉線ですか。
A：はい。
B：あそこを②南口の方に向かって行くと、①京葉線の案内標識が見えますから、そのとおりに行ってください。
A：②南口ですね。どうもありがとうございました。

1) ① 高速バス　　　② 中央口
2) ① 新幹線　　　　② みどりの窓口

南口・中央口・みどりの窓口

活動
かつどう

1. 下の地図を見て、行き方を書いてください。

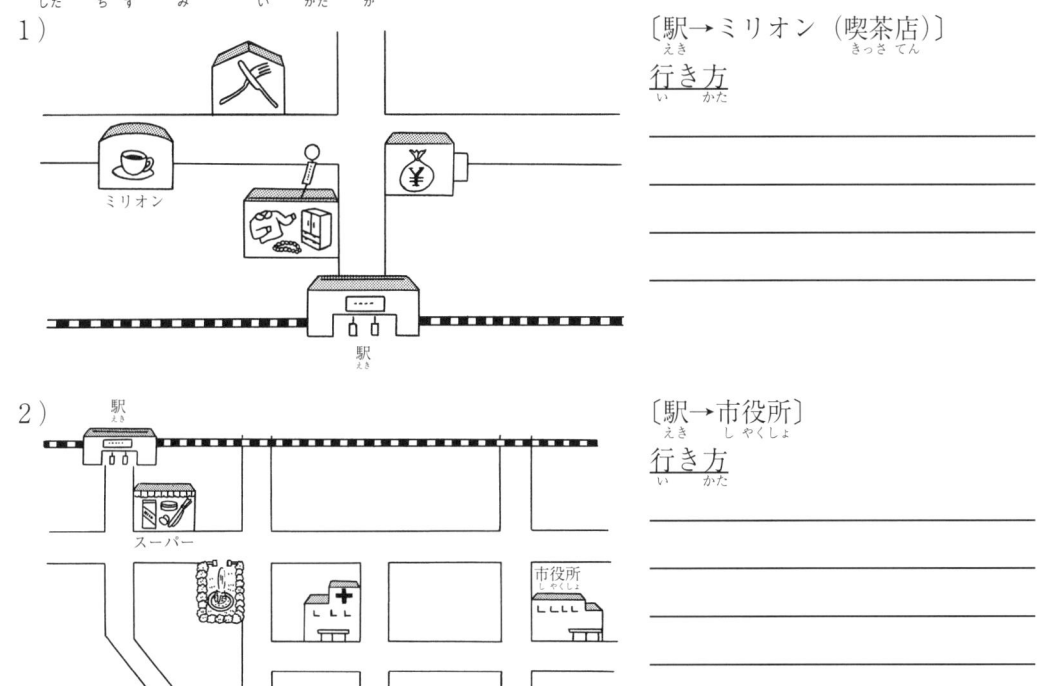

   1) 〔駅→ミリオン（喫茶店）〕
      行き方

   2) 〔駅→市役所〕
      行き方

2. 下の地図を見て、会話を作ってください。
   （A：駅の改札を出た所にいる。Bに電話して、本社への行き方を聞く。）
   （B：本社にいる。Aに本社への行き方を説明する。）

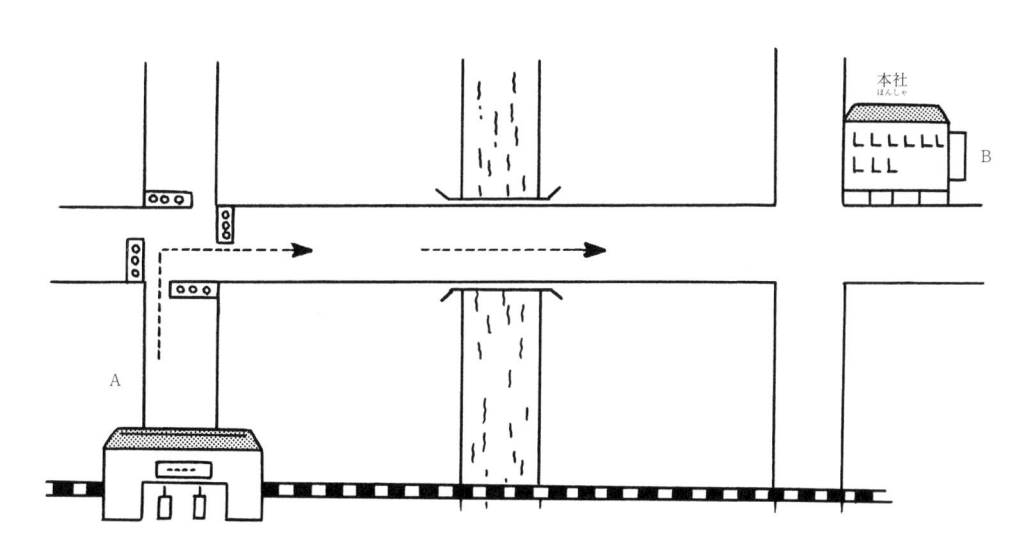

読もうの練習

1. 下の地図を見て、（　）に言葉を入れてください。
   - 例：　横浜技術センター：100m先（信号を右に曲がる…信号右折）
   - 1）　第一銀行：（大田交差点の横にある…　　　　　）、
     　　　　　　　（区役所の前にある…　　　　　）
   - 2）　大田日本語学校：地下鉄（大田駅で降りる…　　　　　）、
     　　　　　　　　　　（A2出口を出ると、すぐ右にある…　　　　　）
   - 3）　T・Yビジネスホテル：JRまたは地下鉄大阪駅より
     　　　　　　　　　　（歩いて10分かかる…　　　　　）
   - 4）　産業会館：山下駅より市バス⑧番（桜通り一丁目で降りる…　　　　　）

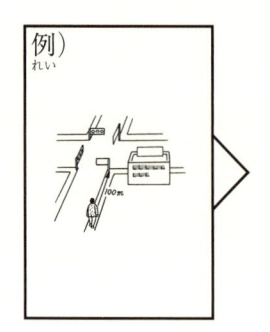

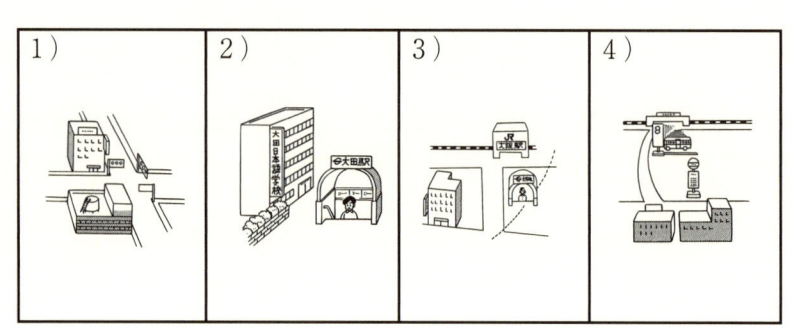

2. 下から言葉を選んで、（　　　）の中に入れてください。
   - 例1：　東京の地下鉄の（乗り換え）は複雑です。
   - 例2：　ドアの（開け）（閉め）は静かに。
   - 1）　この道をまっすぐ行って、（　　　）を右に曲がってください。
   - 2）　配った資料の（　　　）は引き出しに入れといてください。
   - 3）　会社の（　　　）（　　　）は電車の中で寝ています。
   - 4）　ゆうべは12時（　　　）に帰りました。
   - 5）　お金の（　　　）（　　　）はあまりしない方がいいです。
   - 6）　研修旅行には（　　　）を2、3枚持って行ってください。

   > 乗り換える、行く、帰る、突き当たる、借りる、貸す、取り替える、残る
   > 着替える、開ける、閉める、過ぎる

活動
かつどう

1. 今までに駅や町の中で見た「道案内」を書いてみましょう。
   どういう意味か日本語で説明してください。

	道案内	意味
例	横浜駅西口すぐ右	横浜駅西口を出ると、すぐ右にあります。
1)		
2)		
3)		

2. 駅の近くの店までの道案内を書いてみましょう。

	店の名前	道案内
例	田中カメラ	名古屋駅西口より左へ徒歩10分
1)		
2)		
3)		

聞こう

問題1

例： お手洗いはあの（ 靴屋 ）の角を（左、右）へ曲がる。

1） さくら商店街は（　　　）出口から、（近い、遠い）。

2） 新宿は（　　　）行きに乗って、品川で（黄色、緑色）の電車に乗り換える。

3） みどりの窓口は（　　　　　　　）と書いてある案内板のとおりに行くと、
（100m、50m）ほど先にある。

4） 中区役所はあの角を（左、右）へ曲がって、大通りを（左折、右折）して、まっすぐ（　　　）m行くと、ある。

問題2

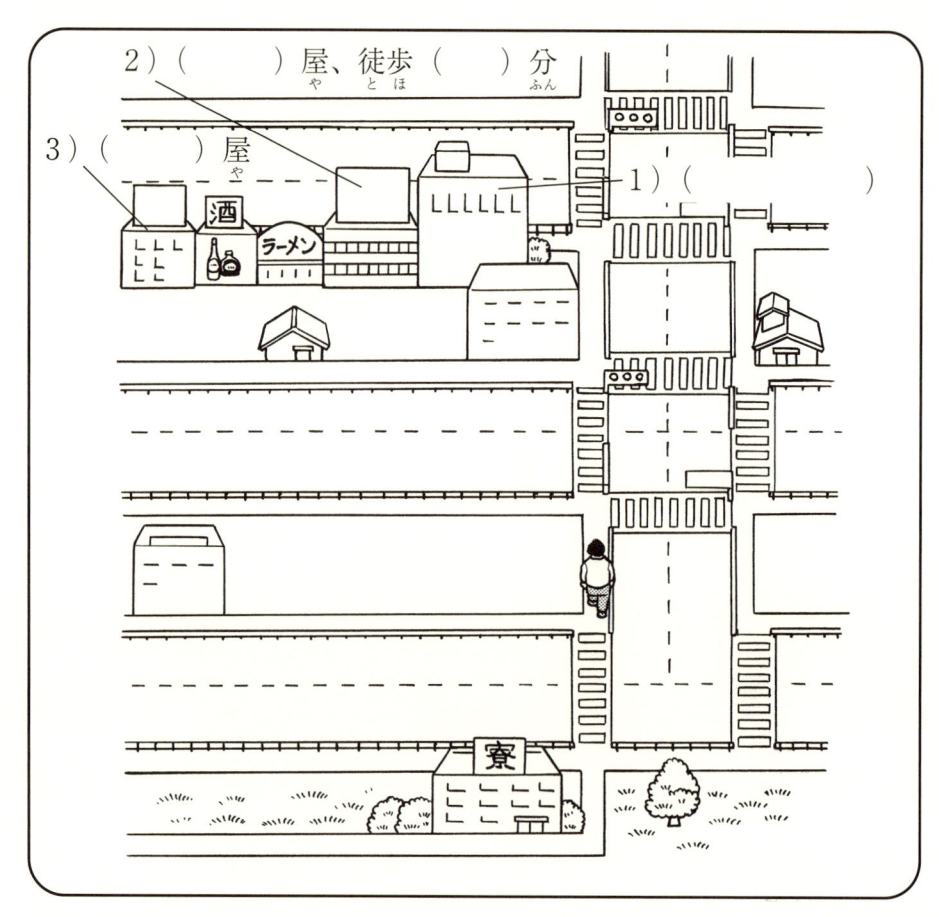

2）（　　　）屋、徒歩（　　　）分

3）（　　　）屋

1）（　　　　　　　）

第10課

手順を説明する

学習目標

1. 機械などの操作手順の説明が分かる

2. 説明を聞きながら分からないところがきちんと尋ねられる

3. 自分の国の料理の作り方が順序よく説明できる

学習する前に

1. あなたはコンピューターやワープロをよく使いますか。どんな場合に使いますか。
2. コンピューターで書類を作ると、どんな点が便利ですか。
3. 日本へ来てから、機械の使い方が分からなくて、困ったことがありますか。
4. あなたは料理を作ったことがありますか。何が一番得意ですか。
5. あなたの国の有名な料理は何ですか。どんな材料で作りますか。

学習項目

会話1　コンピューターの使い方の説明を聞く

1）始めにV-てから、V-れば：始めにローマ字モードを選んでから、「A」を押せば、「あ」が出ます。

会話2　ギョーザの作り方を説明する

2）形容詞の副詞化：手早く、細かく
3）擬態語②：さっと、ぎゅっと
4）V-るまで：耳たぶよりちょっと固くなるまでこねてください。

読もう　ギョーザの作り方

会話

会話1　コンピューターの使い方の説明を聞く

会社で／アナン、松本

アナン：　松本さん、このコンピューターはワープロとしても使えるんですか。

松本：　ええ。やり方を説明しましょうか。

アナン：　はい、お願いします。

松本：　まずスイッチを入れて・・・　次にこれをクリックしてください。

アナン：　あ、メニューが出て来ましたね。

松本：　ええ。そうしたら、このワープロソフトというのを選んでください。

アナン：　はい。

松本：　今度はキーボードをよく見てください。一つのキーにローマ字と平仮名が書いてありますね。

アナン：　ええ。どうしてですか？

松本：　ローマ字と平仮名のどちらでも入力できるんですよ。

アナン：　ああ、そうなんですか。じゃ、ローマ字入力で平仮名の「あ」を出したい時は、どうするんですか。

松本：　始めにメニューでローマ字モードを選んでから、「A」を押せば、「あ」が出ます。

アナン：　そうですか。じゃ、漢字を出すにはどうすればいいですか。

松本：　このキーを押せば、漢字にも変換できます。

アナン：　ああ、なるほど。

松本：　じゃ、ちょっとやってみてください。

アナン：　はい。

会話2　ギョーザの作り方を説明する

土曜日の午後、寮の食堂で／李、田村直子

李　　：　じゃ、まず皮から始めましょう。

田村　：　ええ。

李　　：　ボールに小麦粉と塩を入れて・・・お湯をこうやって少しずつ加えながらはしで混ぜます。

　　　　　じゃ、ちょっとやってみてください。

田村　：　こうね。

李　　：　ええ、手早くさっと混ぜてください。

　　　　　そうしないと、固まりが出来ますから。

田村　：　はい。

李　　：　それから手でよくこねてください。

田村　：　ええと・・・これくらいでいいかな？

李　　：　あ、それじゃ、まだ足りませんね。耳たぶよりちょっと固くなるまで・・・あと5、6分くらい。

田村　：　はい。

．．．．．．．．．．．．．．．．．．．．．．．．．．．．．．．．．．．．

李　　：　さあ、そろそろいいですね。じゃ、次は表面が乾かないように、ぬれた布きんを掛けて、30分ぐらいそのままにしときます。

田村　：　30分ね。

李　　：　はい、じゃ、次は具ですね。野菜を洗って、こんなふうに細かく切ります。

田村　：　ああ、みじん切りね。

李　　：　ええ。この野菜をぎゅっと絞って、ボールの中でひき肉とよく混ぜ合わせます。その後は調味料で味付けします。

田村　：　じゃ、後は皮に具を包んで、ゆでるだけね。

李　　：　ええ。今日は中国式の包み方を教えますよ。

田村　：　お願いします。

読もう
ギョーザの作り方

1. めん棒で皮を薄く伸ばします。
2. 皮に具を載せます。
3. 具を皮で包み込みます。
4. よく沸騰した湯に入れます。
5. ギョーザが浮き上がるまでゆでます。これで出来上がり！
6. 酢としょう油のたれにつけて、食べます。

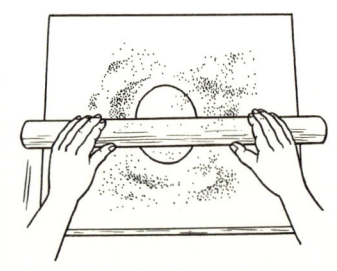

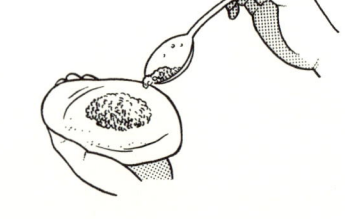

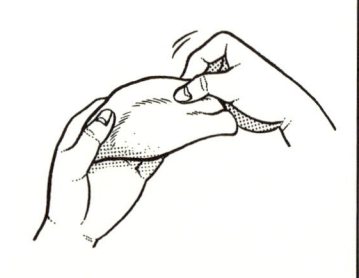

[ギョーザの材料]
　＜皮＞　小麦粉、塩、お湯
　＜具＞　豚肉（ひき肉）、白菜、長ねぎ、しょうが汁、にら
[調味料]
　しょう油、塩、酢、ごま油

会話の練習

1. 例： ローマ字モードを選ぶ、「A」を押す、「あ」が出る
   …… 始めにローマ字モードを選んでから、「A」を押せば、「あ」が出ます。
   1) ここにお金を入れる、ボタンを押す、コーヒーが出る
   2) 洗濯機のふたを閉める、つまみを回す、動く
   3) ここに紙を置く、ファックス番号を押す、送れる
   4) カーソルをここに合わせる、ダブルクリックする、ファイルが開く

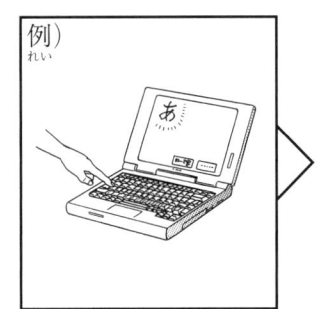

2. (事務所のパソコンの前で／A：アナン　B：松本)
   A：①ローマ字入力で「あ」を出すにはどうすればいいですか。
   B：始めに②メニューでローマ字モードを選んでから、③「A」のキーを押せばいいです。
   A：ああ、なるほど。

   1) ① 書類を印刷する　② このキーと「P」を一緒に押す
      ③ リターンキーを押す
   2) ① 書類の名前を変える　② 名前の部分をクリックする
      ③ 新しい名前を入力する

3. 「なるほど」が使える場合は○、使うとおかしい場合は×を入れてください。
   例1： ローマ字で入力する場合は、こうやってローマ字モードにしてから、打ってください。
   ……なるほど（○）。簡単に変えられるんですね。

例2： 5時までにこれをワープロで打ってください。
　　　……なるほど（×）。すぐやります。
1) こうやって一つのキーでローマ字と平仮名のどちらでも打てるんですよ。
　　　……なるほど（　）。便利ですね。
2) こことここの数字が間違っていますから、すぐ直してください。
　　　……なるほど（　）。分かりました。
3) この書類を日本語に訳して、来週の月曜日までにワープロで打ってください。
　　　……なるほど（　）。分かりました。
4) こうやってフロッピーに保存しておけば、いつでも呼び出せますよ。
　　　……なるほど（　）。じゃ、修正したい時も、すぐできますね。

4．例1： 皮を伸ばす（薄い）　……皮を薄く伸ばす。
　例2： 材料を並べる（きれい）　……材料をきれいに並べる。
1) 野菜をいためる（手早い）　……
2) やり方を説明する（簡単）　……
3) 漢字を書く（正しい）　……
4) 廊下を歩く（静か）　……
5) 図を書く（大きい）　……
6) 肉を切る（厚い）　……
7) 話す（丁寧）　……
8) 仕事をする（まじめ）　……

5．例： 御飯の中に具を入れて（強く→ぎゅっと）握る。
1) 布きんで材料を（周り全部→　　　）包む。
2) パンが（茶色に→　　　）焼けた。
3) 野菜を（手早く→　　　）いためる。
4) オムレツは（柔らかく→　　　）仕上げる。

さっと、　こんがりと、　ぎゅっと、　ぐるりと、　ふわっと

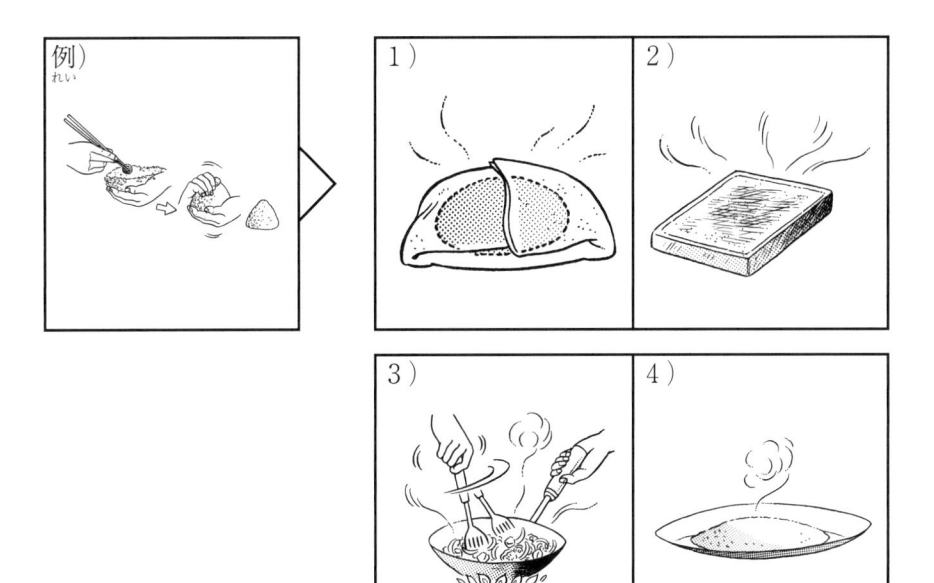

6. 例： ギョーザはどのくらいゆでたらいいですか。（浮き上がる）
　　　　……浮き上がるまでゆでてください。
　1） 皮はどのくらい伸ばしたらいいですか。（こんなふうになる）
　　　　……
　2） この材料はどのくらいこねたらいいですか。（耳たぶよりちょっと固くなる）
　　　　……
　3） 魚はどのくらい焼いたらいいですか。（こんがりと色が付く）
　　　　……
　4） 肉はどのくらい煮込んだらいいですか。（汁がほとんど無くなる）
　　　　……

7. （工場で／A：アナン　　B：松本）
　A：もう①スタートボタンを押してもいいですか。
　B：いいえ、②ランプの色が変わるまで①押さないでください。
　A：はい、分かりました。

　1） ① スイッチを切る　　② このランプが消える
　2） ① レバーを回す　　② 赤いランプがつく

活動
かつどう

1. 自己紹介文をワープロで打って、印刷してみましょう。

2. あなたが知っている料理の作り方を説明してください。
   例： オムレツの作り方

   ┌─ 材料（一人分）──────────────────────
   │ 卵 2個、バター 大さじ1、牛乳 大さじ1、
   │ ケチャップ 大さじ1、
   │ 塩・こしょう 少々
   └──────────────────────────────

   ┌─ 道具 ────────────────────────────
   │ フライパン、ボール、はし
   └──────────────────────────────

   ┌─ 作り方 ───────────────────────────
   │ まず
   │   卵を割ってボールに入れ、塩・こしょうを加える。
   └──────────────────────────────
                    ↓
   ┌──────────────────────────────
   │ それから
   │   牛乳を入れて、よく混ぜる。
   └──────────────────────────────
                    ↓
   ┌──────────────────────────────
   │ 最後に
   │   熱したフライパンでバターを溶かし、卵を入れて、オムレツの形にまとめる。
   └──────────────────────────────

   ┌─ 食べ方 ───────────────────────────
   │ ケチャップをかけて、食べる。
   └──────────────────────────────

   まず   それから

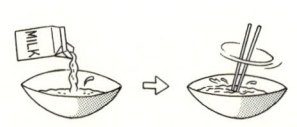

   最後に   食べ方

材料（　人分）

道具

作り方
まず

↓

それから

↓

最後に

食べ方

読もうの練習

1. 下から言葉を選んで、（　）に入れてください。

　例： 材料は手早くさっと（ 混ぜて ）ください。
　1) 耳たぶよりちょっと固く（　　　　）まで、こねてください。
　2) 小麦粉にお湯を少しずつ（　　　　）ながら、はしで混ぜます。
　3) 材料にぬれた布きんを掛けて、（　　　　　　）ようにします。
　4) ギョーザの皮は手で薄く（　　　　）、具を載せます。
　5) 後は皮で具を包んで（　　　　　　）だけです。
　6) ギョーザが（　　　　　　）までゆでます。
　7) ギョーザは酢としょう油のたれに（　　　　　　）、食べます。

混ぜる、　伸ばす、　包み込む、　つける、　ぬれる、
なる、　乾く、　ゆでる、　加える、　浮き上がる、

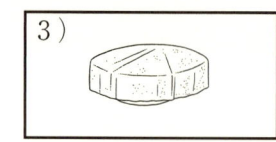

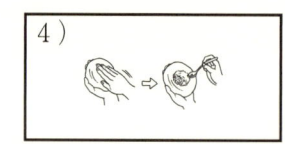

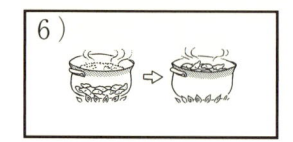

---

2. （寮の食堂で／A： 田村直子　　B： 李）

　A： ①皮はどうやって②伸ばすんですか。
　B： こんなふうに③めん棒で薄く②伸ばすんです。
　　　・・・・・・・・・
　A： これでいいですか。
　B： ええ。

　1) ① 具　　　　② 包む　　　③ 周りをぎゅっと押さえて
　2) ① ギョーザ　② ゆでる　　③ よく沸騰した湯に入れて

聞こう

問題1

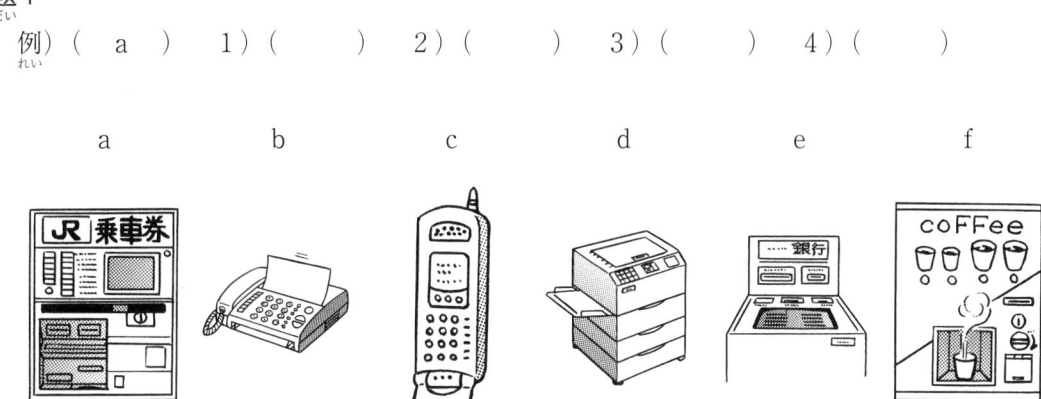

例）(a)　　1）(　　)　　2）(　　)　　3）(　　)　　4）(　　)

　　a　　　　b　　　　c　　　　d　　　　e　　　　f

問題2

1)　a　鳥肉やねぎやしょうがをゆでてから、たれにつけて食べる料理。
　　b　牛肉や野菜を鍋のお湯に入れてから、たれにつけて食べる料理。
　　c　牛肉や野菜をたれにつけて、ねぎやしょうがと一緒にゆでる料理。
　　d　鳥肉や野菜をたれにつけてから、鍋のお湯に入れてゆでる料理。

2)　(　　) → (　　) → (　　) → (　　) → (　　)

　　a　　　　b　　　　c　　　　d　　　　e

3) しゃぶしゃぶの肉は（ 薄く ）切ってあるものを使う。
　　肉はちょっと（　　　　）なるまでお湯に入れて、さっと取り出す。
　　まだちょっと（　　　　）くらいがうまい。
　　長くお湯に入れていると、（　　　　）なるので、注意する。

第11課
だいか

人とつきあう
ひと

学習目標
がくしゅうもくひょう

1. 日本人とのつきあいの中で礼儀正しい会話ができる
   にほんじん　　　　　　なか　れいぎただ　　かいわ

2. 同僚や友人との気持ち良いつきあい方を考える
   どうりょう　ゆうじん　　きも　よ　　　　　かた　かんが

3. あいさつ状や贈り物の習慣について知る
   　　　　じょう　おく　もの　しゅうかん　　　　し

学習する前に

1. 国で友達や同僚とよく食事をしたり、飲みに行ったりしますか。
2. 友達や上司と食事をしたり、飲みに行ったりしたら、誰がお金を払いますか。
3. あなたが食事代を払おうと思っている時、友達があなたの分も払うと言ったら、どうしますか。
4. あなたはどんな時に、手紙やカードを書きますか。
5. あなたの国では毎年決まった時期に贈り物をやり取りする習慣がありますか。

学習項目

会話1　おごられる

1) そろそろV-ようか：そろそろ出ようか。
2) V-てばかりいる：いつもごちそうになってばかりいます。
3) V-させてください：今日は私に払わせてください。

会話2　おごる

4) 「いい」「悪い」の使い方：いいよ。僕が払うよ。

会話3　割り勘にする

読もう　贈り物と手紙

5) V-るようになる：プレゼントをするようになりました。
6) (数・量)も：一人で何百枚も出す人もいます。
7) V-る場合：グループで贈る場合もある。

会話

会話1　おごられる

仕事の後、レストランで／小川、李

小川： さあ、そろそろ出ようか。

李　： あ、小川さん、これは私が払います。

小川： いいよ。僕がおごるから。

李　： でも小川さんにはいつもごちそうになってばかりいますし・・・

　　　 今日は私に払わせてください。

小川： いいよ。今日は僕が誘ったんだから。

李　： そうですか。申し訳ありません。じゃ、ごちそうになります。どうもありがとうございます。

会話2　おごる

昼休み、喫茶店で／小川、李

小川：　あ、もう1時5分前だね。そろそろ戻らないと・・・

李　：　ああ、本当ですね。行きましょうか。

　　　　（伝票を取って）

　　　　今日は私が払います。

小川：　えっ、いいよ。僕が払うよ。

李　：　いや、たまには私に払わせてください。いつもごちそうになって

　　　　いますから。

小川：　そう？　じゃ、悪いね。

会話3　割り勘にする

仕事の後、飲み屋で／佐々木、小川、店員

佐々木：　そろそろ行こうか。

小川　：　そうだね。

佐々木：　すいません。お勘定お願いします。

店員　：　はい。ありがとうございます。

　　　　　ビール、大瓶が3本で1,200円、焼き鳥が2皿で500円・・・

小川　：　じゃ、割り勘にしよう。

佐々木：　うん、そうだね。

店員　：　6,720円になります。

小川　：　ええと、細かいのがないから、僕が出しとくよ。

店員　：　1万円お預かりいたします。3,280円のお返しです。

小川　：　どうも。

佐々木：　ごちそうさま。

店員　：　ありがとうございました。

佐々木：　じゃ、これ、僕の分、3,360円。

小川　：　うん。

読もう
贈り物と手紙

　日本ではよく人に贈り物をします。結婚、出産、入学などのお祝いや病気などのお見舞いに物やお金を贈ります。またお盆の前と年末には、いつもお世話になっている人に感謝の気持ちを込めて、食料品や日用品などを贈ります。
　また最近ではこれ以外にもいろいろな機会にプレゼントをするようになりました。例えば5月の「母の日」、6月の「父の日」、それに12月のクリスマス、2月の*バレンタインデーなどです。これらのシーズン中、デパートのプレゼント売り場はどこも人でいっぱいになります。
　手紙も日本人の生活の中で大切な役割を果たしています。7月の下旬とお正月には、友人や知人に葉書を出します。7月の葉書を「暑中見舞い」、お正月の葉書を「年賀状」といいます。特に年賀状は一人で何百枚も出す人もいます。

＊バレンタインデー…2月14日。この日に女性は好きな男性にプレゼントを贈る。プレゼントはチョコレートが一般的。いつもお世話になっている同僚などにグループで贈る場合もある。

会話の練習

1. （A： 小川　　B： 佐々木）

   A： ①おなかがすいたね。

   B： そうだね。そろそろ②食事に行こうか。

   A： うん。

   1) ① ちょっと疲れた　　② 休憩する
   2) ① 雨がやんだ　　② 出かける

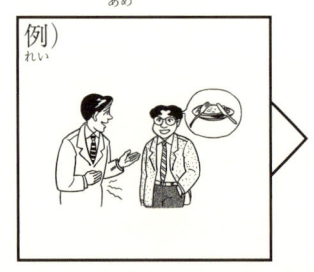

2. 例： いつもごちそうになる

   …… いつもごちそうになってばかりいます。

   1) 少しも勉強しないで、一日中遊ぶ ……
   2) せっかくいい天気なのに、テレビを見る ……
   3) せっかくごちそうがあるのに、飲む ……
   4) 体の調子が悪いのに、たばこを吸う ……
   5) 勉強しないで、漫画を読む ……
   6) 休みの日でも、出かけないで、うちでごろごろする ……

3．例： 遊ぶ …… 遊んでばかりいないで、たまには（勉強しなさい。）
　1） うちでごろごろする …… ＿＿＿＿＿ないで、たまには（　　　　　）
　2） テレビを見る …… ＿＿＿＿＿ないで、たまには（　　　　　）
　3） ビールを飲む …… ＿＿＿＿＿ないで、少しは（　　　　　）
　4） そんなに働く …… ＿＿＿＿＿ないで、少しは（　　　　　）

4．例： いつもごちそうになっている、たまには払う
　　　…… いつもごちそうになっているので、たまには払わせてください。
　1） まだ時間がある、ここで待つ ……
　2） ちょっと疲れた、少し休む ……
　3） 熱がある、少し早く帰る ……
　4） この間もおごってもらった、今日はおごる ……
　5） レポートを書きたい、このコンピューターを使う ……
　6） 資料がたくさんある、ちょっとここに置く ……

5．（A： 小川　　B： 佐々木）
　A： もう①12月だね。
　B： そうだね。そろそろ②年賀状を出さないと。

　1） ① 1時5分前　　② 会社に戻る
　2） ① 6月　　② 夏休みの予定をたてる

6．次の「いいよ」が「～してもいい」という意味の場合は「○」、「～しなくてもいい」という意味の場合は「×」を入れてください。

1) A： コーヒー代、今日は私が払います。
   B： え、いいよ。僕が払うよ。　　　　　　　　　　　　　　　　　　（　）
2) A： このワープロ使ってもいい？
   B： いいよ。使い終わったら、必ず電源を切っといて。　　　　　　　（　）
3) A： 田中さんも誘う？
   B： いいよ。あの人、忙しいって言ってたから。　　　　　　　　　　（　）
4) A： 電気をつけようか？
   B： いいよ。明るいから。　　　　　　　　　　　　　　　　　　　　（　）

7．「悪い」が「すみません」という意味の場合は「○」を、そうでない場合は「×」を入れてください。

例1： これ、どうぞ。……僕に？　悪いね。　　　　　　　　　　　　　（○）
例2： 悪いのは彼だよ。　　　　　　　　　　　　　　　　　　　　　　（×）
1) 悪いけど、これ今日中にやって。　　　　　　　　　　　　　　　　（　）
2) 彼にこの仕事を頼んだのが悪かったですね。　　　　　　　　　　　（　）
3) 私の言い方が悪かったから、彼女は怒ったのかなあ。　　　　　　　（　）
4) 急にこんな仕事を頼んで、悪かったですね。　　　　　　　　　　　（　）

活動
かつどう

1. 次の内容で会話をしてください。

> ロールプレイカード11　　研修生（　李　）　　　　　　　　　　A
> 状況（昼休み、会社の近くの店で会社の担当者の小川さんと食事をしました。
> 　　　今1時5分前で、そろそろ会社へ戻らなければなりません。）
> 　→小川さんにいつも食事をごちそうになっているので、今日はおごりたいと言って
> 　　ください。

> ロールプレイカード11　　日本人社員（　小川　）　　　　　　　B
> 状況（昼休み、会社の近くの店で会社の研修生の李さんと食事をしました。今1時5分
> 　　　前で、そろそろ会社へ戻らなければなりません。李さんには時々食事をおごって
> 　　　います。）
> 　→李さんの話を聞いてください。
> 　→どちらが払うか、決めてください。

2. 友達と次のような会話をしてみましょう。
「日曜日の午後、寮の近くの喫茶店でコーヒーを飲みました。これから割り勘で勘定を払おうと思います。」

3. 「割り勘」についてどう思いますか。賛成と反対の二つのグループに分かれて、クラスで話し合ってみましょう。

読もうの練習

1. グラフを見て文を完成させてください。

　例： たくさんの人が （高速バスを利用する） ようになりました。
　1） たくさんの人が （　　　　　　　　） ようになりました。
　2） たくさんの人が （　　　　　　　　） ようになりました。
　3） たくさんの人が （　　　　　　　　） ようになりました。
　4） 日本人は前より （　　　　　　　　） ようになりました。
　5） 日本人は前より （　　　　　　　　） ようになりました。

例： 高速バスの利用者数

1） パソコンが売れた台数

2） 携帯電話の加入数

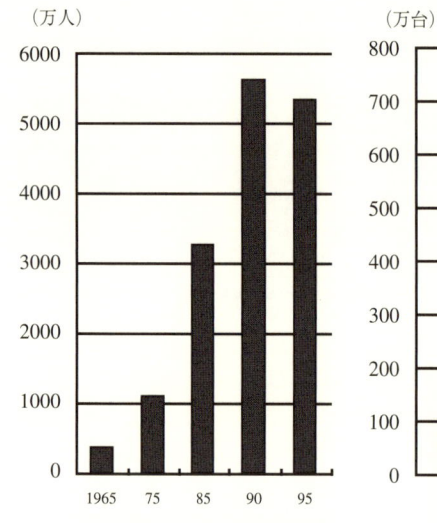

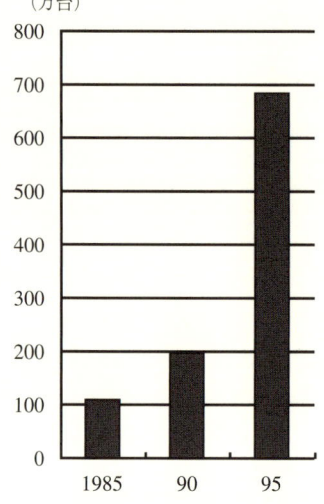

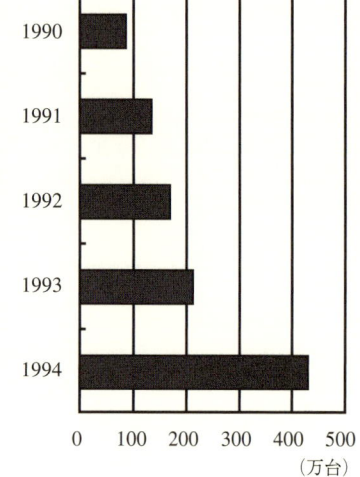

3） ケーブルテレビの契約数

4）・5） 牛乳・卵の消費量（1か月・1人）

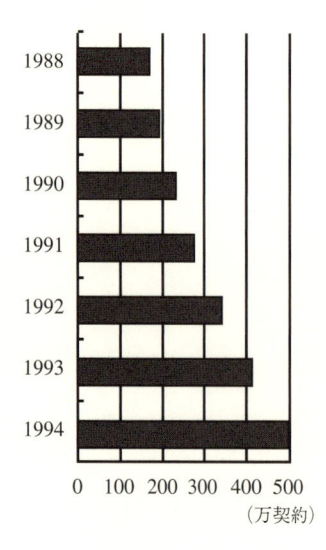

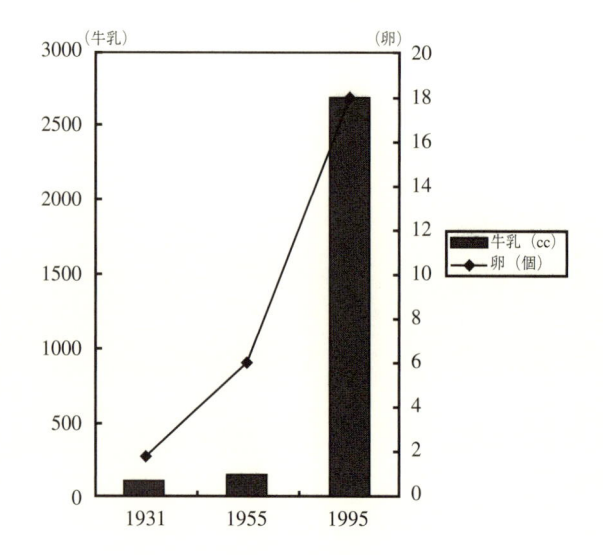

2. 例： 毎年年賀状を出す（何百枚） ……　毎年何百枚も年賀状を出します。
   1) 家族から手紙が来ない（何週間）……
   2) 彼に会っていない（何年）……
   3) 卵を食べた（六つ）……
   4) さっきからバスを待っている（30分）……
   5) 先週から雨が降っている（5日間）……
   6) 一度に本を買った（10冊）……
   7) 昨日はビールを飲んだ（10本）……
   8) 友達と電話で話した（1時間以上）……

3. 例： バレンタインデーにはチョコレートを（贈る／贈った）場合が多い。
   1) 会議の時間に（遅れる／遅れた）場合は、後ろの方の席に座ってください。
   2) 時間に（遅れる／遅れた）場合は、必ず電話で連絡してください。
   3) 友達に結婚の贈り物を（する／した）場合は、欲しい物を聞いてみた方がいい。
   4) 日本人のうちに（行く／行った）場合、お土産にどんな物を持って行ったらいいか、迷う。
   5) 人にごちそうに（なる／なった）場合は、次に会った時、必ずお礼を言ってください。
   6) 日本では友達と飲みに行くと、割り勘に（する／した）場合が多い。

4.「読もう」の内容を読んで、正しいものには○、正しくないものには×を入れてください。
   1) 日本人は友達に子供が生まれると、贈り物をする。　　　　　　　　　　（　）
   2) バレンタインデーには日用品を贈ることが多い。　　　　　　　　　　　（　）
   3) クリスマスの前に、デパートへプレゼントを買いに行く人が多い。　　　（　）
   4) 7月に出す葉書を「年賀状」という。　　　　　　　　　　　　　　　　（　）

活動
かつどう

1. クラスの友達や日本人に贈り物について聞いてみましょう。

名前 なまえ	国 くに	どんな時 とき	誰に だれ	どんな物を もの
例： れい	日本 にほん	結婚する時 けっこん とき	友達に ともだち	時計 とけい

2. 今までもらって一番うれしかったプレゼントは何ですか。クラスで発表してみましょう。

聞こう

問題1 「いいよ＝〜してもいい」の場合はAを、「いいよ＝〜しなくてもいい」の場合はBを書いてください。

例1（ A ） 例2（ B ） 1）（　） 2）（　） 3）（　） 4）（　）

問題2

例（ E ） 1）（　） 2）（　） 3）（　） 4）（　）

```
A  病気見舞い      B  バレンタインデー     C  出産
D  結婚           E  誕生日
```

問題3

1）李さんは田中さんにごちそうになった次の日、お礼を言った。（　）

2）李さんが田中さんのうちに招待された時、田中さんの息子さんは風邪をひいていた。（　）

3）田中さんがいつも乗っている電車は、夜になると走るのが遅くなる。（　）

4）田中さんの奥さんはうちの近くに緑が少ないと言っている。（　）

5）李さんは田中さんのうちでギョーザを作ったことがない。（　）

第12課
だいか

比較する
ひかく

学習目標
がくしゅうもくひょう

1. 物事をいろいろな面から比較できる
   ものごと　　　　　　めん　ひかく

2. 比較して分かった違いや変化について考え、話し合うことができる
   ひかく　わ　　　ちが　へんか　　　　かんが　はな　あ

3. グラフなどの資料から正しく情報が読み取れる
   しりょう　ただ　じょうほう　よ　と

中国300円

日本3,000円

学習する前に
がくしゅう まえ

1. あなたの町では床屋へ行くと、1回いくらぐらいしますか。円に直して、日本での値段と比べてください。
2. あなたの町では映画を見るのにいくらかかりますか。日本の値段とどれくらい違うと思いますか。
3. あなたの国より日本で買った方が安い製品は何ですか。
4. 子供の時と今とでは物価はどれくらい違いますか。例を出して比べてください。
5. あなたの国から日本へ輸出している物は何ですか。また日本から輸入している物は何ですか。

学習項目
がくしゅうこうもく

会話1　物価を比較する
かいわ　　ぶっか　ひかく

1）（金額）は／もする：3,000円はするでしょう。
2）〜じゃないですか：一番違うのは住宅じゃないですか。

会話2　輸入品を比較する
かいわ　　ゆにゅうひん　ひかく

3）〜らしい：日本への輸出はぐんと増えたらしいですよ。
4）V-ていく：ますます輸入に頼っていくようになるだろう。
5）〜だろう：輸入に頼っていくようになるだろうって。
6）倒置：テレビで言ってたけど、輸入に頼っていくようになるだろうって。

読もう　水産物輸入
よ　　　　すいさんぶつゆにゅう

7）合成語②
ごうせいご
　〜化：えびはアジア諸国で養殖が本格化してから、輸入量が増えた。
　〜先：輸入先は世界140か国に及んでいる。

会話

会話1　物価を比較する

寮で／田村洋、李

田村：　あれ、李さん、床屋へ行ったの。

李　：　いえ、友達にやってもらったんです。日本の床屋は高くて、とても行けません。3,000円はするでしょう。

田村：　床屋によって違うけど、普通そのくらいはするね。中国はいくらぐらい？

李　：　そうですねえ。上海では日本円でいうと、300円ぐらいかな。

田村：　じゃ、日本の10分の1？

李　：　そうなりますね。映画なんか500円ぐらいで見られますよ。

田村：　日本では2,000円ぐらいだから、中国の4倍だね。

李　：　でも、一番違うのは住宅じゃないですか。この間、新聞広告で見たんですが、一戸建ての値段が8,000万円って書いてありましたよ。

田村：　そうなんだ。この辺は電車や車で町の中心にすぐ行けるから、家も高いんだよ。

李　：　そうですか。

会話2　輸入品を比較する

寮で／李、田村直子

李　　：　田村さん、日本のスーパーには輸入物がたくさんあるんですね。えびとか野菜とか。

田村　：　そうよ。李さんの国からもいろいろ輸入してるでしょう？

李　　：　そうですね。4、5年前と比べても、日本への輸出はぐんと増えたらしいですよ。

田村　：　へえ、そう。

李　　：　それに量だけじゃなくて、以前と違って種類も増えてきてるようですよ。

田村　：　あ、そうそう。この間テレビで言ってたけど・・・

　　　　　日本はこれからますます輸入に頼っていくようになるだろうって。

李　　：　そうかもしれませんね。

読もう
水産物輸入

　日本の水産物輸入は1970年代に入って急増した。特にえび類の伸びが大きい。えびはアジア諸国で養殖が本格化してから輸入量が大きく増え、現在は主にインドネシア、インド、タイなどから輸入されている。その金額は水産物輸入額全体の約2割を占める。

　日本は世界一の水産物輸入国で、1995年には世界の水産物輸入額の32％を占めた。これは第2位の米国の約2.5倍に当たる。輸入先は世界140か国以上に及んでいるが、現在は主に中国、米国、インドネシア、タイ、ロシアなどが大きな割合を占める。

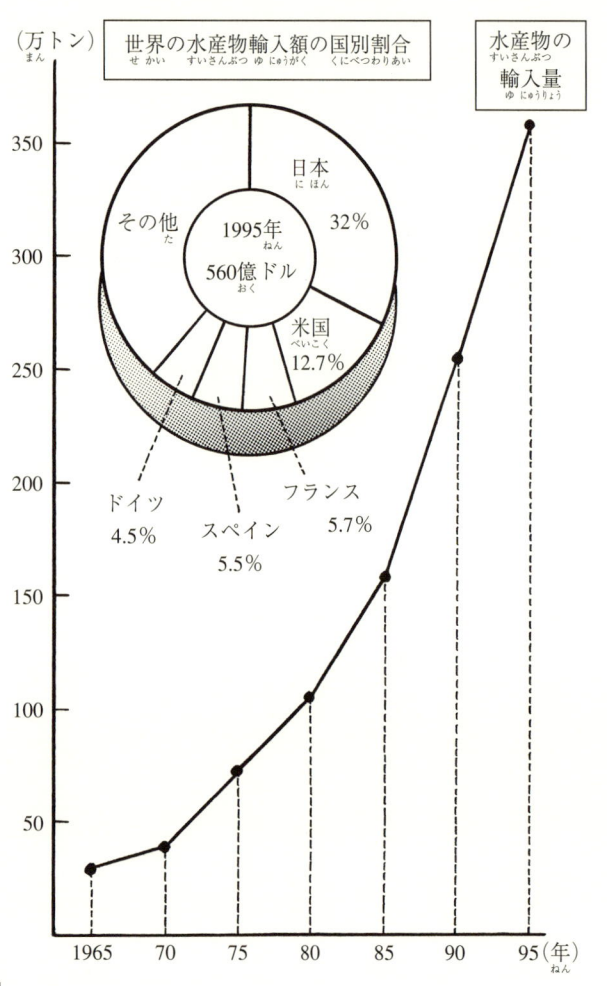

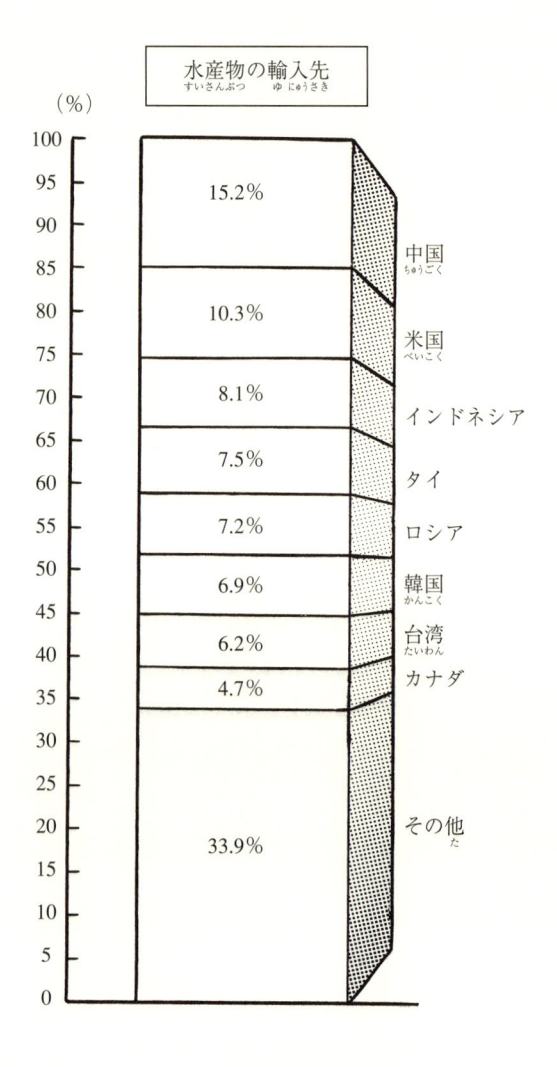

世界の水産物輸入額の国別割合（1995年 560億ドル）

- 日本 32％
- 米国 12.7％
- フランス 5.7％
- スペイン 5.5％
- ドイツ 4.5％
- その他

水産物の輸入量（万トン）

年	輸入量
1965	約25
70	約40
75	約75
80	約105
85	約155
90	約255
95	約355

水産物の輸入先（％）

- 中国 15.2％
- 米国 10.3％
- インドネシア 8.1％
- タイ 7.5％
- ロシア 7.2％
- 韓国 6.9％
- 台湾 6.2％
- カナダ 4.7％
- その他 33.9％

会話の練習

1. 例1： この自動車は高そうだ。きっと500万円（ は ）する。
   例2： この人形は本当に高い。こんなに小さいのに、2万円（ も ）する。
   1) 先月買ったカメラは15万円（　　　）したのに、もう壊れてしまった。
   2) あのホテルでフランス料理を食べたら、きっと一人2万円（　　　）するだろう。
   3) 空港からＡＢＣホテルまでとても近い。でもタクシーで行ったら、4千円（　　　）した。
   4) これは多分10万円（　　　）する品物だと思う。でも今はバーゲンなので、随分安くなっている。

2. ＿＿＿＿のところが例と同じ使い方のものには○、違うものには×を入れてください。
   例： A： 東京とニューヨークではどっちの方が物価が高いんですか。
       B： 物によって違うと思うけど、多分東京じゃないですか。
   1) A： 田中さんはどこにいるの？
      B： さあ、今日は休みじゃないかな。　　　　　　　　　　　（　）
   2) A： 日本で2番目に人口が多い都市は大阪でしょう？
      B： いや、大阪じゃないと思いますよ。きっと横浜でしょう。（　）
   3) A： あそこで田中さんと話してる人、センターの人？
      B： 多分そうじゃない？　よく事務所で見るから。　　　　　（　）
   4) A： ええと、作業が終わったら、このボタンを押せばいいんですね。
      B： そうじゃないよ。もう一度マニュアルをよく見て。　　　（　）

3. 例： 田中さんは英語ができない　……　田中さんは英語ができないらしい。
   1) 彼はアメリカに恋人がいる　……
   2) 彼は刺身が嫌いだ　……
   3) 彼は交通事故でけがをした　……
   4) 来月来る新しい部長は女性だ　……
   5) 明日の試験は難しい　……
   6) 彼は来年結婚するつもりだ　……

4. 例： 今週はずっと天気が悪かったが、来週はきっと（晴れる）だろう。
   1） 5時の新幹線には間に合わないが、その次のには（　　　　）だろう。
   2） 李さんはまだ上手に日本語が話せないが、5、6か月すれば（　　　　）ようになるだろう。
   3） このパソコンは最近調子がおかしいが、修理すればまだ（　　　　）だろう。
   4） もうすぐここに新幹線の駅が出来る。今は人が少なくて静かな町だが、これから（　　　　）なるだろう。

5. （　）の中に「だろう」か「らしい」を入れてください。
   例： A： さっき天気予報で言ってたけど、あしたは雨（　らしい　）よ。
       B： そう。じゃ、明日花見に行くのは無理（　だろう　）ね。
   1） A： 今朝のニュース、見た？
       B： ううん。何かあったの？
       A： イギリスで飛行機が落ちた（　　　　）よ。
   2） A： 彼も今度のカラオケパーティー、出られるかな。
       B： さあ…大丈夫（　　　　）と思うけど、念のため電話で聞いてみようか。
   3） A： あそこで小川さんと話してる女の人、すごくきれいじゃない？
         誰（　　　　）？
       B： ああ、あの人？　うわさでは小川さんの彼女（　　　　）よ。
   4） A： 伊藤さん、今日も休みだね。どうしたん（　　　　）？
       B： ああ、伊藤さん、階段から落ちて入院した（　　　　）よ。

6. （　　　）の中に「～てくる」か「～ていく」を使った言葉を入れてください。

例１： まだ10月なのに、このごろずいぶん寒く（なる・・・なってきた）。
例２： これから冬になるから、どんどん寒く（なる・・・なっていく）だろう。

1) 新しいビルの工事は予定どおりに進んでいる。建物の形がもう随分
（出来る・・・　　　　　　）。

2) この町の人口は今までは毎年（増える・・・　　　　　　）。でもこれからはこのまま（増える・・・　　　　　　）かどうか、分からない。

3) 私の国では結婚しても仕事を続ける女性はまだ少ないが、10年ほど前から少しずつ多く（なる・・・　　　　　　）いる。

4) 新しい建物がどんどん増えているから、これからは町の様子がますます
（変わる・・・　　　　　　）だろう。

7. （Ａ： 田村　　Ｂ： 佐々木）
Ａ： このごろ随分外来語が増えてきたね。
Ｂ： そうですね。これからもますます増えていくでしょうね。
Ａ： そうかもしれないね。

1) 日本で働く外国人が多くなる
2) この辺は緑が減る

8. 例： テレビで日本はますます輸入品が増えるだろうと言っていた。
　　　……　テレビで言ってたけど、日本はますます輸入品が増えるだろうって。

1) 天気予報で明日大きな台風が来るだろうと言っていた。
　　　……

2) ラジオで今どこの国でもごみの量が増えていると言っていた。
　　　……

3) 日本は世界中の国からいろいろな物を輸入しているとニュースで言っていた。
　　　……

4) 東南アジアはますます経済が発展していくだろうと講義で先生がおっしゃっていた。
　　　……

活動
かつどう

1．あなたの国と日本では物価がどのくらい違いますか。クラス全員で比べてみましょう。

1）あなたの国と日本とで物価の違いが一番大きい物は何ですか。
またあまり違いがない物は何だと思いますか。

2）クラスで相談して、比べる物を五つ決めてください。それから日本での値段を調べてください。

3）その五つの物があなたの国でいくらぐらいか、クラスで発表してください。同じ国の人が多い場合は、地域によって違うかどうか、比べてみましょう。

4）その結果を下の表にまとめてください。一番高い国、安い国はそれぞれどこですか。一番高い国の物価は外の国の何倍になりますか。

5）作った表を日本人に見せて、感想を聞いてください。そして10年前の日本の物価とどのくらい違うか、質問してみましょう。

物＼国	日本	中国	タイ				

読もうの練習

1. 下から言葉を選んで、（　　）に入れてください。
   例：アジアで魚の養殖が（　本格化　）してから、日本ではえびの輸入量が増えた。
   1）昔は全部手作業で作っていたので、時間がかかった。でも（　　　　）が進んで、能率がずっと良くなった。
   2）この辺は昔は田舎だったが、新しいビルがどんどん建てられて、（　　　　）が進んだ。
   3）この電車は（　　　　）されているので、運転する人が乗っていなくても走る。
   4）このテレビドラマはとても人気があったので、来年（　　　　）されることになった。

本格化、　映画化、　自動化、　都市化、　専門化、　機械化

2. 下から言葉を選んで、「〜先」を使った言葉を（　　）に入れてください。
   例：夏休みアメリカへ遊びに行った友達が（　旅行先　）から葉書をくれた。
   1）日本製品はいろいろな国で売られている。（　　　　）は全世界に及んでいる。
   2）部長は先週から仕事でタイへ行っています。用事があったら、（　　　　）に電話で連絡してください。
   3）荷物を送る時は、（　　　　）の住所と名前を大きく書いてください。
   4）出かける時は、必ず（　　　　）をここに書いておいてください。

旅行する、　帰る、　出張する、　行く、　輸出する、　送る

3. 「読もう」の内容を読んで、正しいものには〇、正しくないものには×を入れてください。
   1）日本では1970年代にえびの輸入が始まった。　　　　　　　　　　　　（　）
   2）アジア諸国は日本へたくさんのえびを輸出している。　　　　　　　　（　）
   3）日本へ水産物を輸出しているのはアジア諸国だけだ。　　　　　　　　（　）
   4）日本は世界の水産物輸入の約3分の1を占めている。　　　　　　　　（　）

活動
かつどう

1. 「読もう」のグラフを見て、答えてください。
   1) 日本、アメリカ、フランスの水産物輸入額の合計は、世界全体の何割になりますか。
   2) 水産物の輸入量が最も急増しているのは、何年から何年までですか。
   3) 日本が水産物を一番多く輸入している国はどこですか。またその輸入額は第2位の国の何倍に当たりますか。

聞こう

問題1 「~じゃない＝~だと思う」には○を、そうでないものには×を付けてください。
　　　　例1（○）　例2（×）　1）（　）　2）（　）　3）（　）　4）（　）

問題2

例　[a]（ ① ）
1）[　]（ 　 ）
2）[　]（ 　 ）
3）[　]（ 　 ）
4）[　]（ 　 ）

① 水産物の輸入先（1994年）
② 世界の自動車生産台数（1995年）
③ 日本の自動車部品の輸出先（1995年）
④ 世界の主な米の輸出国（1994年）
⑤ コンピューターの輸入先（1995年）

a	USA 15.2%	中国 10.3	タイ 8.1	韓国 7.5	その他
b	USA 31.5%	シンガポール 17.8	台湾 14.4	タイ 6.1	その他
c	USA 41.6%	タイ 6.7	台湾 5.9	インドネシア 5.2	その他
d	タイ 28.1%	USA 16.8	ベトナム 13.2	中国 9.6	その他
e	USA 24%	日本 20.5	ドイツ 9.4	フランス 7	その他

問題3

例：　日本人の海外旅行者の数は、1985年からぐんと減った。　　　　　　　（ × ）
1）　1995年の日本人の海外旅行者は1985年の約3倍に増えた。　　　　　　（　　）
2）　日本人の海外旅行者の数は1985年からずっと毎年増えている。　　　　（　　）
3）　海外に行くより、日本国内を旅行したほうがずっと安い。　　　　　　（　　）
4）　日本の会社では、長い夏休みをとるのは無理だ。　　　　　　　　　　（　　）

第13課

苦情を言う・謝る

学習目標

1. 相手の気持ちを考えながら、苦情が言える

2. 事情を説明して、謝ることができる

3. 注意事項などの掲示物を読んで、理解できる

学習する前に

1. カラオケが好きですか。カラオケはどうして人気があるのだと思いますか。
2. 部屋は静かですか。周りの人の声やテレビ、車などの音がうるさいと思ったことがありますか。
3. 隣の部屋の音がうるさくて困った時、どうしますか。
4. 誰かに注意されたり、苦情を言われたりしたことがありますか。その時、どうしましたか。
5. センターの中にはどんな注意やお願いが貼ってありますか。

学習項目

会話1　騒音について苦情を言う

1) V-てもらえないでしょうか：小さくしてもらえないでしょうか。
2) ついV-てしまう：つい声が大きくなってしまった。

会話2　注意されて謝る

3) V(-ます)っ放しにする：アイロンをつけっ放しにしてた。
4) もうちょっとでV-るところだった：もうちょっとで火事になるところだった。

会話3　会議に遅れて謝る

5) NぐらいV-るもんだ：電話ぐらいするもんだ。

読もう　お願い

6) 何〜か：苦情の電話が何回かあった
7) 複合動詞①V(-ます)終わる／始める／替える／直す：アイロンをかけ終わる
8) V(-ない)ずにV-てください：忘れずにコンセントを抜いてください。

会話

会話1　騒音について苦情を言う

（1）夜、隣の家の前で／アナン、隣の人

アナン：ごめんください。

隣の人：はい。どなた様ですか。

アナン：隣のアナンです。あのう・・・カラオケの音がちょっと大きいんですが、もう少し、小さくしてもらえないでしょうか。

隣の人：あっ、すみません。気がつかなくて。すぐ小さくします。

アナン：お願いします。

隣の人：すみませんでした。

（2）朝8時、ごみを捨てに来た隣の人とアナンさん

隣の人：　おはようございます。

アナン：　おはようございます。

隣の人：　ゆうべはどうもすみませんでした。

アナン：　いいえ。

隣の人：　私は夢中になると、つい声が大きくなっちゃって・・・本当にすみませんでした。

アナン：　いいえ。

会話2　注意されて謝る

夜、寮で／田村、佐々木

田村　　：　あっ、佐々木さん、帰って来るの待ってたんですよ。

佐々木：　はあ？

田村　　：　佐々木さんの部屋から煙が出て、大変だったんですよ。

佐々木：　えっ？

田村　　：　アイロンをつけっ放しにしてたでしょう。中に入ってみたら、アイロン台が焦げていて、もうちょっとで火事になるところでしたよ。

佐々木：　えっ、本当ですか。どうもすみませんでした。

田村　　：　本当に気をつけてくださいよ。火事になったら、大変ですからね。

佐々木：　はい、これからは気をつけます。本当に申し訳ありませんでした。

会話3　会議に遅れて謝る

朝、会社で／李、伊藤

李　　：　どうも遅れてしまって、申し訳ありません。

伊藤　：　ああ、李さん、どうしたの？　みんな待ってるよ。

李　　：　すみません。ちょっと忘れ物に気がついて取りに戻ったものですから。

伊藤　：　そうか。でも、電話ぐらいするもんだよ。

李　　：　はい、途中で電話しようと思ったんですが、なかなか電話が見つからなくて・・・

伊藤　：　そう、分かった。じゃ、みんな待ってるから、すぐ行こう。資料、そろってるね。

李　　：　はい、そろってます。

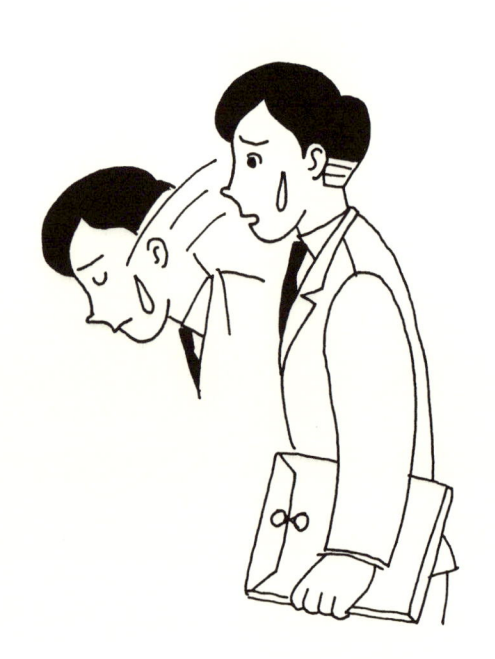

読もう

お願い

1. 夜10時以降は静かに！
   最近近所の人から深夜に大きな話し声がするという苦情の電話が何回かありました。夜10時を過ぎたら、周りの人の迷惑にならないように、くれぐれも注意してください。

2. ロビーの新聞について
   ロビーの新聞は部屋へ持って行かないでください。外の人が読めなくて、困っています。必ずロビーで読んでください。

3. 洗濯室の利用時間について
   洗濯は必ず夜12時までに終了してください。近くの部屋の人が騒音で眠れなくて、困っています。また、火災防止のため、アイロンをかけ終わった後は、忘れずにプラグを抜いてください。

以上、御協力よろしくお願いいたします。
AOTS事務所

会話の練習

1. 例： あのう、テレビの音が大きいんですが、もう少し小さくしてもらえないでしょうか。
   1) ちょっと寒い、クーラーを弱くする
   2) 寮の食堂は肉料理が多い、野菜料理を作る
   3) 予算は２万円ぐらいだ、安くする
   4) 販売店での実習期間がちょっと短いと思う、長くする

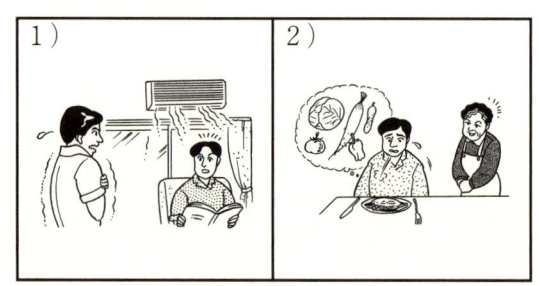

2. 例： カラオケに夢中になる、声が大きくなる
   …… カラオケに夢中になると、つい声が大きくなってしまう。
   1) 慌てている、忘れ物をする ……
   2) きれいな服を見る、買う ……
   3) 本を読んでいる、時間を忘れる ……
   4) 酒を飲み始める、飲みすぎる ……

3. （A： 小川　B： 佐々木）
   A： いやあ、だめだな。
   B： どうしたんですか。
   A： ①たばこをやめようと思っているのに、②周りの人が吸っていると、つい③吸ってしまうんだよ。
   B： なかなか難しいですよね、それは。

   1) ① 酒をやめる　② 誘われる　③ 飲む
   2) ① 毎日運動する　② 休みになる　③ 一日中ごろごろする

4. 例： 朝、慌てていると、つい忘れ物をしてしまう。
   1) ボーナスが入ると、つい＿＿＿＿＿＿＿＿＿＿＿＿＿＿＿＿＿すぎてしまう。
   2) コンピューターゲームを始めると、つい＿＿＿＿＿＿＿＿＿＿＿＿＿＿しまう。
   3) おいしそうな料理を出されて、つい＿＿＿＿＿＿＿＿＿＿＿＿＿＿すぎてしまった。
   4) 悲しい映画を見て、つい＿＿＿＿＿＿＿＿＿＿＿＿＿＿＿＿＿＿しまった。

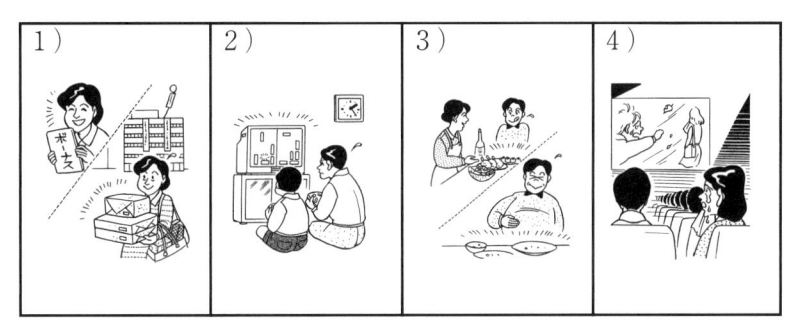

5. 例： 窓を開ける …… 困るなあ。窓が開けっ放しだ。
   1) 電気をつける ……   4) 水を出す ……
   2) エンジンをかける ……   5) 工具を使う ……
   3) 服を脱ぐ ……   6) 新聞を読む ……

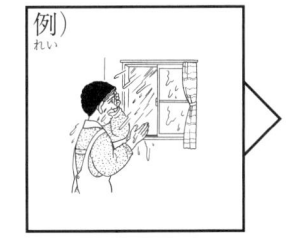

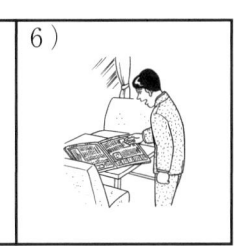

6. （A： 田村直子   B： 佐々木）
   A： 佐々木さん、①アイロンをつけっ放しにしてたでしょう。
   B： あっ、いけない。
   A： ②アイロン台が焦げて大変だったんですよ。
   B： どうもすみません。これから気をつけます。

   1) ① ロビーの窓を開ける   ② 雨が入って来る
   2) ① ミーティング室の鍵を借りる ② みんなで捜す

7. 例： 火事になる …… もうちょっとで 火事になるところでした。
   1) 事故になる ……　　　　　3) けがをする ……
   2) 製品がだめになる ……　　4) やけどをする ……

8. 例： 遅れそうな時は、電話ぐらいするもんだよ。
   1) ＿＿＿＿＿＿＿＿＿＿＿＿時は、あいさつぐらいするもんだよ。
   2) ＿＿＿＿＿＿＿＿＿＿＿＿時は、お礼ぐらい言うもんだよ。
   3) ＿＿＿＿＿＿＿＿＿＿＿＿時は、返事ぐらいするもんだよ。
   4) ＿＿＿＿＿＿＿＿＿＿＿＿時は、連絡ぐらいするもんだよ。

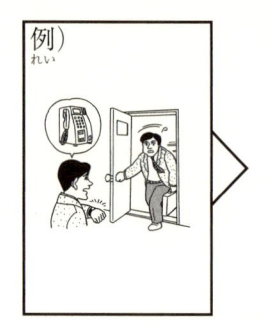

9. (A: 伊藤　B: 佐々木)
   A: どうしたの？　遅かったね。
   B: すみません。①電車が事故で遅れてしまって。
   A: でも、②電話ぐらいするもんだよ。
   B: はい、これから気をつけます。

   1) ① 急な用事が出来る　② 連絡
   2) ① 忘れ物をする　　　② 電話

活動
かつどう

1．次の内容で会話をしてください。
   つぎ　ないよう　かいわ

   1)

   ロールプレイカード　13-1　　研修生（　李　）　　　　　　　　A
   　　　　　　　　　　　　　　　けんしゅうせい　リー
   状況（今度の日曜日小川さんのうちへ遊びに行く予定でしたが、急に行けなくなってし
   じょうきょう　こんど　にちようび　おがわ　　　　　　あそ　　い　よてい　　　　　きゅう　い
   まいました。）
   　→小川さんに理由を話して、丁寧に謝ってください。
   　　おがわ　　　りゅう　はな　　　ていねい　あやま

   ロールプレイカード　13-1　　日本人社員（　小川　）　　　　　B
   　　　　　　　　　　　　　　　にほんじんしゃいん　おがわ
   状況（今度の日曜日に研修生の李さんがうちに遊びに来る予定でしたが、都合が悪くな
   じょうきょう　こんど　にちようび　けんしゅうせい　リー　　　　あそ　　く　よてい　　　　つごう　わる
   ったようです。）
   　→李さんの話をよく聞いて、残念な気持ちを伝えてください。
   　　リー　　　はなし　　き　　ざんねん　きも　　つた
   　→家族も李さんが来るのをとても楽しみにしていたので、また今度是非来てほしい
   　　かぞく　リー　　く　　　　　たの　　　　　　　　　　　　こんどぜひき
   　　と誘ってください。
   　　さそ

   2)

   ロールプレイカード　13-2　　日本人社員（　山口　）　　　　　A
   　　　　　　　　　　　　　　　にほんじんしゃいん　やまぐち
   状況（研修生の馬さんに本を借りていましたが、昨日寮でお茶をこぼして、その本を汚
   じょうきょう　けんしゅうせい　マー　　ほん　か　　　　　　きのうりょう　　ちゃ　　　　　　　　ほん　よご
   してしまいました。）
   　→状況を説明して、丁寧に謝ってください。
   　　じょうきょう　せつめい　　ていねい　あやま

   ロールプレイカード　13-2　　研修生（　馬　）　　　　　　　　B
   　　　　　　　　　　　　　　　けんしゅうせい　マー
   状況（会社の山口さんから「借りていた本を汚してしまった」と言われました。）
   じょうきょう　かいしゃ　やまぐち　　　　か　　　　ほん　よご　　　　　　　　い
   　→山口さんの話を聞いてください。
   　　やまぐち　　はなし　き
   　→何か理由を言って、気にしなくてもいいと言ってください。
   　　なに　りゅう　い　　　き　　　　　　　　　　　い

3）

ロールプレイカード　13-3　　研修生（ 李 ）　　　　A

状況（寮のロビーでテレビを見ていた時、外の人が来てチャンネルを変えてしまいました。毎週、この中国語の番組を見るのを楽しみにしています。）

→状況を説明して、元のチャンネルにするように頼んでください。

ロールプレイカード　13-3　　研修生（ アナン ）　　　　B

状況（寮のロビーのテレビがついていましたが、誰も見ていないと思って、チャンネルを変えました。でもさっきから李さんが見ていたようです。）

→李さんの話を聞いて、丁寧に謝ってください。

2．次の質問について、クラスで話し合ってみましょう。

1）友達や恋人とけんかをした時、あなたは自分からすぐ謝る方ですか。

2）「こんな時だったら、必ず自分から謝る」という場合を三つ考えてください。

①＿＿＿＿＿＿＿＿＿＿＿＿＿＿＿＿＿＿＿＿＿＿＿＿＿＿＿＿＿＿＿＿＿＿＿＿

②＿＿＿＿＿＿＿＿＿＿＿＿＿＿＿＿＿＿＿＿＿＿＿＿＿＿＿＿＿＿＿＿＿＿＿＿

③＿＿＿＿＿＿＿＿＿＿＿＿＿＿＿＿＿＿＿＿＿＿＿＿＿＿＿＿＿＿＿＿＿＿＿＿

3．「すみません」にはいろいろな意味がありますが、どんな時に使いますか。またあなたの国にも「すみません」と同じ使い方をする言葉がありますか。

読もうの練習

1. 例： A： 李さん、日本の映画、見たことある？
   B： ううん、あまり日本の映画、やってないから。日本へ来る前にテレビで（⦅何本か⦆、何本も）見たけど。小川さんは中国の映画は？
   A： うん、好きだから、（何本か、⦅何本も⦆）見てるよ。最近よくテレビでもやってるから。

   1) A： このソフトよく使ってる？
      B： いや、ほとんど使ってないですね。買った時だけ（何回か、何回も）使ったけど、あまり必要ないんで。
      A： そう。僕なんか毎日仕事で必要だから、もう（何回か、何回も）使ってるけど、まだよく使えないんだ。

   2) A： すごい。センターの前にバスが（何台か、何台も）止まってるけど、どうしたの？
      B： ああ、あの中の（何台か、何台も）は研修生がキャンプに行くバスで、外のは近くの小学校のバス。

   3) A： お金と時間があったら、（何年か、何年も）外国で生活してみたいな。
      B： でもね、僕は父の仕事の関係で（何年か、何年も）外国にいたけど、長くなると、だんだん自分の国もいいなと思うようになるよ。

   4) A： 昨日の新製品の説明会、どうだった？ 人がたくさん来た？
      B： ええ、始めは（何人か、何人も）しかいませんでしたが、途中からたくさん来ました。
      A： どうだった？ 反応は。
      B： すごかったんですよ。説明会の後で、注文したいっていう人が（何人か、何人も）来て大変でしたよ。
      A： それは良かった。

2. 例1： 御飯を食べる、電話がかかってきた
　　　　…… ちょうど御飯を食べ始めた時に、電話がかかってきた。
　例2： 掃除する、お客が来た
　　　　…… ちょうど掃除し始めた時に、お客が来た。
　1） レポートを書く、友達が来た
　2） 洗濯する、雨が降ってきた
　3） この会社で働く、九州に新しい工場が完成した
　4） たばこを吸う、電車が来た
　5） 料理する、電話がかかってきた
　6） シャワーを浴びる、地震が起きた

3. 例： アイロンをかける、プラグを抜く
　　　…… アイロンをかけ終わったら、忘れずに、プラグを抜いておいてください。
　1） ロビーの雑誌を読む、元の所に返す　……
　2） このコンピューターを使う、電源を切る　……
　3） コーヒーを飲む、カップを洗って、元の所にしまう　……
　4） 食べる、食器は自分で片づける　……

4. 例： この洗濯機は古くなった、買う
　　　……この洗濯機は古くなったから、買い替えよう。
　1） このポスターは汚れている、貼る
　2） この安全靴は大きすぎる、履く
　3） このサンプルはデザインが良くない、作る
　4） ショーケースの商品は古い、入れる

5. **下から言葉を選んで（　　）に入れてください。**
　例： この字は薄くて読みにくいので、（書き）直してください。
　1） ワープロで作った書類に間違いがあったので、すぐ（　　　）直した。
　2） 答えに間違いがないかどうか、よく（　　　）直してください。
　3） この資料は一度読んだだけでは分かりにくかったが、何回か（　　　）直したら、少しずつ分かってきた。
　4） （電話で：）本日の受付時間は終了しましたので、恐れ入りますが、明日またお（　　　）直しください。

　　　　　　　　　見る、打つ、かける、書く、読む、思う

6．例： アイロンをかけ終わった後は、忘れずにコンセントを抜いておいてください。
　　1） 出かける時は、忘れずに＿＿＿＿＿＿＿＿＿＿＿＿＿＿ください。
　　2） 部屋を出る時は、忘れずに＿＿＿＿＿＿＿＿＿＿＿＿＿＿＿ください。
　　3） 自分のノートには、忘れずに＿＿＿＿＿＿＿＿＿＿＿＿＿＿＿ください。
　　4） この花は毎朝、忘れずに＿＿＿＿＿＿＿＿＿＿＿＿＿＿＿ください。

7．例： 今日は朝御飯を食べないで、会社へ行った。
　　　　…… 今日は朝御飯を食べずに、会社へ行った。
　　1） 2、3日ゆっくり休んで、薬を飲まないで、風邪を治した。……
　　2） このごろ忙しいので、日曜日も休まないで、働いた。……
　　3） あの人はどこも行かないで、一日中ずっと家にいる。……
　　4） 病気の時は、無理をしないで、家で休んだ方がいい。……

活動
かつどう

1．皆さんが今住んでいる所にはどんな規則（注意書き）がありますか。探してみましょう。
　（意味の分からない言葉があったら、日本人に聞いてください。）

聞こう

問題1 （次の日の朝、もう一度会った時の会話）
例　男の人：ゆうべはどうもすみませんでした。
　　女の人：いいえ。
　　男の人：（　c　）ものですから。本当に申し訳ありません。
1）男の人：あの、昨日はどうもすみませんでした。
　　女の人：いいえ。
　　男の人：（　　　　）ものですから。これからは気をつけます。
2）男の人：ゆうべは申し訳ありませんでした。
　　女の人：いいえ。
　　男の人：（　　　　）ものですから。みんなでつい・・・。
3）男の人：ゆうべはごめん。（　　　　）もんだから。
　　女の人：ああ、そう。これからは気をつけてね。
4）馬　：小川さん、昨日は夜遅く失礼しました。
　　小川：いや、いいよ。
　　馬　：（　　　　）ものですから。

a．久しぶりにお酒を飲んだ
b．昼は忙しくて洗濯する時間がなかった
c．子供が友達をたくさん連れて来た
d．昨日は忙しくて、会社で相談する時間がなかった
e．友達がたくさん泊まりに来た

問題2
<u>課長が考えていること</u>
例）（書類を出す日）を守らなければならない。
1）随分前から（　　　　）を渡してある。
2）向こうの会社から（　　　　）が来る前に終わらせてほしい。
3）書類が出来ないと（　　　　）が進まない。

<u>佐々木さんが考えていること</u>
1）今週（　　　　）が入ったので、書類を書く暇がなかった。
2）今晩は（　　　　）する。
3）（　　　　）も会社に来て、頑張る。

第14課

褒める・けんそんする

学習目標

1. 人の持ち物や能力などがうまく褒められる

2. 褒められた時、適切に答えられる

3. 店の紹介文を読んで、理解できる

学習する前に

1. 特に用事がなくても、人と話をしたい時、どんな話題を選びますか。
2. 身の周りの物について友達から褒められたら、何と答えますか。
3. 日本語が上手だと褒められたら、何と答えますか。
4. 家族や恋人について外の人から褒められたら、何と答えますか。
5. あなたの町のいいレストランを紹介してくれと頼まれたら、どんな店を教えますか。その理由も説明してください。

学習項目

会話1　身に付けている物を褒める

1) 助詞の省略：この色、好きなんだ。
2) 相づち、応答表現・感嘆詞：うん、まあ、ちょっとね。

会話2　能力を褒める

3) 〜んじゃない？：プロの歌手よりうまいんじゃない？
4) 縮約形②：李さん、中国でもいつもカラオケに行ってんの？
5) NじゃA：李さんの後じゃ恥ずかしいけど…

読もう　レストラン紹介

6) NにN付きで、〜：めん類にコーヒー付きで、500円。

会話

会話1　身に付けている物を褒める

仕事が終わって、会社で／山口、小川

山口：　あ、そのコートかっこいい。よく似合ってるね。
小川：　そう？　ありがとう。
山口：　いい色ね。
小川：　この色好きなんだ。
山口：　軽そうだし。
小川：　うん、軽くて、着やすいんだ。
山口：　高かったでしょう？
小川：　うん、まあちょっとね。給料無くなっちゃった。
山口：　小川さん、おしゃれね。
小川：　いや、それほどでも。

会話2　能力を褒める

仕事の後、カラオケボックスで／伊藤、李

伊藤：　いやあ、李さん、うまいね。
李　：　いえ、とんでもありません。
伊藤：　本当に上手だよ。プロの歌手よりうまいんじゃない？
李　：　いや、そんな・・・。
伊藤：　ほんとほんと。李さん、中国でもいつもカラオケに行ってんの？
李　：　いや、そんなに行ってませんよ。
伊藤：　そう。僕なんかいくら練習しても下手だから、上手な人がうらやましいよ。
李　：　いいえ、伊藤さんにはかないませんよ。
　　　　さあ、次、伊藤さん、歌ってください。
伊藤：　李さんの後じゃ恥ずかしいけど、・・・じゃ、1曲だけ。
李　：　待ってました！

読もう
レストラン紹介

バンコク

新宿●タイ料理

タイ人の料理人が作る本場の味！

日本人に本当のタイ料理を食べさせたいと1986年7月にオープン。バンコクから来た料理人二人が作るタイ料理は、さすが本場の味。辛い物が好きな人なら、毎日通いたくなる店だ。

お勧めはランチで、めん類にカレー、コーヒー付きで、500円という大サービスだ。メニューはいろいろあり、量もたっぷりあるのがうれしい。

会話の練習

1．（A： 山口　　B： 小川）

A： ①そのコート、かっこいいね。

B： そう？　ありがとう。

A： 小川さん、②センスいいね。

1）① そのネクタイはいい色　② ネクタイの選び方がうまい
2）① その眼鏡はおしゃれ　② そういう形が似合う

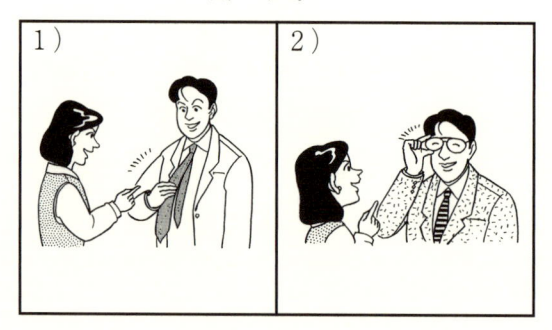

2．例： 晩御飯は何を食べますか。　……　晩御飯、何食べる？
　　1） 夏休みに何をしますか。　……
　　2） どこで買い物をしますか。　……
　　3） 何時までテレビを見ますか。　……
　　4） これは誰の本ですか。　……
　　5） 何時から会議をしますか。　……
　　6） 今晩食事に行きませんか。　……
　　7） もううちへ帰りましょう。　……
　　8） これはいくらですか。　……

3. 例： A： アナンさん、お出かけ？
   B： (ええ/いいえ/そう？)、ちょっとそこまで。

   1) A： 李さん、そのコート、よく似合ってるね。
      B： (さあ/いいえ/そう？)、ありがとう。
      A： それに軽そうね。
      B： (ああ/いや/わあ)、とても着やすいよ。

   2) A： 小川さん、字が上手で、うらやましいな。
      B： (はい/いや/へえ)、そんなことないですよ。

   3) A： (あれ？/さあ/そう？)、山口さん、髪切ったの？
      B： ええ、昨日。
      A： すごくいいよ。

   4) A： そのセーター、暖かそう。日本で買ったの？
      B： (ええ/いや/そう？)、韓国で。
      A： いくらぐらいした？
      B： (ええと/まあ/へえ)、確か日本円で2,000円ぐらい。

   5) A： あ、佐々木さん、どこ行ってたの？ みんなで探してたんですよ。
      B： (ああ/わあ/えっ？)。
      A： 佐々木さんの部屋から煙が出て、大変だったんですよ。
      B： (やあ/いえ/えっ！)、本当ですか。

   6) A： 金さん、そのけが、どうしたの？
      B： (そう/へえ/ん？)、ちょっとね。
      A： 転んだの？
      B： (そう/いいえ/さあ)、駅で。恥ずかしかったなあ。

4. 例： A： 李さん、歌うまいね。プロの歌手より＿＿うまい＿＿んじゃない？
      B： いえ、とんでもありません。

   1) A： あの人、御飯全然食べないね。
      B： ＿＿＿＿＿＿んじゃない？

   2) A： アナンさん、大きなかばん持ってどこ行くのかな。
      B： 2日間休みだから、＿＿＿＿＿＿んじゃない？

   3) A： さっき小川さんに会ったけど、彼、このごろ元気ないね。
      B： そうだね。＿＿＿＿＿＿んじゃない？

   4) A： もう9時半なのに、山口さん、まだ来ないね。
      B： うん、昨日寒気がするって言ってたから、＿＿＿＿＿＿んじゃない？

5. 例： いつもカラオケ行ってんの？
　　　　…… いつもカラオケに行っているんですか？

　1） 毎朝ジョギングしてんの？　……
　2） その話は誰にも言っちゃだめだって言ったのに。　……
　3） 30分も待ってんのに、何やってんのかな。　……
　4） どっかに落としちゃったのかな。いくら捜しても見つかんないよ。　……
　5） はっきり意味が分かんない言葉は覚えらんないよ。　……
　6） 新しいことをたくさん覚えなきゃならなくて大変だ。　……

6. （金曜日に、事務所で／A： 李　　B： 伊藤）

　A： 伊藤さん、元気がありませんね。どうしたんですか。
　B： ①日曜日も仕事なんだよ。
　A： へえ、①日曜日も仕事じゃ、②大変でしょう。

　1）　① 毎晩残業だ　　② 疲れる
　2）　① 急に転勤だ　　② 忙しい

活動
かつどう

1. 友達の身に付けている物をいろいろ褒めてみましょう。

A：　あ、その_____、_____。よく似合っているね。
B：　そう？　ありがとう。
A：　いい_____ね。
B：　この_____好きなんだ。
A：　_____でしょう？
B：　うん、まあ、ちょっとね。
A：　_____さん、おしゃれね。
B：　いや、それほどでも。

2. 友達の能力を褒める会話を作ってみましょう。

例　A：　Bさん、きれいな字を書くんだね。
B：　いいえ、とんでもありません。
A：　ほんとに上手だよ。
B：　いや、そんな…
A：　いいな、字がきれいで。私なんか字が下手だから、上手な人が
うらやましいよ。
B：　いいえ、そんなことないですよ。

3. 友達の家族（恋人）を褒める会話を作ってみましょう。

A：　これ、私の_____の写真です。
B：　わあ、すごく_____ですね。
A：　いえ、そんなことありませんよ。
（この後を続けて作ってください。）

4. 会話1〜2から、褒められた時のけんそんの言い方を探してみましょう。

読もうの練習

1. 例： ラーメン、ギョーザ、500円（お昼のランチ）
   …… お昼のランチはラーメンにギョーザ付きで、500円です。
   1) サンドイッチ、コーヒー、600円（モーニングサービス）……
   2) スパゲッティ、スープとサラダ、1,280円（お昼のランチ）……
   3) パソコン、プリンター、198,000円（今週のお買い得商品）……
   4) ミリオンカメラ1台、フィルム5本、29,800円
      （今週のバーゲン商品）……

2. 「読もう」の内容を読んで、正しいものには○、正しくないものには×を入れてください。
   1) バンコクという店ではおいしいタイ料理を食べさせてくれる。（ ）
   2) バンコクは最近出来た店である。（ ）
   3) バンコクでは日本人の料理人が料理を全部作っている。（ ）
   4) バンコクのお勧めはめん類にカレー、コーヒー付きのランチで500円である。（ ）
   5) バンコクの料理はかなり辛い。（ ）

活動
かつどう

1. 国であなたがよく食事するレストランの紹介文を書いてみましょう。
   くに   しょくじ   しょうかいぶん か

_____は_____にある_____の店だ。
　　　　　　　　　　　　　　　　　　　　　　　　　　　　　　　　　　　　みせ

お勧めは_____。
すす

_____と評判だ。
　　　　　　　　　　　　　　　　　　　　　　　　　ひょうばん

メニューは_____

_____。

聞こう

問題1

例） 女の人は電車の中にかばんを（ 忘れてしまった ）。
1） 木村さんのうちの猫が昨日（　　　　）そうだ。
2） 女の人はこの間の会議のメモを（　　　　）かどうか聞いた。
3） 女の人は書類を机の上に（　　　　）ほしいと言った。
4） 課長が来週会議をやると言っていたから、
　　今週中に資料を（　　　　　　　　）ならない。

問題2

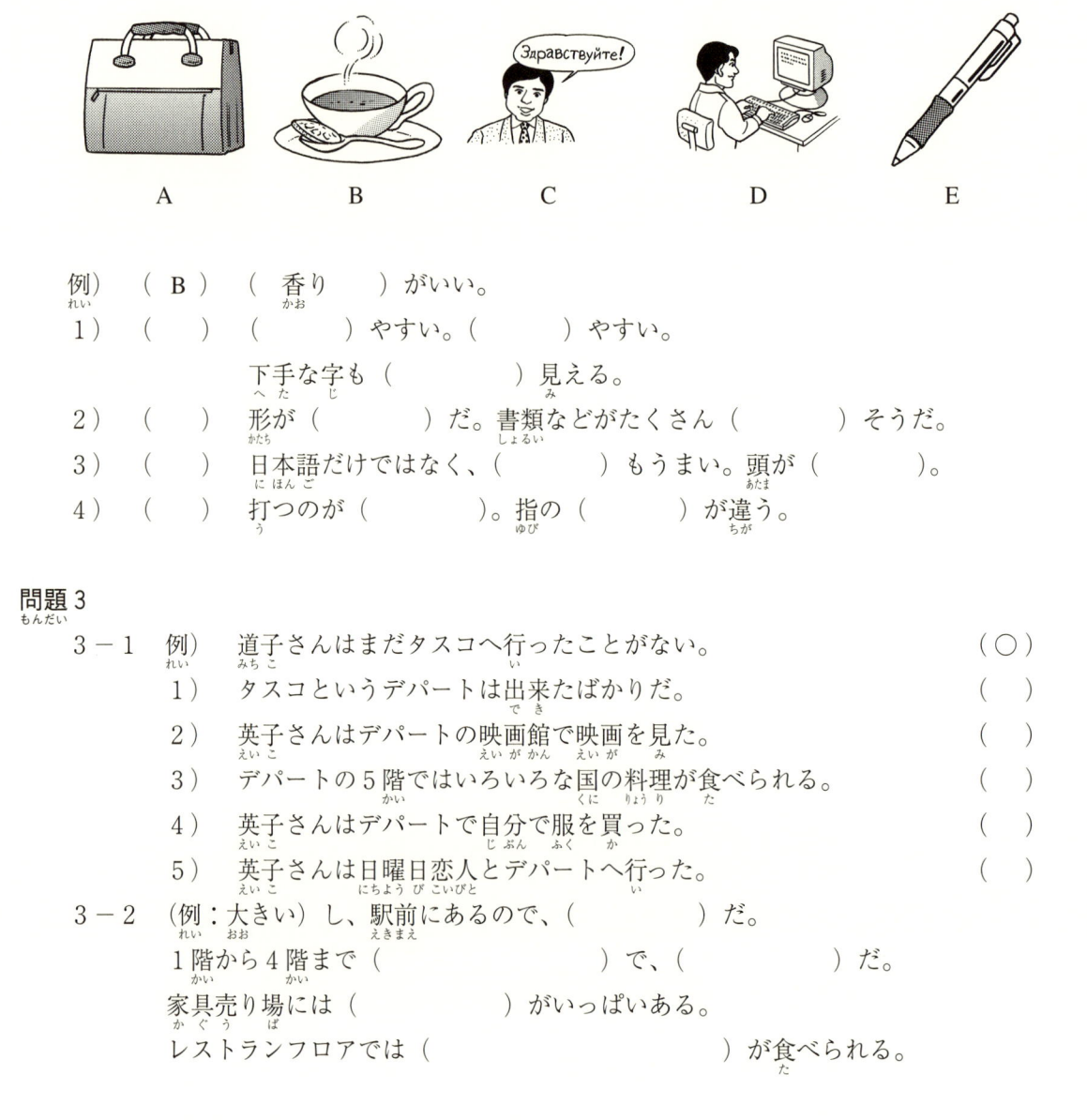

A　　　B　　　C　　　D　　　E

例）（ B ）（ 香り ）がいい。
1）（　）（　　　）やすい。（　　　）やすい。
　　　　下手な字も（　　　）見える。
2）（　）形が（　　　）だ。書類などがたくさん（　　　）そうだ。
3）（　）日本語だけではなく、（　　　）もうまい。頭が（　　　）。
4）（　）打つのが（　　　）。指の（　　　）が違う。

問題3

3-1　例） 道子さんはまだタスコへ行ったことがない。　　　　（○）
　　　1） タスコというデパートは出来たばかりだ。　　　　　（　）
　　　2） 英子さんはデパートの映画館で映画を見た。　　　　（　）
　　　3） デパートの5階ではいろいろな国の料理が食べられる。（　）
　　　4） 英子さんはデパートで自分で服を買った。　　　　　（　）
　　　5） 英子さんは日曜日恋人とデパートへ行った。　　　　（　）
3-2　(例：大きい)し、駅前にあるので、（　　　　）だ。
　　　1階から4階まで（　　　　　　）で、（　　　　　　）だ。
　　　家具売り場には（　　　　）がいっぱいある。
　　　レストランフロアでは（　　　　　　　　）が食べられる。

第15課
だい か

仕事について話す
しごと はな

学習目標
がくしゅうもくひょう

1. 自分の仕事について分かりやすく説明できる
   じぶん しごと わ せつめい

2. 仕事の経歴や仕事に対する考えなどが話せる
   しごと けいれき しごと たい かんが はな

学習する前に

1. 自分の仕事の内容について日本人と話したことがありますか。
2. 今の会社にどのくらい勤めていますか。
3. 今までに転職したことがありますか。その理由は何でしたか。
4. もし転職する機会があったら、どんな会社に勤めたいと思いますか。
5. 日本人の働き方や日本の会社の様子について新聞や本で読んだことがありますか。

学習項目

会話1　自分の仕事を説明する

1）合成語③
　　〜的：具体的
　　〜目：3回目
　　〜名：会社名

会話2　仕事の経歴を話す

2）接続表現：ということは、そういうわけで
3）V-るってことは／V-るということは：
　　一つの会社に長く勤めるってことは難しいです。
4）〜ば、別だ：人間関係もうまくいって、給料が良くて、すべて良ければ、別ですが・・・

読もう　会社の概要と組織

会話

会話1　自分の仕事を説明する

寮で／田村直子、馬

田村： 馬さん、お国ではどういう仕事をしてるの。

馬　： コンピューターのソフトウェアの仕事です。

田村： そう。具体的にはどんなことをするの。

馬　： 銀行のオンラインシステムの開発をしてます。

田村： 難しそうね。それには何か資格が必要なの?

馬　： 私の会社では特に資格がなくてもできます。でも、例えば情報処理技術者の資格を持ってれば、もっと有利なんですよ。

田村： そう。

会話2　仕事の経歴を話す

昼休みに会社で／李、伊藤

李　　：日本人は一つの会社にずっと勤めるって本で読みましたけど、伊藤さんもそうですか。

伊藤：ううん、一般的にはまだそうかもしれないけど、私の場合はちょっと違うんだ。いわゆる転職組なんだよ。

李　　：ということは、以前外の会社に勤めていたんですか。

伊藤：そう。李さんは？

李　　：私も伊藤さんと同じですよ。確かに一つの会社に長く勤めるってことは難しいですね。働きがいがあって、人間関係もうまくいって、給料が良くて、すべて良ければ、別ですが・・・

伊藤：李さん、でもそんなとこってないでしょう。

李　　：まあめったにないでしょうね。

　　　　そういうわけで、今の会社は3回目の職場なんです。

伊藤：で、今の職場には満足してる？

李　　：ええ、まあいろいろありますけど、一応満足しています。

伊藤：それは良かったね。

読もう

1. 会社の概要

会社名　　：株式会社　ＡＳＫ
会社設立　：1959年5月1日
資本金　　：4億5,000万円
従業員数　：1,200名
事業内容　：自動車用エアコンの製造
特色　　　：ＡＢＣ社の関連会社で、自動車産業の発展とともに成長を続けてきた自動車用エアコン業界のトップ。設計開発から部品加工、組み立てまで一貫生産。1985年にＴＱＣを導入して以来、多くの賞を受賞。世界の人々から愛される製品造りがモットーである。

2. 会社の組織

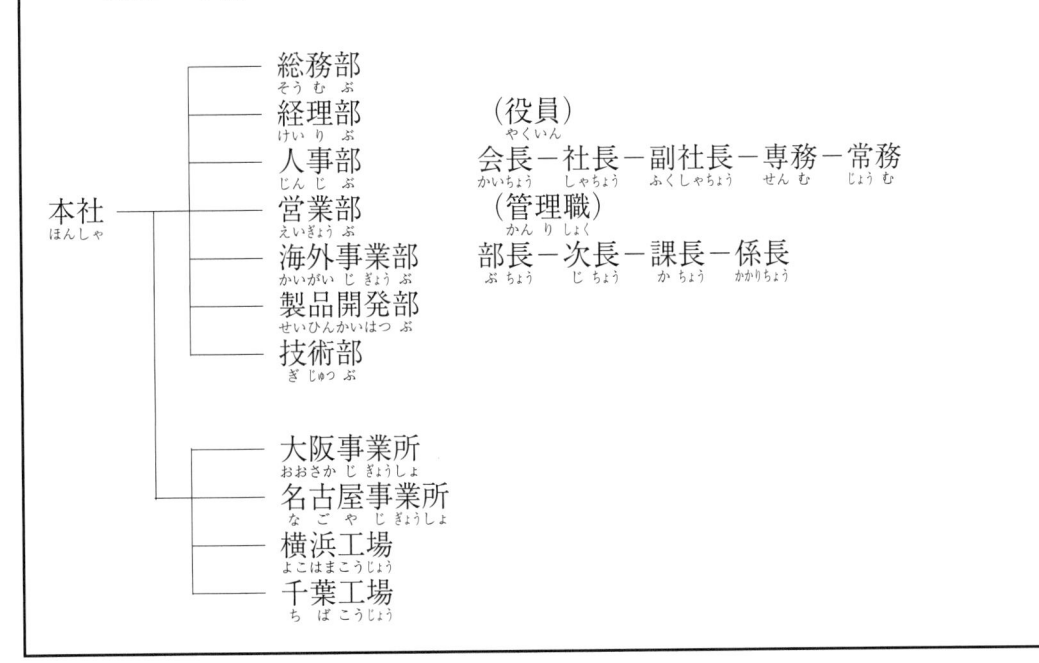

```
              ┌─ 総務部
              ├─ 経理部           （役員）
              ├─ 人事部           会長－社長－副社長－専務－常務
              ├─ 営業部           （管理職）
本社 ─────────┤                   部長－次長－課長－係長
              ├─ 海外事業部
              ├─ 製品開発部
              └─ 技術部

              ┌─ 大阪事業所
              ├─ 名古屋事業所
              ├─ 横浜工場
              └─ 千葉工場
```

会話の練習

1. （A： 李　　B：馬）

    A： 馬さん、国ではどういう仕事をしてるんですか。
    B： ①コンピューターの仕事をしています。
    A： そうですか。①コンピューターの仕事って具体的にはどんなことをするんですか。
    B： そうですね。私の場合は、②銀行のオンラインシステムの開発をしています。
    A： そうですか。難しそうですね。

    1）① 建築設計　　　② 地震に強い建物の設計をする
    2）① 貿易事務　　　② 輸出や輸入に必要な書類を作る

2. 例： 一つの会社にずっと勤める、難しい
    …… 一つの会社にずっと勤めるということは難しい。
    …… 一つの会社にずっと勤めるってことは難しい。

    1） 外国語をその国の人と同じように上手に話す、難しい
    ……
    ……

    2） 外国で長い間一人で生活する、本当に大変だ
    ……
    ……

    3） 毎日ラッシュの時間に通勤する、本当に疲れる
    ……
    ……

    4） 働きがいのある職場を探す、難しい
    ……
    ……

3. 下のA～Eの中から一つ選んで（　　）に入れてください。

例： 一つの会社に長く勤めるってことは難しいですね。　　　　　　　　　（ E ）
1） この資料、会議用としては使いにくいですね。　　　　　　　　　　　（　）
2） これから会社の経営は大変になると思います。　　　　　　　　　　　（　）
3） 今学生が就職するのはなかなか難しいです。　　　　　　　　　　　　（　）
4） サラリーマンが都会で一戸建ての家を買うのは大変ですよ。　　　　　（　）

```
A： 宝くじでも当たれば別ですが。
B： 特別な能力があれば別ですが。
C： 図や表を入れれば別ですが。
D： ヒット商品が一つか二つ出れば別ですが。
E： 働きがいがあって、給料が良ければ別ですが。
```

4.（A： 李　　B： 伊藤）

A： ①日本人は一つの会社にずっと勤めるって、②本で読みましたけど、伊藤さんもそうですか。
B： ううん、一般的にはそうかもしれないけど、私の場合はちょっと違うんだ。

1） ① 日本のサラリーマンは残業が多い　　② 友達に聞いた
2） ① 日本の会社員は通勤時間が長い　　　② 本で読んだ

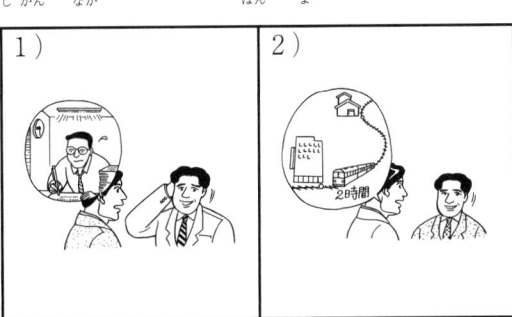

5．下から言葉を選んで（　　　）に入れてください。

例：　李さんは日本語が話せる。（　それに　）英語も上手だ。

1）　A：18歳の時、上海に出て来て、それからずっと上海に住んでいます。
　　　B：（　　　　　　　）もう20年以上も上海に住んでいるんですね。

2）　A：加藤さんは外の会社に勤められたことがありますか。
　　　B：ええ、大学を出て、すぐ自動車メーカーに入りましたが、その後2回
　　　　転職しているんです。（　　　　　　　）今の会社は3回目の会社なんです。

3）　A：3時までに大阪駅に着きたいんですが。
　　　B：（　　　　　　　）2時にここを出発しても間に合いますよ。

4）　A：このごろ仕事がずいぶん忙しくなってきたね。
　　　B：うん。最近早く帰ったことないな。
　　　A：僕も同じだよ。
　　　　（　　　　　　　）今度の課長、どう思う？

> ということは、そういうわけで、ところで、
> しかし、それなら、それに

活動
かつどう

1．次のことをクラスの友達と話し合ってみましょう。
　　時間があれば、知っている日本人にも聞いてみましょう。

　1）（国では）どういう仕事をしているか。（具体的に説明してください。）

　2）その仕事には何か資格が必要かどうか。

　3）転職についてどう思うか。（そう思う理由も言ってください。）

名前		
仕事の内容 （具体的に）		
必要な資格		
転職についての意見	賛成	
	反対	
	理由	

読もうの練習

1. 丁寧体で終わる文に変えてください。
   例1： A社はエアコン業界トップ …… A社はエアコン業界のトップです。
   例2： この会社は1959年に設立 …… この会社は1959年に設立されました。
   1) 建築設計者を募集 ……
   2) 部品から製品まで一貫生産 ……
   3) 設立以来多くの賞を受賞 ……
   4) 製品について外国からも問い合わせ多数 ……
   5) 原料は主に東南アジアから輸入 ……
   6) 技術開発の予算急増 ……

2. 下から言葉を選んで（　）の中に入れてください。
   例： 日本人は一般（ 的 ）によく働く。
   1) 研修の申請（　）は12月9日です。
   2) 今の会社は3回（　）の職場です。
   3) 会社（　）はここに書いてください。
   4) 会社の従業員（　）は300人である。
   5) 私の会社では主に自動車（　）エンジンを造っている。
   6) 私は技術（　）の田中です。

目、年、数、用、的、部、日、名

3. 「読もう」の内容を読んで、（　）に言葉を入れてください。

   私はASKという会社で働いています。
   この会社は（　）年に設立され、資本金が（　）円の会社です。
   従業員は（　）人で、自動車の（　）を製造しています。
   そして（　）から部品加工、（　）まで一貫生産をしています。
   （　）年に（　）を導入して以来、多くの（　）を受けています。

活動
かつどう

1．あなたの会社について説明してください。

　　私の会社は（　　　　　）年に設立され、資本金が（　　　　　）円の会社です。
　　従業員は（　　　　）人で、事業内容は（　　　　）の（　　　　）です。
　　そして（　　　　　　　　　　　　　　　　　　　　）

2．クラスの友達や日本人に、勤めている会社について次のことを聞いてください。
　1）設立された年
　2）資本金
　3）従業員数
　4）事業内容

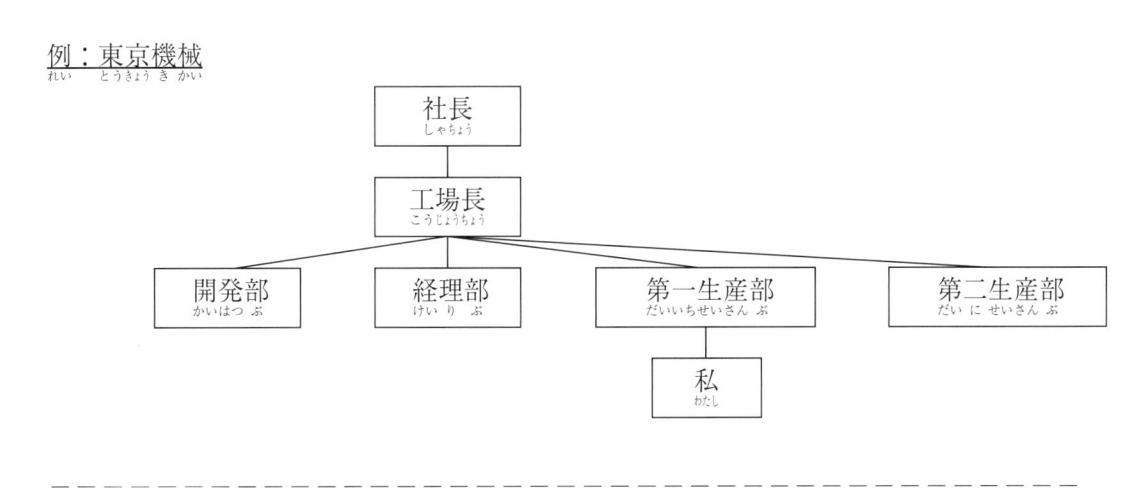

3．あなたの会社の組織図を書いてください。

　例：東京機械

```
              社長
               │
             工場長
    ┌─────┬────┼─────┬──────┐
  開発部   経理部  第一生産部  第二生産部
                    │
                    私
```

　私の会社

聞こう

問題1

例（ a ） 1）（　） 2）（　） 3）（　） 4）（　）

（ a．日本語教師　　b．ソフトウェアの開発　　c．金型の検査
　d．エレベーターの販売　e．ラインの管理　　　f．エレベーターの設計 ）

問題2

｛ ◎　大変満足している　　　○　一応満足している
　△　少ししか満足していない　×　全然満足していない ｝

	女の人	男の人
例：残業時間	×	△
1）通勤時間		
2）給料		
3）仕事のやりがい		
4）人間関係		

第16課
だいか

例える
たと

学習目標
がくしゅうもくひょう

1. いろいろな比ゆを使って、表現が上手にできる
   ひ　　つか　　　ひょうげん　じょうず

2. 擬態語を使った表現ができる
   ぎたいご　つか　　ひょうげん

3. いろいろな国の比ゆについて知る
   　　　　　くに　ひ　　　　　　し

学習する前に

1. あなたの家はどんな所にありますか。どんな雰囲気ですか。
2. あなたの国の言葉ではとても小さい家のことをどのように表現しますか。
3. 国でどうやって通勤していますか。あなたの会社では通勤時間は平均どのくらいだと思いますか。
4. あなたの国の言葉で体の部分を使った表現がありますか。それはどういう意味ですか。
   例：手が離せない(＝忙しい)
5. あなたの国の言葉で動物を使った表現がありますか。それはどういう意味ですか。
   例：猿も木から落ちる(＝上手な人も時々失敗する)

学習項目

会話1　家の狭さを例える

1) そういえば：そういえば小川さん、新しい家買ったんだって？
2) ～んだって？：小川さん、新しい家買ったんだって？
3) 慣用句：猫の額みたいな庭
4) 擬態語③：ごみごみ、ほっと

会話2　朝のラッシュを例える

5) V(-ます)そうなぐらい：朝のラッシュってもう死にそうなぐらいすごい。
6) Nのように／Nのような：地震のように部屋が揺れて…
7) その点：その点伊藤さんは郊外だからいいですよ。

読もう　いろいろな比ゆ

会話

会話1　家の狭さを例える

電車の中で／佐々木、小川

佐々木： この辺は大きい家が多いね。

小川　： うん、そうだね。

佐々木： ああ、そういえば小川さん、新しい家買ったんだって。

小川　： うん。

佐々木： 一戸建てだろう？

小川　： ああ、でも、うさぎ小屋だよ。

佐々木： そんな・・・　間取りは？

小川　： ５ＬＤＫ。

佐々木： うらやましいな。庭も広いの？

小川　： いや、猫の額みたいな庭だよ。

　　　　まあ今まで住んでたとこはごみごみしてたけど、今度の家は郊外だ

　　　　から、緑がたくさんあっていいよ。

佐々木： ああ、緑があると、本当にほっとするよね。

小川　： 佐々木さんも一度遊びに来てよ。

佐々木： うん、そのうち是非。

会話2　朝のラッシュを例える

朝、会社で／佐々木、伊藤

佐々木：　おはようございます。あれ、伊藤さん、ずいぶん早いですね。

伊藤：　おはよう。もう1時間も前から来てるよ。

佐々木：　えっ、そんなに早く？

伊藤：　うん、ラッシュを避けて、朝6時前に家を出て来るんだ。

佐々木：　え、6時！　何でそんなに早く・・・

伊藤：　すごいんだよ、朝のラッシュって。もう死にそうなぐらい。会社に着くと、くたくただよ。それに1時間以上も座れないから、足が棒みたいになっちゃうし。

　　　　佐々木さんはどこに住んでるの。

佐々木：　私はそこのそば屋の裏です。

伊藤：　えっ、何だ、目と鼻の先じゃないか。

佐々木：　ええ、近いのはいいんですが、前が広い道路ですから、トラックなんかが通ると、地震のように部屋が揺れて・・・

伊藤：　でも、通勤時間がゼロに近いのはいいな。

佐々木：　だけど、週末の晩は暴走族が走っていらいらしますよ。

　　　　その点、伊藤さんは郊外だから、いいですよね。

伊藤：　うん、周りはまだ自然がたくさんあるからね。でも、週末は大体疲れて家でごろごろしてるよ。

佐々木：　休みはそれが一番ですよ。

読もう
いろいろな比ゆ

すいかのように大きい目、石のように固いパン

　私たちは毎日の生活の中でよく比ゆを使います。例えば、「石のように固いパン」「雷のようにすごい音」「紅葉のようにかわいい手」などです。このような比ゆを使うことによって「パンの固さ」や「音のすごさ」などがはっきり伝えられます。

　しかし比ゆは国によってかなり違います。そこで今回は各国でどんな比ゆが使われているのか、研修センターにいる人達に聞いてみました。もちろん個人差もありますし、地域によっても世代によっても違いますが、各国の比ゆについて考えるヒントにはなると思います。

　下の表はその結果をまとめたものです。

	A	B	C	日本
大きい目	すいか	卵	皿	少女漫画
長い足	竹	幽霊	定規	
固いパン	石	薬	石	石
大きい家	博物館	宮殿	お寺	城

会話の練習

1. 例： A： 技術部の佐々木君、このごろ楽しそうだね。
    B： そうだね。そういえばこの間新宿ですごい美人と歩いてたよ。

    1) A： コンピューターのマニュアル知らない？
       B： さあ…。そういえば2、3日前からずっと＿＿＿＿＿＿＿＿ね。

    2) A： 技術部の山口さん、最近英会話始めたんだって。
       B： ああ、そういえば水曜日はいつも仕事が終わると、＿＿＿＿＿＿＿＿ね。

    3) A： 技術部の小川さん、タイ語がすごくうまいんだって。
       B： ああ、そういえば子供の時、＿＿＿＿＿＿＿＿って聞いたことあるなあ。

    4) A： 山口さん、遅いね。もう9時半だよ。
       B： そうだね。あ、そういえば山手線で＿＿＿＿＿＿＿＿んだって。さっきニュースで言ってたよ。

2. 例： 山口さんは1月から英会話を習いに行くそうだ。
    …… 山口さん、1月から英会話を習いに行くんだって。

    1) 今年の冬は暖かいそうだ。　……
    2) 小川さんは今度韓国に転勤することになったそうだ。　……
    3) 伊藤さんはすごくお酒が好きだそうだ。　……
    4) 李さんは日本へ来たのは2回目だそうだ。　……
    5) 佐々木さんはお正月風邪でどこも行けなかったそうだ。　……
    6) 小川さんは韓国へ行ったことがあるそうだ。　……

3. （A： 佐々木　　B： 小川）
    A： この辺は①ゴルフ場が多いね。
    B： うん、そうだね。
    A： ああ、そういえば小川さん、②ゴルフを始めたんだって？
    B： うん、でも、③道具を買っただけだよ。

    1) ① 大きい家　　② 新しい家を買った
       ③ うさぎ小屋
    2) ① テニスコート　② 学生の時からテニスをやっている
       ③ 長くやっているだけ

4．下から同じような意味の言葉を選んで、（　）に入れてください。

例： 私の家は会社からとても近い。（ f ）

1） 伊藤さんは本当にいろいろな人を知っている。（　　）
2） 今日は何時間も歩いたので、とても足が疲れた。（　　）
3） 私は家族から手紙をもらうのをとても楽しみにしている。（　　）
4） 新しいプロジェクトが始まって、このごろ仕事がとても忙しい。（　　）

a．鼻が高い　　b．猫の手も借りたい　　c．足が棒になる

d．顔が広い　　e．首を長くして待つ　　f．目と鼻の先

5．次のページから言葉を選んで、（　）に入れてください。

例： 朝から何も食べていないので、おなかが（ぺこぺこ）だ。

1） 彼はいつも約束の時間に遅れて来るので、本当に（　　　　）する。
2） 彼に会う時は、いつも（　　　　）する。
3） 事故にならなくて、（　　　　）した。
4） 2、30分サッカーをしたら、のどが（　　　　）になった。
5） 休みの日はいつもうちでテレビを見たりして、（　　　　）している。
6） このごろ残業が多くて、（　　　　）だ。

どきどき　　　いらいら　　　ほっと　　　ぺこぺこ

くたくた　　　ごろごろ　　　ごみごみ　　　からから

6.（A： 佐々木　　B： 佐々木の友人）
　A： 最近仕事、どう？
　B： すごく忙しいんだ。①新しいプロジェクトが始まって、②死にそうなぐらいだよ。
　A： 大変だね。

1)　① 新しいソフトウェアの開発が始まった　　② 病気になる
2)　① 先月から新しいセクションに移った　　② 倒れる

7. 例：　両親と一緒に住むのはいろいろ大変だよ。
　　　　その点、君のうちは奥さんと二人だけだから、いいなあ。
1)　以前住んでいた家は高速道路の近くにあったから、本当にうるさかった。
　　その点、今の家は＿＿＿＿＿＿＿＿＿＿から、いいよ。
2)　以前勤めていた会社は残業が多くて、大変だった。
　　その点、今の会社は＿＿＿＿＿＿＿＿＿＿から、いいよ。
3)　都会の生活は住宅費もかかるし、いろいろ大変だよ。
　　その点、田舎は＿＿＿＿＿＿＿＿＿＿から、いいなあ。
4)　結婚してからはいろいろ大変だよ。時間もお金も自由に使えないし…。
　　その点、独身の時は＿＿＿＿＿＿＿＿＿＿から、良かったなあ。

活動
かつどう

1. 日本語には次のようにいろいろな擬音語、擬態語があります。外にどんなものがあるか、調べてみましょう。辞書を見たり、日本人に聞いたりしてください。

例：

擬音語：　　　　ざあざあ　　　　　　　　　　ぐうぐう

擬態語：　　　　にこにこ　　　　　　　　　　ごちゃごちゃ

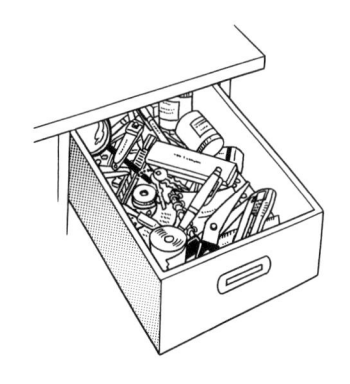

読もうの練習

1. 下から言葉を選んで、（　）に入れてください。
   例： うさぎ小屋のように（小さい）家
   1） 紅葉のように（　　　）手
   2） 石のように（　　　）パン
   3） 太陽のように（　　　）人
   4） 氷のように（　　　）心

   > 固い、冷たい、小さい、明るい、かわいい、広い

2. 「読もう」の内容を読んで、（　）に言葉を入れてください。

   > 　日本人はよく比ゆを使うが、比ゆによって物の様子が（　　　　　）伝えられる。比ゆは（　　　）によってかなり違うが、その外に（　　　）や（　　　）によっても違う。調査の結果をまとめた表を見ると、「（　　　）のように（　　　　）」という比ゆがどこの国でもよく使われていることが分かる。

活動
かつどう

1. 「読もう」の表を見て、あなたの国ではどんな比ゆを使うか、考えてみましょう。また友達の国ではどう言うか、聞いてみましょう。

	あなたの国	友達の国		あなたの国	友達の国
大きい目			＊		
長い足			＊		
固いパン			＊		
大きい家			＊		

＊のところは自由に調べて、書いてください。

2. あなたの国の言葉で手、足、目などを使った比ゆを二つ書いて、その意味を説明してください。また日本語についても日本人に聞いてみましょう。

（あなたの国の言葉）

比ゆ	意味
1）	
2）	

（日本語）

比ゆ	意味
1）	
2）	

3. あなたの国の言葉で、色を使った比ゆを二つ書いて、その意味を説明してください。また日本語についても日本人に聞いてみましょう。

（あなたの国の言葉）

比ゆ	意味
1）	
2）	

（日本語）

比ゆ	意味
1）	
2）	

聞こう

問題1

例： 雨が（ ざあざあ ）降っている。
1) 小川さんは（　　　　　）せきをしている。
2) 誰かがドアを（　　　　　）叩いている。
3) 今（　　　　　）音がした。
4) 佐々木さんは廊下を（　　　　　）走って、注意された。

（　ざあざあ　　ばたばた　　どさっと　　こんこん　　とんとん　）

問題2

例： 管理人さんは今、手が（離せない）。
1) 段ボールが重いので、男の人は手を（　　　　　）。
2) 井上さんは、顔が（　　　　　）。
3) 山田さんは、口が（　　　　　）。
4) 試験は難しくて、手も足も（　　　　　）。

問題3

3-1　例：（猫の手）も借りたい
　　　1) 頭が（　　　　）　　2) 口が（　　　　）
　　　3) 口が（　　　　）　　4) （　　　　）がない

3-2　例： 気を（つける）
　　　1) 気に（　　　　）　　2) 気に（　　　　）
　　　3) 気が（　　　　）　　4) 気が（　　　　）

3-3　金さんは日本人と { a　お正月の料理 / b　慣用句 / c　子供 } についていろいろ話している。

「気」のつくことばは { a　日本語だけ / b　韓国語だけ / c　両方の言葉 } にある。

第17課

相談する・提案する

学習目標

1. 困っている状況や理由を分かりやすく伝えられる

2. 問題解決の方法を提案できる

3. いろいろな断り方について理解できる

学習する前に

1. 国では困った時、誰によく相談しますか。
2. 日本へ来てから、困ったことがありましたか。それはどんなことですか。
3. 分からない漢字がたくさんあって、日本語の資料が読めなかったら、どうしますか。
4. あなたの会社の事務所や工場は禁煙ですか。
5. 上司に通訳してくれと頼まれて、それを断りたい場合、何と言いますか。

学習項目

会話1　資料の読み合わせを提案する

1) 前もってV-ておく：前もって読んでおきたい。
2) V-てくださると助かるんですが：
　　振り仮名を付けてくださると助かるんですが・・・
3) 〜というのはどうですか：
　　アナンさんが振り仮名を付ける、というのはどうですか。

会話2　禁煙席について相談する

4) 例えば〜とか：例えば禁煙席を作っていただくとか…

読もう　相談の投書

5) V-たところ：頼みごとをしたところ、「じゃ、考えておきます」と言われました。
6) 〜ということだった：これは日本人によくある断り方の一つだということでした。
7) Nにとって：私にとっては、なかなか判断しにくいことです。

会話

会話1　資料の読み合わせを提案する

会社の事務所で／アナン、松本

アナン：　あのう、すいません。

松本：　はい、何か。

アナン：　この資料なんですけど、漢字が多いので、ほとんど読めなくて、困っているんです。

松本：　ああ、そうですか。漢字は難しいですからね。

アナン：　はい。それで前もって読んでおきたいので、できれば資料を作る時に、振り仮名を付けてくださると助かるんですが・・・

松本：　ううん、それはちょっと・・・時間もないしねえ。

アナン：　じゃ、どうしたらいいでしょうか。

松本：　そうですね。毎日実習の前に、私が資料をゆっくり読むから、アナンさんが振り仮名を付ける、というのはどうですか。

アナン：　ええ、助かります。じゃ、よろしくお願いします。

会話2　禁煙席について相談する

会社の事務所で／山口、伊藤

山口：　あの、ちょっと御相談があるんですが・・・

伊藤：　はい、何ですか。

山口：　社員食堂のことなんですけど、食事の時にたばこを吸う人がいますよね。

伊藤：　ええ。

山口：　あのう、私、たばこの煙がだめなんです。

伊藤：　うん。

山口：　それで食事中だけでも、禁煙にしていただけないでしょうか。

伊藤：　ううん、そうですね。確かに外の社員からもそういう意見が出てたな。

山口：　隣でたばこを吸われると、気分が悪くなるんですよね。

伊藤：　でも食堂を全部禁煙にするのは難しいなあ。

山口：　じゃ、例えば禁煙席を作っていただくとか・・・

伊藤：　うん、そうだね。じゃ、次の課長会議にそのことを出してみましょう。

山口：　ええ、是非お願いします。

読もう
相談の投書

　私はタイから来た研修生です。半年ほど前来日して、自動車メーカーで技術研修を受けています。
　1か月ほど前に会社の人にある頼みごとをしたところ、「じゃ、考えておきます。」と言われました。でもまだ返事がありません。こういう場合、もう一度頼んだ方がいいのか、それとも、もう少し返事を待った方がいいのか、分かりませんでした。それで日本人の友達に聞いてみたところ、これは日本人によくある断り方の一つだということでした。しかし本当に考えている場合もあるそうですから、私にとってはなかなか判断しにくいことです。
　今後このようなことがあった場合、私はどのようにしたら一番良いのでしょうか。皆さんの御意見をお聞きしたいと思って、投書しました。

アナン・ソンディ（東京都　28歳）

会話の練習

1. 例： 休みを取りたい時は、課長の許可を前もって（もらっておく）必要がある。
   1) コンサートが終わると、駅の切符売り場が込むので、帰りの切符を前もって（　　　　　）ら、どうですか。
   2) あのレストランはいつも込んでいるから、食事に行く前に、前もって席を（　　　　　）方がいい。
   3) 来週の会議のために、前もって資料を（　　　　　）のに、会議の予定が変わってしまった。
   4) 明日の講義は難しそうな内容だから、この本を前もって（　　　　　）方がいいだろう。

2. [ ]の中の人にお願いする文を作ってください。
   例： 資料が全部漢字で書いてあるので、読めない　→ [実習担当者]
   …… できれば振り仮名を付けてくださると助かるんですが…
   1) 一人で名古屋駅までは行けるが、名古屋支店までの道が分からない
   → [会社の担当者]
   …… できれば＿＿＿＿＿＿＿＿＿＿と助かるんですが…
   2) 忙しくて、月曜日までにレポートが出せない　→ [課長]
   …… できれば水曜日まで＿＿＿＿＿＿＿＿＿＿と助かるんですが…
   3) 昨日もらった資料に分からないところがある　→ [実習担当者]
   …… すみませんが、＿＿＿＿＿＿＿＿＿＿と助かるんですが…
   4) 寮の隣の部屋の人がうるさい　→ [管理人]
   …… すみませんが、＿＿＿＿＿＿＿＿＿＿と助かるんですが…

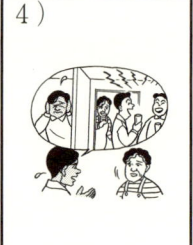

3．(会社で／A： アナン　B： 松本)
A： あのう、すみません。①この資料のことなんですが…
B： ええ。
A： 実は②資料の漢字があまり読めなくて…
それでできれば③振り仮名を付けてくださると助かるんですが。
B： そうですか。…分かりました。いいですよ。

1)　① 来週の発表　② 資料がうまくまとめられない
　　③ ちょっとアドバイスする
2)　① 今週のレポート　② まだ書き終わっていない
　　③ 来週まで待つ

4．(寮で／A： 李　B： 田村直子)
A： あのう、できれば①夕食に毎晩中華料理を出していただけないでしょうか。
B： ううん、①毎晩出すのはちょっとねえ。
②週に２回ぐらいというのはどう？
A： ええ、助かります。じゃ、よろしくお願いします。

1)　① 毎朝弁当を作る
　　② ２日に１回
2)　① いつでもシャワー室が使えるようにする
　　② 使える時間を１時間延ばす

5．(会社で／A： アナン　B： 松本)
A： できれば①このマニュアルをタイ語に訳していただけないでしょうか。
B： ううん…全部①訳すのはちょっと…　時間もないし。
A： じゃ、例えば②大切な言葉だけ訳を付けていただくとか…
B： そうですね。じゃ、そうしましょうか。

1)　① この資料をコピーする　② 図や表だけコピーする
2)　① ここの工場の中を案内する　② 生産ラインだけ見せる

6.（A： アナン　　B： 李）

例： A： 困ったなあ。資料の漢字が難しくて、全然読めないよ。
　　 B： じゃ、会社の人に振り仮名を付けてもらうとか、
　　　　 ゆっくり読んでもらうとかするといいよ。

1) A： 社員食堂はいつも込んでいて、ゆっくり食事できないんだ。
　　 B： じゃ、弁当を_____とか、_____とか
　　　　 したらどう？

2) A： 日本の映画を見てみたいんだけど、どんな映画が面白いのか、
　　　　 分からなくて…
　　 B： 僕もよく知らないけど、新聞の映画案内を_____とか、
　　　　 _____とかしたら、分かるんじゃない？

3) A： 日本人の友達がもっと欲しいんだけど…
　　 B： そうだなあ。同じ寮の日本人と_____とか、
　　　　 会社の人に_____とかしたら？

4) A： 暇だなあ。休みの日なのに、何も面白いことがないよ。
　　 B： そう？_____とか、_____とか
　　　　 してみたら。

活動
かつどう

1．次のような会話をしてください。

ロールプレイカード17　　研修生（東京で実習中）　　　　　　　　A

状況（あなたは今会社の寮にいます。来週同じ国の友達が1週間ぐらい東京へ遊びに来ますが、東京のホテルは高いので、友達はとても困っています。）
→管理人さんに状況を説明して、友達を寮の部屋に泊める許可をもらってください。
→もしだめだったら、一晩だけでも許可がもらえないかどうか、聞いてください。

ロールプレイカード17　　会社の寮の管理人　　　　　　　　　　B

状況（寮の研修生から友達を寮に泊めてもいいかどうか、聞かれました。）
→研修生の話をよく聞いてください。
→寮には「外部の人を泊めてはいけない」という規則があります。規則を守るように研修生に話してください。
→一晩だけなら泊めてもいいかどうか、考えて、答えてください。

2．日本で生活していて、何か困っていることがありますか。周りの日本人に何か頼みたいことがありますか。クラスで話し合ってください。

例：　今日本語を練習する時間があまりなくて、困っている。休み時間にロビーで日本語を一緒に話す練習をしてくれると助かる。

3．先生に次のことを相談してみてください。
①会社の資料の漢字が読めなくて、困っている。
②電子辞書を買いたいが、どんなタイプのがいいか、分からない。

読もうの練習

1. 次の「～たら」の文の中で「～ところ」を使って書き換えることができるものはどれですか。できるものには○、できないものには×を入れてください。

   例1： 課長に { 相談したら、/ 相談したところ、} 部長が来るまで待てと言われた。（○）

   例2： 講義が { 終わったら、/ 終わったところ、} すぐに友達と出かけるつもりだ。（×）

   1) 家族に電話を { したら、/ したところ、} 母が入院したと聞いて、びっくりした。（　）

   2) 家内から電話が { あったら、/ あったところ、} すぐ戻ると伝えてください。（　）

   3) 京都へ { 行ったら、/ 行ったところ、} 日本人形を買いたい。（　）

   4) 小川さんに仕事を { 頼んだら、/ 頼んだところ、} あいにく今忙しいということだった。（　）

2. 次の会話を読んで、下の文を完成してください。

   例： A： 伊藤さん、レポートいつまでに出せばいいでしょうか。
   　　B： 来週の火曜日までですよ。
   　　→ 伊藤さんに、<u>レポートをいつまでに出せばいいか</u>、聞いてみたところ、<u>来週の火曜日までだ</u>ということでした。

   1) A： 佐々木さん、この資料、何枚コピーしたらいいでしょうか。
   　　B： ええと、200枚あれば、足りるでしょう。
   　　→ 佐々木さんに_____聞いてみたところ、_____ということでした。

   2) A： あのう、先生、熱が下がったら、来週の旅行に行けますか。
   　　B： ええ、無理をしなければ、行ってもいいですよ。
   　　→ 医者に_____相談してみたところ、_____ということでした。

   3) A： 小川さん、この資料の漢字が分からないので、振り仮名を付けていただけませんか。
   　　B： 分かりました。じゃ、後でアルバイトの人に頼んでおきます。
   　　→ 小川さんに_____てほしいとお願いしてみたところ、_____ということでした。

4） A： あのう、課長、食堂に禁煙席を作っていただけないでしょうか。
　　B： そうですね…じゃ、今度部長と相談してみます。
　　→ 課長に＿＿＿＿＿＿＿＿＿＿＿＿＿＿＿てほしいと頼んでみたところ、
　　　＿＿＿＿＿＿＿＿＿＿＿＿＿＿＿ということでした。

3．例： 日本人は断る時に、はっきり言わないので、（外国人）
　　…… 外国人にとっては分かりにくい。
　1） 先生はいつも日本語は易しいと言われるが、（研修生）
　　……＿＿＿＿＿＿＿＿＿＿＿＿＿＿＿＿＿
　2） 町の中の案内は漢字ばかりなので、（漢字が読めない人）
　　……＿＿＿＿＿＿＿＿＿＿＿＿＿＿＿＿＿
　3） このカメラは４万円もした。店の人は安いと言ったが、（私）
　　……＿＿＿＿＿＿＿＿＿＿＿＿＿＿＿＿＿
　4） タイのアナンさんは、あのタイレストランはとてもおいしいと言っていたが、（日本人）
　　……＿＿＿＿＿＿＿＿＿＿＿＿＿＿＿＿＿

4．「読もう」の内容を読んで、正しいものには○、正しくないものには✕を入れてください。
　1） アナンさんが頼みごとをした時、日本人はすぐ返事をしてくれなかった。　（　）
　2） 返事がないので、アナンさんはもう一度同じことを頼んだ。　（　）
　3） アナンさんは日本人の友達が全然いないので、困って、投書した。　（　）
　4） 日本人が「考えておきます」と言った時、本当に考えている場合もある。　（　）

活動
かつどう

1. 次のように日本人に言われた時、あなたはどう思いますか。
   『そのうちに是非私のうちへ遊びに来てください。』
   『今度一緒にどこか行きましょう。』
   また、その外に日本人の言い方がはっきりしなくて、よく分からないと思ったことがありますか。

聞こう

問題1

	Ⅰ.	Ⅱ.	Ⅲ.
例	Ⅰ.（○）	Ⅱ.	Ⅲ.
1）	Ⅰ.	Ⅱ.	Ⅲ.
2）	Ⅰ.	Ⅱ.	Ⅲ.
3）	Ⅰ.	Ⅱ.	Ⅲ.
4）	Ⅰ.	Ⅱ.	Ⅲ.

問題2

2－1　例1　（ × ）　　　例2　（ ○ ）

　　　Ⅰ．（　）　　　Ⅱ．（　）

　　　Ⅲ．（　）　　　Ⅳ．（　）

2－2
会社の帰りにお酒を飲みに行っても、無理に（飲む）必要はない。
（　　　　　）ことをきちんと説明すれば、誰も無理に（　　　　　）だろう。
仕事中はなかなか（　　　　　）人ともおしゃべりをするいい機会なので、
一度一緒に行ってみればいい。

第18課

計画を立てる

学習目標

1. 計画を立てるための情報が集められる
2. 集めた情報を基に、人と相談して、計画が立てられる
3. 店で使われている丁寧な話し方に慣れる

学習する前に

1. 日本でどこへ旅行に行きたいですか。
2. 旅行に行く時、どんな情報が必要ですか。
3. 旅行の情報はどこで集めますか。
4. 旅行に必要な物は何ですか。もし富士山に行くことになったら、何が要ると思いますか。
5. 旅行代理店に行ったことがありますか。店の人はどんな話し方をしますか。

学習項目

会話1　富士登山の計画を立てる

1) だったら／でしたら：だったら便利だね。
2) V-ることがある：交通渋滞に巻き込まれることがあるそうだよ。
3) 〜んじゃ、〜：片道で8時間半もかかるんじゃ、日帰りは無理だね。
4) A(-い)み／A(-い)さ(名詞化)：楽しみ、楽しさ

会話2　旅行代理店の人と相談する

5) Nの方は：費用の方は全部でいくらぐらいになりますか。

読もう　富士登山

会話

会話1　富士登山の計画を立てる

寮で／李、アナン

李　　　：　アナンさん、富士登山のこと井上さんから聞いてきたよ。

アナン：　どうだった？

李　　　：　ええと、新宿から高速バスで富士山の五合目まで行って、それから歩いて登るのが一番簡単じゃないかって。

アナン：　新宿からバスが出てるの。だったら便利だね。

李　　　：　でも、バスは交通渋滞に巻き込まれることがあるそうだよ。新幹線なら、その心配はないけど、どうする？

アナン：　荷物もあるし、乗り換えも面倒だから、バスにしようよ。

李　　　：　そうだね。じゃ、バスにしよう。

アナン：　で、富士山までどれくらいかかるの？

李　　　：　五合目まで高速バスで2時間半、それから頂上まで歩いて5、6時間だそうだ。

アナン：　2時間半足す6時間か。片道で8時間半もかかるんじゃ、日帰りは無理だね。

李　　　：　うん、だから八合目で山小屋に泊まって、朝早く登るのが一番いいって。日の出が見られるから。

アナン：　そう、じゃ、そうしよう。富士山の日の出はすばらしいって聞いたから、楽しみだな。

会話2　旅行代理店の人と相談する

旅行代理店で／店の人、金

店の人：　いらっしゃいませ。

金　　：　あのう、東北の方へ旅行に行きたいんですが。

店の人：　東北地方でございますね。いろいろなコースがございますよ。何名様ですか。

金　　：　大人二人です。

店の人：　御予定はいつごろでしょう。

金　　：　ええと、来月の10日から3日間なんですが。

店の人：　来月の10、11、12日まで、2泊3日でございますね。

金　　：　はい、そうです。

店の人：　で、どんな所がよろしいですか。

金　　：　あのう、有名な観光地と温泉に行ってみたいんですが。

店の人：　そうですね・・・でしたら十和田湖遊覧と温泉ツアーというのがございます。パックツアーになっておりますから、ぐんと割安ですよ。こちらのパンフレットを御覧ください。

金　　：　良さそうですね。で、費用の方は全部でいくらぐらいになりますか。

店の人：　はい。新幹線とバスの交通費と、それに宿泊費など入れて、お一人様4万9千円になりますが。

金　　：　そうですか・・・じゃ、これでお願いします。

店の人：　どうもありがとうございます。

読もう
富士登山

　富士山に登るにはいくつかのルートがあります。それぞれのルートの登り始める所を「登り口」といいますが、登り口としては「河口湖口」、「富士宮口」、「御殿場口」などが有名です。
　富士登山の魅力や楽しさはルートによっても違ってきます。
　富士五湖がよく見えるルート、太平洋、箱根の山々などのすばらしい眺めが楽しめるルート、大きな噴火口が見られるルートなど、どのルートをとるかを考えるのも富士登山の楽しみです。しかしどのルートをとっても、「富士山に登った」という大きな喜びが得られるでしょう。
　頂上までの所要時間や登り口までの交通手段、必要な持ち物などをよく調べ、余裕を持った計画を立てて、富士登山のすばらしい思い出を作ってください。

〈河口湖口〉

　　新宿西口－中央高速バス（2時間25分）→富士山五合目（6時間）→頂上
　　　　　要予約　座席指定　＠2,600円

〈富士宮口〉

　　新幹線利用各駅から　→新富士駅→登山バス（2時間10分）
　　　　　　　　　　　　　　　　　　　　＠2,310円
　　　　　→新五合目（6時間）→頂上
　　　　　　　　　　　　　　　＊料金は平成12年5月現在

会話の練習

1. 例： 中国へ行った時、言葉が分からなくて、何度か（困る／(困った)）ことがあります。
   1) 年に何回かは、ここから富士山が（見える／見えた）ことがあります。
   2) セミナーに何度も行きましたが、役に（立つ／立った）ことが一度もありません。
   3) いつだったかなあ。彼と一度だけ（食事する／食事した）ことがある。
   4) このワープロはもう古いけど、捨てないでとっておこう。
      また（使う／使った）ことがあるかもしれない。

2. （A: アナン　B: 李）

   A: ①ディズニーランドに行きたいね。
   B: でも、②ここからは交通費が1万2千円もかかるそうだよ。
   A: ③そんなにかかるんじゃ、無理だね。

   1) ① 沖縄へ行く
      ② 休みが3日しかとれない
      ③ それだけしかとれない
   2) ① 旅行の最後の日はホテルでゆっくりする
      ② 朝9時のバスで出発する
      ③ そんなに早い

3. 例： A：富士山の五合目までバスで2時間半、それから頂上まで歩いて
　　　　　5、6時間かかるそうだよ。
　　　　B：そんなにかかるんじゃ、日帰りは無理だね。
1) A：佐々木さん、昨日二次会でビールを10本も飲んだんだって。
　　B：そんなに_____んじゃ、今日は会社に出て来られないんじゃない？
2) A：佐々木さんのアパート、高速道路から2～3分の所にあるそうだよ。
　　B：そんなに_____んじゃ、車の音がうるさいだろうね。
3) A：小川さん、このごろ忙しくて、毎日4時間以上残業しているそうだよ。
　　B：そんなに_____んじゃ、病気になっちゃうね。
4) A：箱根の富士ホテルに電話してみたけど、1泊3万円もするんだって。
　　B：そんなに_____んじゃ、外の所にした方がいいね。

4.（A： 李　　B： アナン）
　　A： ①新宿から五合目行きのバスが出てるそうだよ。
　　B： だったら②バスで行こうよ。

1) ① 東京博物館は日曜日も開いてる
　　② 日曜日に行く
2) ① 8月に10日間ぐらい休みがある
　　② その時一緒に旅行する

5.（A： 旅行者　　B： 観光案内所の人）
　　A： この近くに①ビジネスホテルはありませんか。
　　B： ①ビジネスホテルですか。そうですね・・・
　　A： できれば②歩いて行ける所がいいんですが。
　　B： でしたらこちらはいかがですか。
　　A： ああ、良さそうですね。

1) ① 温泉　　　　　　　② 露天風呂がある
2) ① 魚料理がおいしい店　② 車で10分ぐらいで行ける

6. 下から言葉を選んで、例のように「～の方」を使った言葉を（　　）の中に入れてください。

例：（A：　客　　B：　店員）
A：　このシャツ、着てみてもいいですか。
B：　どうぞ。・・・いかがですか。
A：　ちょっと大きいですね。デザインはいいんですが、（サイズの方）がちょっと・・・

（A：　課長　　B：小川）
A：　小川君、もうすぐ社員旅行だね。
B：　はい。課長、今年は会社からいくらぐらい出ますか。
A：　そうだね・・・たぶん去年と同じだね。
　　　それよりも今年はおいしい物が食べられるのかな？
B：　（　　　　　　　）は心配要りません。海の近くですから、魚がおいしいですよ。
A：　去年は駅から遠かったけど、今年はもっと近い所に泊まりたいな。
B：　そうですね・・・行き先はすぐ決まったんですが、（　　　　　　　）は皆さん、いろいろ意見があって、難しいんですよ。

食事、　ホテル、　サイズ、　色、　費用

活動
かつどう

1. ガイドブックや旅行のパンフレットを見て、例のように友達と旅行の計画を立ててみましょう。

例：
[行き先] 高山

[日時]　2000年10月9日、10日（1泊2日）

[スケジュール]

10月9日朝	6時40分	寮出発
	8時10分	ＪＲ名古屋駅発（ワイドビューひだ71号）→高山へ
	10時31分	ＪＲ高山駅着　市内見物
		－昼食－
	午後	高山祭り見物、お寺・神社見物
	18時30分	高山山下旅館着
10月10日	午前中	民芸館見物
		－昼食－
		買い物
	15時08分	ＪＲ高山駅発
	17時36分	ＪＲ名古屋駅着

[費用]　　　　　計30,000円
・交通費　　　　13,000円
・宿泊費　　　　10,000円（夕食、朝食含む）
・雑費　　　　　 7,000円（昼食、お土産など）

[持ち物]　パスポート、地図、時刻表、カメラ、旅行ノート、傘

　クラスでいくつかのグループに分かれて行き先、交通ルート、宿泊地、費用などを話し合って、表に記入してください。

［行き先］
　い　さき

［日時］
　にち　じ

［スケジュール］

［費用］　　　　　　　　円
　ひよう　　　　　　　えん
　・交通費　　　　　　円
　　こうつう ひ　　　　えん
　・宿泊費　　　　　　円（夕食、朝食含む）
　　しゅくはく ひ　　　えん　ゆうしょく　ちょうしょくふく
　・雑費　　　　　　　円（昼食、お土産など）
　　ざっ ぴ　　　　　えん　ちゅうしょく　みやげ

［持ち物］
　も　もの

高山市観光案内図
たかやまし かんこうあんないず

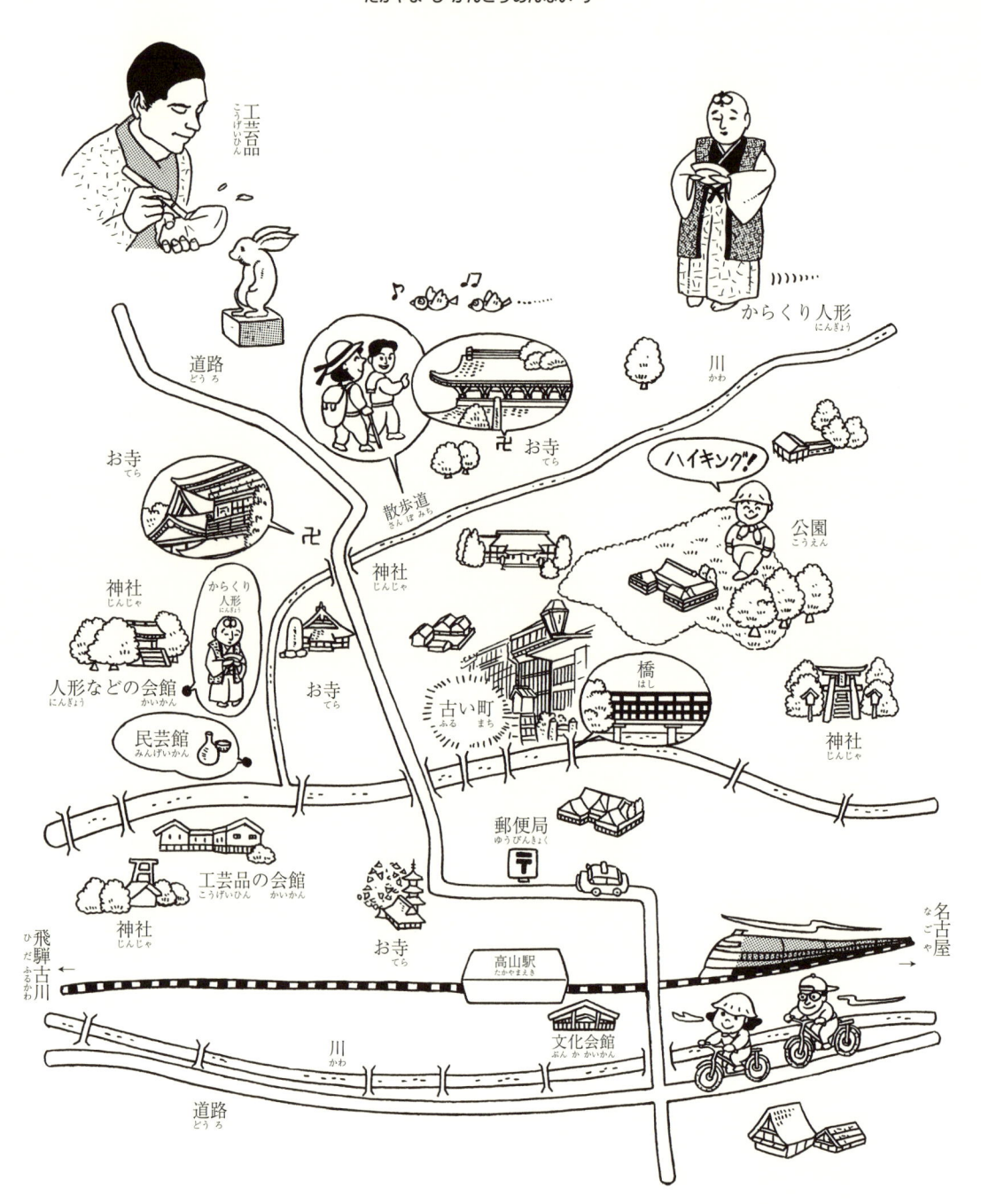

- 工芸品(こうげいひん)
- からくり人形(にんぎょう)
- 道路(どうろ)
- 川(かわ)
- お寺(てら)
- 散歩道(さんぽみち)
- ハイキング！
- 公園(こうえん)
- お寺(てら)
- 神社(じんじゃ)
- からくり人形(にんぎょう)
- 人形などの会館(にんぎょうかいかん)
- お寺(てら)
- 古い町(ふるまち)
- 橋(はし)
- 神社(じんじゃ)
- 民芸館(みんげいかん)
- 郵便局(ゆうびんきょく)
- 工芸品の会館(こうげいひんかいかん)
- 神社(じんじゃ)
- お寺(てら)
- 高山駅(たかやまえき)
- 文化会館(ぶんかかいかん)
- ←飛騨古川(ひだふるかわ)
- 名古屋(なごや)→
- 川(かわ)
- 道路(どうろ)

18

読もうの練習

1. 例1： 彼は年に1度の富士登山を（楽しい…楽しみ）にしている。
   例2： 富士山の（高い…高さ）は3,776mです。
   1） 管理人の奥さんは私の母のようで、（親しい…　　　　）を感じる。
   2） 新幹線の（速い…　　　　）は1時間に約200kmです。
   3） 彼の家の（広い…　　　　）は500m²（平方メートル）もあるそうだ。
   4） サッカーで転んでから、ずっとひじの（痛い…　　　　）が取れない。
   5） 彼はお父さんが亡くなって、（悲しい…　　　　）に沈んでいる。
   6） あのメーカーの製品の品質の（いい…　　　　）は誰でも知っている。

2. 「読もう」の内容を読んで、正しいものには○、正しくないものには×を入れてください。
   1） 富士山の登り口としていくつか有名な所がある。　　　　　　　　　　（　）
   2） 富士山に登るルートの中には眺めが悪くて楽しめないものが多いので、
      よく調べておいた方がいい。　　　　　　　　　　　　　　　　　　（　）
   3） 富士山の頂上ではいろいろな物を売っているので、持ち物は特に準備して
      行かなくてもいい。　　　　　　　　　　　　　　　　　　　　　　（　）
   4） 高速バスで行く場合は、予約は必要ない。　　　　　　　　　　　　（　）

聞こう

問題1

例　　　Ⅰ.　　　Ⅱ.　　　Ⅲ.
1）　　Ⅰ.　　　Ⅱ.　　　Ⅲ.
2）　　Ⅰ.　　　Ⅱ.　　　Ⅲ.
3）　　Ⅰ.　　　Ⅱ.　　　Ⅲ.
4）　　Ⅰ.　　　Ⅱ.　　　Ⅲ.

問題2 始めにパーティーをしようと言ったのは、李さんです。そしてもう一人の男の人はアナンさん、女の人は馬さんです。この3人の話を次の表にまとめてください。

パーティーの計画表

1　日時	（　　）日（　　）曜日　夜（　　）時から（　　）時まで	
2　場所	寮の（　　　）	
3　料理の準備	（　　　）で買い物して、一人（　　　）料理を作る。	
4　費用	みんなで（　　　）にする。	
5　飲み物	先月のパーティーの（　　　）と（　　　）。足りなかったら、（　　　）で買う。	
6　写真	（　　　）の時の写真を（　　　）に貼り出す。	
7　ボランティアへの連絡	（　　　）さんが外の（　　　）に連絡してくれる。	

第19課

意見を述べる

学習目標

1. 相手への理解を示してから、自分の意見が言える

2. はっきり理由を言って、自分の考えが伝えられる

3. 意見を短く、分かりやすい文にまとめられる

学習する前に

1. 大家族と核家族とどちらが好きですか。その理由も考えてください。
2. 両親と一緒に住んでいると、どんなことに気を使いますか。
3. 都会と田舎とどちらが住みやすいと思いますか。その理由も考えてください。
4. 今あなたの周りにはどんな電気製品がありますか。
5. いい電気製品というのはどういう製品だと思いますか。

学習項目

会話1　大家族と核家族について話し合う

1）なかなか(＋肯定形)：なかなか難しいですね。
2）V-る方が：別々に住む方が気が楽だ。
3）〜うちは／〜うちに：元気なうちはいいけどね。

会話2　都会と田舎について話し合う

4）やっぱり／やはり：やっぱり僕は都会の方がいいな。

読もう　「身の周りの日本製品」についての投書

5）NといえばやはりNだ：日本の製品といえば、やはり電気製品だ。
6）何となく：何となく安心できる。

19

会話

会話1　大家族と核家族について話し合う

昼休み、社員食堂で／小川、伊藤

小川：　課長、最近、一戸建て買われたそうですね。

伊藤：　うん。今までより大分遠くなったけど・・・
　　　　実は両親を田舎から引き取ったんだよ。

小川：　ああ、そうなんですか。

伊藤：　うちの両親は田舎の人間だから、マンションじゃかわいそうだし、
　　　　ね。

小川：　確かにそうですね。

伊藤：　小川君のところは、御両親は？

小川：　うちの両親は大阪に住んでいるんです。

伊藤：　あ、そう。でも、いつかは一緒に住まなきゃならないだろう？

小川：　そうですね・・・でも、なかなか難しいですね。
　　　　東京の住宅事情のことを考えると。

伊藤：　でも、御両親は一緒に住みたいんじゃない？

小川：　いやあ、狭いと、お互いいろいろ気を使わなくちゃならないですか
　　　　らね・・・両親も今は別々に住む方が気が楽だって言っていますし。

伊藤：　まあ元気なうちはいいけどね。

小川：　ええ・・・

伊藤：　だんだん足腰も弱ってくるからね。

小川: ええ、そうですけど。うちは共働きですから、なかなか難しいんですよ。

伊藤: ああ、そうか。

あっ、そろそろ事務所に戻ろう。

小川: はい。

会話2　都会と田舎について話し合う

午後7時ごろ、事務所で／佐々木、小川

佐々木：　小川さん、残業？
小川　：　うん。片づけなくちゃいけない仕事がたまっててね。
佐々木：　大変だね。
小川　：　佐々木さん、実は僕、今度転勤なんだよ。
佐々木：　えっ、転勤！
小川　：　うん。それがすごい田舎なんだよ。
佐々木：　へえ、そう。でもいいよ、田舎は。

　　　　　水もおいしいし、空気もきれいだし・・・
小川　：　でもやっぱり僕は都会の方がいいな。
佐々木：　そう？　でも田舎の方が住みやすいよ。

　　　　　物価も安いし、家も広いし・・・
小川　：　ううん・・・だけど子供の教育のこともあるしね。
佐々木：　でも、田舎の方が子供の健康のためにはいいよ。
小川　：　うん、確かにそうかもしれないけど、受験のことを考えると、やっぱり都会の方が有利だと思うんだよね。
佐々木：　まあそれはそうかもしれないけど、僕なんか田舎生まれだから、やっぱり田舎の方が好きだな。
小川　：　ううん・・・そうだね。
佐々木：　きっと子供にとってもいいと思うよ。
小川　：　そうだね。

読もう
「身の周りの日本製品」についての投書

A 日本の電気製品は品質が良いので、とても評判がいい。しかし欠点もある。それは必要のない機能が付きすぎていることと、モデルチェンジが早すぎることだ。それにマニュアルの説明が細かすぎると思う。
　　　　　　　　　　　　　　　　　　　　　クマール・バラジ（インド）

B 日本製品は故障が少ない。でも以前友達のビデオデッキが故障した時、修理代が1万円もかかった。1万円は高いと思うし、それに修理に1か月もかかった。
　　　　　　　　　　　　　　　　　　　　　ソムチャイ・ワンゲーオ（タイ）

C 日本の製品といえば、やはり電気製品だ。いろいろ買ったが、いくら小さい物を買っても、その製品に詳しい説明書や保証書が付いていたのには感心した。使う時も楽だし、何となく安心感が持てる。
　　　　　　　　　　　　　　　　　　　　　アリ・モハメド（インドネシア）

会話の練習

1. 例： このカメラは安いけど、なかなかきれいに撮れる。
   1) この映画は随分古い映画だけど、なかなか_____。
   2) この仕事は大変だったけど、なかなか_____。
   3) 彼は若いけど、なかなか_____。
   4) あのホテルは小さいけど、なかなか_____。

2. 例： 暇な時はテレビを見るより本を読む方が好きだ。
   1) 若い時は家族と一緒に住むより_____方が自由でいい。
   2) このごろ休みの日は出かけるより_____方が多い。
   3) 通勤には切符を買うより_____方が安い。
   4) 都会は住宅事情が悪いから、_____方がいい。

3. （A：李　B：小川）

   例：
   A： 小川さんはよく映画、見に行きますか。
   B： ううん…そうですね。最近はあまり行きませんね。
   　　うちでビデオを見る方が多いですね。

   1)
   A： 小川さんはよくスポーツしますか。
   B： ううん…そうですね。最近はあまり_____ね。
   　　_____方が多いですね。

   2)
   A： 小川さんはよく飲みに行きますか。
   B： ううん…そうですね。最近はあまり_____ね。
   　　_____方がゆっくりできますからね。

3）
A： 小川さんはよく自分で料理をしますか。
B： ううん…そうですね。最近はあまり＿＿＿＿＿＿＿＿＿＿ね。
＿＿＿＿＿＿＿＿＿＿＿＿＿方が楽ですからね。

4）
A： 小川さんはよく海外へ出かけますか。
B： ううん…そうですね。最近はあまり＿＿＿＿＿＿＿＿＿＿ね。
＿＿＿＿＿＿＿＿＿＿＿＿＿方がいいですね。

4．例： 両親が元気なうちは別々に暮らしたいけど、足腰が弱ったら、
一緒に住まなきゃならないだろう。
1） 最初のうちは＿＿＿＿＿＿＿＿＿＿＿＿けど、
慣れればうまく話せるようになるよ。
2） 若いうちは＿＿＿＿＿＿＿＿＿＿＿＿けど、
年をとるとなかなか覚えられなくなる。
3） 学生のうちは＿＿＿＿＿＿＿＿＿＿＿＿けど、
就職すると自由な時間が少なくなる。
4） 独身のうちは＿＿＿＿＿＿＿＿＿＿＿＿＿＿＿けど、
結婚するといろいろ大変だ。

5．例： 若い、いろいろな国へ行ってみたい
…… 若いうちに、いろいろな国へ行ってみたい。
1） 子供が寝ている、この本を読んでしまおう ……
2） 忘れない、手帳にメモしておこう ……
3） 朝静か、宿題をしてしまおう ……
4） 学生、コンピューターの使い方に慣れておきたい ……

6．例のように正しい方を選んで○をつけてください。
例： 子供は小さいうち（に・⑱） よく病気になる。
1） だんだん空が暗くなってきたよ。雨が降らないうち（に・は）早く家へ帰ろう。
2） 最初のうち（に・は）大変かもしれないけど、そのうち慣れるよ。
3） 時間のあるうち（に・は）この仕事を終わらせないと。
4） 朝のうち（に・は）出発すれば、昼ごろに着くだろう。

7. 例： (A： 小川　B：佐々木)
　　A： 転勤のことで一人で行くか家族と行くか、いろいろ考えたけど、やはり一人で行くことにしたよ。子供の学校のこともあるし。
　　B： そう。でも、毎日の生活のことを考えるとやっぱり家族と一緒の方がいいと思うよ。

1) (A： 小川　B： 佐々木)
　　A： 転職するか、このまま会社に残るか、随分考えたけど、＿＿＿＿＿＿＿＿ことにしたよ。＿＿＿＿＿＿＿＿し。
　　B： そうかもしれないけど、＿＿＿＿＿＿＿＿のことを考えると、やっぱり＿＿＿＿＿＿＿＿方がいいと思うよ。

2) (A： 佐々木　B： 小川)
　　A： マンションを買うかどうか、いろいろ迷ったけど、やっぱり＿＿＿＿＿＿＿＿ことにしたよ。＿＿＿＿＿＿＿＿から。
　　B： 確かにそうかもしれないけど、＿＿＿＿＿＿＿＿のことを考えると、やっぱり＿＿＿＿＿＿＿＿方がいいと思うよ。

3) (A： 伊藤　B： 山口)
　　A： 大家族と核家族とどっちがいいと思う？
　　B： 私は＿＿＿＿＿＿の方がいいですね。＿＿＿＿＿＿から。
　　A： それはそうだけど、＿＿＿＿＿＿＿＿のことを考えると、やっぱり＿＿＿＿＿＿の方がいいと思うよ。

4) (A： 小川　B： 佐々木)
　　A： 住むなら、都会と田舎とどっちがいい？
　　B： 僕はやっぱり＿＿＿＿＿＿＿＿な。＿＿＿＿＿＿＿＿し。
　　A： なるほど。でも、＿＿＿＿＿＿のことを考えると、僕は＿＿＿＿＿＿＿＿の方がいいと思うな。

活動

1. 話し合う時の言い方を考えてみましょう。

   例：（相手と意見が違うとき）
   - なるほど～ですが、しかし～
   - 確かに～ですが、けれども～
   - ～さんは～とおっしゃいましたが、～のことを考えると、やっぱり～

   例：（人と同じ意見を続けて言うとき）
   - ～さんがおっしゃったように、私もやはり～

   外にどんな言い方があるか、クラスで話し合ってください。
   また日本人の友達にも聞いてみてください

2. 二つのグループに分かれて、討論をしてみましょう。
   1）テーマ（何を話すか）を決める。

   例：・核家族と大家族
   - 都会と田舎
   - 共働きをする？ しない？
   - 夏休み海へ行く？ 山へ行く？
   - 社員食堂を禁煙にする？ しない？
   - 結婚する？ しない？
     ＊外にも話したいテーマがあれば、自由に考えてみましょう。

   2）グループを決める。（どちらに賛成かによって決める。）
   3）それぞれのグループで話し合って、意見をまとめておく。
      また発表の順番も決めておく。

	大家族	核家族
長所	例：にぎやかで、楽しい	例：自由で、好きなことができる
短所	例：いろいろ気を使う	例：家族の誰かが病気の時、大変

   4）二つのグループで話し合いをする。
      日本人にも参加してもらって、後で意見を聞いてみる。
      （内容、分かりやすさなどについて良かったところ、気をつけた方がいいところなど）

読もうの練習

1. 例： 日本製品といえば、やはり __電気製品__ だ。
   1) 冬の楽しみといえば、やはり_____だ。
   2) 若い人たちに人気のある町といえば、やはり_____だ。
   3) 日本の生活で一番困ることといえば、やはり_____だ。
   4) 最近世界で問題になっていることといえば、やはり_____だ。

2. 例： 李さんは最近何となく（元気がない）。ホームシックかもしれない。
   1) 馬さんは最近何となく（　　　　　　　　）。いいことがあったのかなあ。
   2) アナンさんは最近何となく（　　　　　　　　）。恋をしているのかなあ。
   3) （私は）最近何となく（　　　　　　　　）。勉強のしすぎかもしれない。
   4) （私は）最近何となく（　　　　　　　　）。毎日スポーツをするように
      なったからだろう。

3. 「読もう」の内容を読んで、答えてください。
   日本製品について3人の人が「いいと思っているところ」「良くないと思っているところ」を三つずつ書いてください。

   （いいところ）
   1)_____

   2)_____

   3)_____

   （良くないところ）
   1)_____

   2)_____

   3)_____

聞こう

問題1

例	①I.	II.	III.
1)	I.	II.	III.
2)	I.	II.	III.
3)	I.	II.	III.
4)	I.	II.	III.

問題2

　田中さんはコンピューターを買おうと思っていて、デスクトップ型と_____とどちらを買うか迷っている。
インターネットで　外国のテレビを見たり、_____を送り合ったりしたいからだ。
　デスクトップ型のいい点は、値段がずっと_____し、画面が_____見やすいことだ。
　しかし、部屋も_____し、場所がないので、_____を買うことになりそうだ。

第20課

環境を考える

学習目標

1. 環境を例に取り上げ、今社会で問題になっていることについて考える

2. 問題を解決するために、自分に何ができるかを考える

3. 根本的な解決方法は何かを考える

学習する前に

1. 毎日の生活の中で私達はどんなごみを出していますか。
2. 会社や工場からはどんなごみが出ていると思いますか。
3. あなたの町ではごみを捨てる時、種類別に分けていますか。
4. ごみはどのように分けることができると思いますか。
5. 捨てられたごみはどのように利用できると思いますか。

学習項目

会話1　ごみを分ける

1) ～というわけだ：ごみを出す日が違うというわけです。
2) ～ころ：私の子供のころ
3) ～のに。：私の子供のころはそんなことなかったのに。

会話2　リサイクルする

読もう『宝の山』

4) 複合動詞②V(-ます) 出す／込む：作り出す、巻き込む
5) ～か～かはNによる：宝の山を単なるごみにしてしまうか、資源として活用できるかは、私達の毎日の努力によるのです。

会話

会話1　ごみを分ける

寮の食堂で／田村直子、馬

田村：　馬さん、悪いけど、そこの空き缶取ってくれる？

馬：　いいですよ。今日はごみを出す日なんですか。

田村：　ええ。燃えないごみを出す日なのよ。

　　　　空き缶とか瓶のふたとかの金属ね。

馬：　そうですか。ごみはどういうふうに分けるんですか。

田村：　そうね、所によって違うようだけど、この町ではまず燃えるごみと燃えないごみとに分けるの。それから燃えないごみも金属類とかガラス類とかに分けて、それぞれ決められた日に出すのよ。

馬：　ごみの種類によって出す日が違うというわけですね。

田村：　ええ、そうなの。

馬：　あ、そういえば駅前の団地の中を通っていたら、たんすとか自転車とかいろいろ出ていました。

田村：　ああ、粗大ごみを出す日だったのね。

馬：　まだ使えるのにもったいないですね。

田村：　本当にそうね。私の子供のころは、そんなことなかったのに。あ、馬さん、ついでにこの空き缶、玄関の所まで持って行ってくれない？

馬：　ええ、いいですよ。

会話2　リサイクルする

寮の近くで／李、田村直子

李　　：田村さん、どこへ行くんですか。そんなに缶ビール持って。
田村　：スーパーよ。
李　　：えっ！
田村　：これ、空っぽなの。スーパーにアルミ缶収集機っていうのがあってね、それにアルミ缶を入れると、お金が出て来るの。2個が1円の割合でね。
李　　：へえ、面白そうですね。僕もちょっと見てみようかな。

（スーパーのリサイクルボックスの前で）

田村　：ほら、ここよ。アルミの空き缶はこちら。
李　　：なるほど。あ、牛乳パックも再利用されて、トイレットペーパーに生まれ変わるんですね。
田村　：ええ、そう。それからこのペットボトルからは化学繊維が出来るの。そしていろいろな衣類を作るのに使われるのよ。
李　　：それはすばらしいですね。このままだと、ごみですからね。
田村　：これからはできるだけリサイクルしないと、ごみだらけになっちゃうからね。
李　　：そうですね。

読もう
『宝の山』

　私達は石油や木材などの地球の資源を使い、さまざまな製品を作り出しています。それらの製品の多くは消費され、使い捨てられています。私達はこれを「ごみ」と呼びますが、このごみは実は「宝の山」でもあるのです。下の図を見て分かるように、家庭や工場から出されたごみが最後には立派に資源として活用できるのです。

　ごみを十分に再利用するためには、技術の進歩が欠かせませんが、それとともに大切なのは、家庭でも工場でもみんなが正しく決められたとおりにごみを分けて出すということです。

　宝の山を単なるごみにしてしまうか、資源として活用できるかは、私達の毎日の努力によるのです。

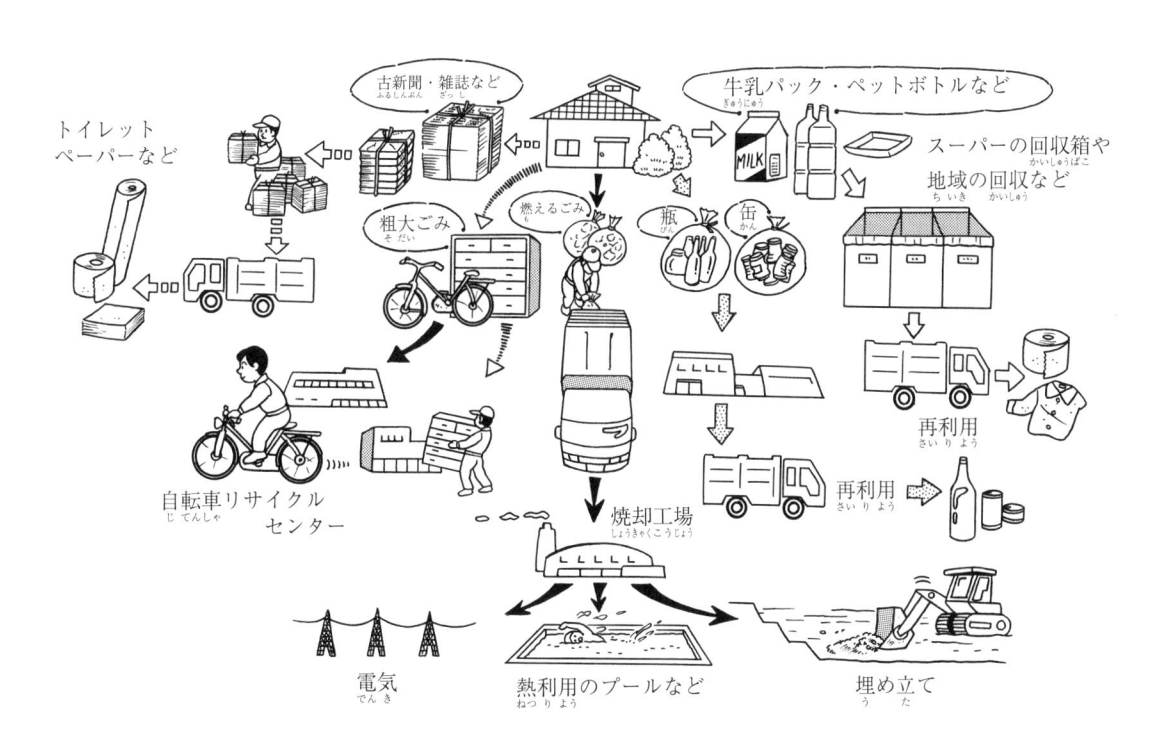

会話の練習

1. （A： 田村直子　　B： 李）
   A： 同じ①ごみでも②燃えるごみは木曜日、燃えないごみは金曜日に出すんです。
   B： そうですか。③ごみの種類によって④出す日が違うというわけですね。

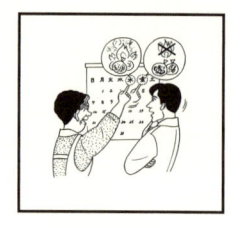

   1) ① 空き瓶
      ② 茶色の瓶はここに、白い瓶はそこに入れる
      ③ 瓶の色
      ④ 入れる所

   2) ① ごみ
      ② 牛乳パックはトイレットペーパーに、ペットボトルは化学繊維にリサイクルされる
      ③ 物
      ④ 再利用のし方

2. 例1： （A： ナロン　　B： 井上）
   A： この辺りはあまり空気がきれいじゃありませんね。
   B： そうだね。このセンターが出来たころは、本当にきれいだったのになあ。
   （このセンターが出来る、きれい）

   例2： （A： 馬　　B： 田村直子）
   A： あの自転車、まだ乗れそうなのに、捨ててありますね。
   B： そうね。私が子供のころは、そんなことはなかったのに。
   （私が子供だ、そんなことはない）

   1) （A： 田村洋　　B： 田村直子）
      A： このうち、古くなったなあ。
      B： そうね。＿＿＿＿＿＿ころは、＿＿＿＿＿＿のにね。
      （結婚する、この辺りでは一番新しい）

   2) （A： 金　　B： 馬）
      A： ナロンさん、このごろ元気がありませんね。
      B： そうですね。＿＿＿＿＿＿ころは、＿＿＿＿＿＿のにね。
      （日本へ来る、元気だ）

3) （A： 田村洋　　B： 田村直子）
　　A： この川は最近魚が少なくなったね。
　　B： そうね。＿＿＿＿＿＿ころは、＿＿＿＿＿のにね。
　　　　（私達が子供だ、たくさんいる）

4) （A： 小川　　B： 佐々木）
　　A： 最近、外で遊ぶ子供が少なくなったね。
　　B： そうだね。＿＿＿＿＿＿ころは、＿＿＿＿＿のにね。
　　　　（僕達が小学生だ、毎日外で遊んでいる）

3. 例： A： 最近はまだ使える物でも、粗大ごみとして捨てられていますね。
　　　　B： ええ。私の子供のころは、そんなことなかったのに。

1) A： ラオさんはまだ事務所にいますか。
　　B： 30分ほど前に、空港へ行きましたよ。
　　　　もう少し早ければ、＿＿＿＿＿＿のに。

2) A： サッカーのチケット、もう売り切れだったよ。
　　B： 僕に頼めば、＿＿＿＿＿＿あげたのに。

3) A： 金曜日の試験、どうだった？
　　B： だめだったよ。
　　A： そうか…あんなに一生懸命＿＿＿＿＿＿のにね。

4) A： ああ、おなかすいたな。何か食べる物、ない？
　　B： 残念。＿＿＿＿＿＿のに。さっき、みんなで食べちゃったよ。

4. 例： A： ちょっとスーパーに行って来るよ。（この手紙、出して来る）
　　　　B： じゃ、ついでにこの手紙、出して来て。

1) A： 課長、本社へ行って参ります。（この資料を林部長に渡して来る）
　　B： じゃ、ついでに＿＿＿＿＿＿＿＿＿＿＿＿て。

2) A： 会議室の机を並べて来るよ。（OHPの準備をしておく）
　　B： じゃ、ついでに＿＿＿＿＿＿＿＿＿てくれない？

3) A： この書類コピーして来るよ。（私の分もして来る）
　　B： じゃ、ついでに＿＿＿＿＿＿＿＿＿て。

4) A： ちょっと郵便局へ行って来ます。（切手を買って来る）
　　B： じゃ、ついでに＿＿＿＿＿＿＿＿＿てくれない？

5．下から言葉を選んで（　　　）に入れてください。

例：有害ごみというのは（ 電池 ）や（ 水銀体温計 ）などです。
1）粗大ごみというのは古くなった（　　　）や（　　　）などです。
2）生ごみというのは（　　　）や（　　　）などです。
3）資源ごみというのは（　　　）や（　　　）などです。
4）危険ごみというのは（　　　）や（　　　）などです。

古新聞　　ペットボトル　　自転車　　たんす

魚の骨　　卵の殻　　割れた瓶・ガラス　　かみそり

電池　　水銀体温計

6．会話1、2を読んで正しいものには○、正しくないものには×を入れてください。

会話1
1）空き瓶と空き缶は燃えないごみだから、この町では一緒に出してもよい。（　　）
2）ごみの分け方は日本中どこでも同じだ。（　　）
3）粗大ごみの中には、まだ使える物がある。（　　）
4）田村さんの子供のころは、粗大ごみはあまり多くなかった。（　　）

会話2
5）このスーパーのアルミ缶収集機にアルミ缶を20個入れると、100円出て来る。
（　　）
6）ペットボトルは化学繊維に生まれ変わる。（　　）

活動
かつどう

1．今あなたが住んでいる町ではごみをどのように分けて出しますか。

> 紙の箱、　果物の皮、　ジュースの缶、　割れたコップ、　古い服、
> 壊れたテレビ、　ビデオテープ、　魚の骨、　机、　ビール瓶、
> 電池、　本、　古新聞

周りの日本人に聞いて、下の表に記入してみましょう。

ごみの種類	例：燃えるごみ			
どんな物	例：紙の箱			

2．次のことを話し合ってみましょう。
　　環境を守るために、毎日の生活の中でどんなことに気をつけたらいいと思いますか。クラスで話し合ってください。そして例のような質問を10問作って、周りの日本人に聞いてみましょう。

（必ずそうしている…○／　大体している…△／　していない…×）

例1：できるだけ車を使わないで、電車やバスに乗るようにしていますか。	○
例2：汚れた皿は紙でふいてから、洗うようにしていますか。	×

読もうの練習

1. 下から言葉を選んで、「〜出す」を使った言葉を正しい形にして、(　　)に入れてください。

    例：　石油を使って、いろいろな製品を（作り出して）います。
    1)　李さんをアナウンスで（　　　　　）ください。
    2)　駅の改札口の所に事故のお知らせが（　　　　　）あった。
    3)　ごみ箱の中から大切な書類をやっと（　　　　　）。
    4)　彼はポケットからハンカチを（　　　　　）、汗をふいた。

    貼る、取る、作る、呼ぶ、捜す、聞く

2. 下から言葉を選んで、「〜込む」を使った言葉を正しい形にして、(　　)に入れてください。

    例：　この資料は後で返してもらいますから、何も（書き込まない）ようにしてください。
    1)　バスは交通渋滞に（　　　　　）ことがある。
    2)　食事の時、魚の骨を（　　　　　）しまった。
    3)　コンセントにプラグをしっかり（　　　　　）ください。
    4)　危険ですから、（　　　　　）乗車はおやめください。

    駆ける、書く、飲む、呼ぶ、巻く、差す

3. 例：　外国語が上手になる、毎日の勉強のし方
    ……　外国語が上手になるかどうかは、毎日の勉強のし方による。
    1)　彼女がパーティーに来る、君の誘い方
        ……
    2)　発表がうまくいく、事前の準備
        ……
    3)　会社が大きくなる、社長の能力
        ……
    4)　町がきれいになる、そこに住んでいる人の努力
        ……

4．「読もう」の内容を読んで、正しいものには○、正しくないものには×を入れてください。
　　1）私たちが毎日使っている物は地球の資源から作られている。　　　　　　　（　）
　　2）ごみの中にはよく見ると、金やダイヤなどの宝物も混じっているので、
　　　「ごみは宝の山」と言われている。　　　　　　　　　　　　　　　　　　（　）
　　3）ごみは自分が考えた規則で分ければよい。　　　　　　　　　　　　　　　（　）
　　4）ごみの再利用は技術の進歩と関係がある。　　　　　　　　　　　　　　　（　）

活動

1．次の内容で作文を書いてみましょう。
　「地球の環境を守るために、今私達にできること、私達がしなければならないこと」

聞こう

問題1

例)(a)　1)(　　)　2)(　　)　3)(　　)　4)(　　)

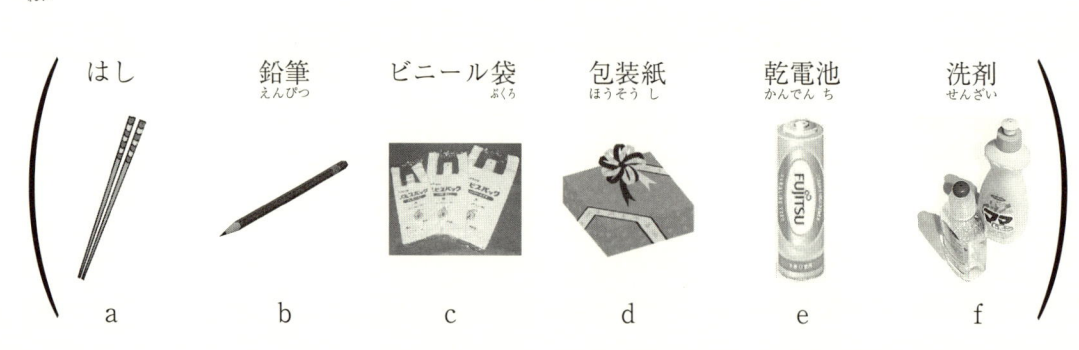

はし	鉛筆	ビニール袋	包装紙	乾電池	洗剤
a	b	c	d	e	f

問題2

<u>3人の意見のまとめ</u>

	高橋	杉浦	池沢
1　ごみの活用について	1)(　　)をどんどんしなければならない	高橋さんと同じ意見だが、市役所が2)(　　)から3)(　　)を集めたらよい	みんながごみを4)(　　)日を守れなければ、ごみの5)(　　)はできない
2　ごみを出さないためにできること	6)(　　)が多いので、なかなかできない	7)(　　)は庭に埋めるようにする	8)(　　)がないので、ごみを出さないようにするのは9)(　　)
3　市役所に言いたいこと	ごみを出す日が週に10)(　　)しかないので、もっと11)(　　)てほしい	12)(　　)場所をもっと増やし、13)(　　)別にごみ箱を置いてほしい	家庭や町の14)(　　)だけでなく、15)(　　)に捨てられたごみについても考えてほしい

副詞：副詞的表現

【少々】	A：田中さんは いらっしゃいますか。 B：はい、少々お待ちください。	《第2課》
【あいにく】	A：もしもし、井上さんはいらっしゃいますか。 B：あいにくまだ帰っておりませんが…	《第2課》
【先日】	先日お送りしたファックスのお返事を、いただけますか。	《第2課》
【すっかり】	学生時代に韓国語を勉強したんですが、もうすっかり忘れてしまいました。	《第3課》
【ただ】	ただ一緒に、韓国語でおしゃべりをするだけでいいんです。	《第3課》
【できれば】	できればパソコンフェアに行かせていただきたいんですが…	《第4課》
【確か】	李さん、確かサッカー好きだったよね。	《第5課》
【最近】	最近ちょっと飲みすぎなんです。	《第5課》
【大分】	李さん、日本語も大分上達されたでしょうね。	《第5課》
【せっかく】	せっかくスキー旅行に誘っていただいたのに、行けなくて申し訳ありません。	《第5課》
【どんどん】	最近、新しいビルや店がどんどん出来ています。	《第6課》
【がらりと】	上海は通りによって町の様子ががらりと違います。	《第6課》
【年々】	上海の人口は年々増えています。	《第6課》
【十分】	A：ビール、もう少しいかがですか。 B：いえ、もう十分頂きました。	《第6課》

【そのうち】	そのうち治るかと思って様子を見てたんですが、なかなか痛みが取れないんです。	《第7課》
【ずきんと】	この辺がずきんとするんです。	《第7課》
【念のため】	骨には異常ないと思いますが、念のためレントゲンを撮りましょう。	《第7課》
【じっと】	じっとしているとあまり痛くないが、ひじを曲げたりすると、ずきんとする。	《第7課》
【大勢】	ディズニーランドは駅からすぐです。人が大勢行くから、ついて行けばいいんですよ。	《第9課》
【始めに】	始めにメニューでローマ字モードを選んでから、「A」を押せば、「あ」が出ます。	《第10課》
【なるほど】	A：このキーを押せば、漢字にも変換できます。 B：ああ、なるほど便利ですね。	《第10課》
【手早く】	手早く混ぜてください。	《第10課》
【さっと】	さっと混ぜてください。	《第10課》
【こんなふうに】	野菜を洗って、こんなふうに細かく切ります。	《第10課》
【細かく】	野菜を細かく切ってください。	《第10課》
【ぎゅっと】	洗った野菜をぎゅっと絞ってください。	《第10課》
【後は】	後はギョーザをゆでるだけです。	《第10課》
【特に】	私は果物は何でも好きですが、特にりんごが好きです。	《第11課》
【とても（〜ない）】	日本の床屋は高くて、とても行けません。	《第12課》

【ぐんと】	4、5年前と比べても、日本の輸入はぐんと増えたらしいですよ。	≪第12課≫
【ますます】	日本はこれからますます輸入に頼っていくようになるでしょう。	≪第12課≫
【主に】	えびは主にインドネシア、インド、タイなどから輸入されています。	≪第12課≫
【つい】	カラオケに夢中になると、つい声が大きくなってしまうんです。	≪第13課≫
【もうちょっとで】	アイロンをつけっ放しにして、もうちょっとで火事になるところでした。	≪第13課≫
【くれぐれも】	周りの人の迷惑にならないように、くれぐれも注意してください。	≪第13課≫
【まあ】	A：そのコート、高かったでしょう？ B：うん、まあちょっとね。	≪第14課≫
【さすが】	この店のタイ料理は、さすが本場の味ですね。	≪第14課≫
【たっぷり】	あのレストランはメニューも多いし、量もたっぷりあります。	≪第14課≫
【確かに】	確かに一つの会社に長く勤めるってことは、難しいですね。	≪第15課≫
【すべて】	人間関係もうまくいって、給料も良くて、すべて良ければ別ですが…	≪第15課≫
【めったに】	最近仕事が忙しくて、夜10時までに家へ帰れることは、めったにない。	≪第15課≫
【一応】	今の職場には、一応満足している。	≪第15課≫

【ほとんど (〜ない)】	漢字の資料がほとんど読めなくて、困っている。	≪第17課≫
【前もって】	会議の前に資料を前もって読んでおきたいので、コピーをいただけますか。	≪第17課≫
【今後】	今後このようなことがあった場合、私はどのようにしたら一番良いのでしょうか。	≪第17課≫
【それぞれ】	明日は二つのグループに分かれて、それぞれ好きなルートから富士山に登ることにしましょう。	≪第18課≫
【いつか】	いつかまた、お会いしたいですね。	≪第19課≫
【なかなか】	東京の住宅事情のことを考えると、両親と一緒に住むのはなかなか大変ですよ。	≪第19課≫
【お互い】	両親と一緒に住むと、お互い気を使わなくちゃならないでしょう。	≪第19課≫
【別々に】	今は別々に住む方が気が楽ですよ。	≪第19課≫
【やっぱり・やはり】	A：田舎はいいよ。水もおいしいし、空気もきれいだし。 B：そうだね。でも、やっぱり僕は都会の方がいいな。	≪第19課≫
【何となく】	日本製品は使いやすいし、何となく安心感が持てる。	≪第19課≫
【ついでに】	A：ちょっとスーパーに行って来ます。 B：じゃ、ついでにこの手紙を出して来て。	≪第20課≫
【立派に】	家庭や工場から出されたごみが、最後には立派に資源として活用できるのです。	≪第20課≫

接続のいろいろ
せつぞく

【V-るなら】	もし行かれるなら、待ち合わせ場所と時間を決めたいと思います。	≪第2課≫
【〜ものですから】	ずっと使ってないものですから、もうすっかり忘れてしまって。	≪第3課≫
【それなら】	A：ただ一緒に韓国語でおしゃべりをするだけでいいんですよ。 B：そうですか。それなら私にもできそうです。	≪第3課≫
【連用中止】	センターではいろいろお世話になり、ありがとうございました。	≪第3課≫
【〜けど】	Jリーグの切符が2枚あるんだけど、一緒にどうかなと思って…	≪第5課≫
【さて】	毎日寒い日が続いていますが、お変わりありませんか。さて、もうすぐお正月ですが、冬休みの予定はもう決まりましたか。	≪第5課≫
【〜。で、〜】	A：今住んでいるのは上海ですが、生まれたのは上海から5時間ぐらいの小さな町です。 B：そうですか。で、いつ上海に移られたんですか。	≪第6課≫
【また】	私の趣味は映画や囲碁です。またスポーツも好きで、休みの日は友達とよくテニスをしています。	≪第6課≫
【それでしたら】	A：3万円ぐらいで、ラジオがついているウォークマンが欲しいんですが… B：それでしたら、こちらなんかお買い得ですよ。	≪第8課≫
【V-たら、V-た】	カタログをよく見ていたら、新製品でもっといいのがあったんです。	≪第8課≫

【そうしたら】	A：メニューが出て来ましたね。 B：ええ、そうしたらこのワープロソフトというのを選んでください。	≪第10課≫
【そうしないと】	手早くさっと混ぜてください。そうしないと固まりが出来ますから。	≪第10課≫
【V-るまで】	耳たぶよりちょっと固くなるまで、こねてください。	≪第10課≫
【V-る場合】	時間に遅れる場合は、必ず電話で連絡してください。	≪第11課≫
【V(-ない)ずに】	忘れずに、コンセントを抜いてください。	≪第13課≫
【～じゃ】	李さんの後じゃ恥ずかしいけど…	≪第14課≫
【～に～付きで】	めん類にコーヒー付きで500円。	≪第14課≫
【ということは】	A：私の場合はいわゆる転職組なんですよ。 B：ということは以前外の会社に勤めていたんですか。	≪第15課≫
【そういうわけで】	10年前に大学を出て、すぐ自動車メーカーに入りましたが、その後2回転職しているんです。そういうわけで今の会社は3回目の職場なんです。	≪第15課≫
【V-て以来】	この会社は20年前にTQCを導入して以来、多くの賞を受賞している。	≪第15課≫
【そういえば】	A：この辺は大きい家が多いね。 B：ああ、そういえば小川さん、新しい家買ったんだって？	≪第16課≫
【だけど】	A：小川さんの家は郊外だから、緑が多くていいね。 B：うん、だけど通勤は大変だよ。	≪第16課≫
【そこで】	比ゆは国によってかなり違います。そこで各国でどんな比ゆが使われているか、いろいろな国の人たちに聞いてみることにしました。	≪第16課≫

【V-たところ】	会社の人にある頼みごとをしたところ、「じゃ、考えておきます」と言われました。	≪第17課≫
【それとも】	会社の人にもう一度頼んだほうがいいのか、それとももう少し返事を待ったほうがいいのか、分かりません。	≪第17課≫
【～んじゃ】	片道で8時間半もかかるんじゃ、日帰りは無理だね。	≪第18課≫
【だったら】	新宿からバスが出てるの？ だったら便利だね。	≪第18課≫
【だから】	A：そんなに遠いんじゃ、日帰りは無理だね。 B：うん、だから向こうで1泊した方がいいだろうって。	≪第18課≫
【でしたら】	A：あのう、有名な観光地と温泉へ行ってみたいんですが。 B：でしたら十和田湖遊覧と温泉ツアーというのがございます。	≪第18課≫
【～うちは・～うちに】	両親が元気なうちは、別々に住む方が気が楽だ。	≪第19課≫
【～といえば】	日本の製品といえば、やはり電気製品だ。	≪第19課≫
【～ころ】	A：この辺はあまり空気がきれいじゃありませんね。 B：そうですね。このセンターが出来たころは、本当にきれいだったのに。	≪第20課≫

縮約形のまとめ
しゅくやくけい

1. 1)「〜ている」→「〜てる」／「〜ています」→「〜てます」

    何<u>してい</u>るの？　→　何<u>して</u>るの？
    上海に<u>住んでい</u>ます。　→　上海に<u>住んで</u>ます。

    2)「〜てしまう」→「〜ちゃう」
    　　　（〜でしまう）　　（〜じゃう）

    忘れ<u>てしまっ</u>た。　→　忘れ<u>ちゃっ</u>た。
    飲ん<u>でしまっ</u>た。　→　飲ん<u>じゃっ</u>た。

    3)「〜ておく」→「〜とく」

    買っ<u>ておい</u>て。　→　買っ<u>とい</u>て。

    4)「〜ては」→「〜ちゃ」
    　　（〜では）　　（〜じゃ）

    言っ<u>ては</u>いけない。　→　言っ<u>ちゃ</u>いけない。

2.「なければ」→「〜なきゃ」「〜なくちゃ」

    行か<u>なければ</u>ならない。　→　行か<u>なきゃ</u>（ならない）。
    　　　　　　　　　　　　　　　行か<u>なくちゃ</u>（ならない）。
    君がい<u>なければ</u>困る。　→　君がい<u>なきゃ</u>困る。

3.「ーらない」「ーれない」「ーりない」→「ーんない」

    見つか<u>ら</u>ない　→　見つか<u>ん</u>ない
    覚えら<u>れ</u>ない　→　覚えら<u>ん</u>ない
    足<u>り</u>ない　→　足<u>ん</u>ない

4．1）「〜と」→「〜って」

「禁煙」と書いてある。　→　「禁煙」って書いてある。

一つの会社にずっと勤めるということは、難しいですね。
　　　　　　　　　　　　→　一つの会社にずっと勤めるってことは難しいですね。

2）「〜という〜は」→「〜って」

「窓口」というのはどういう意味ですか。→　「窓口」ってどういう意味ですか。

上海という町は活気のある町ですね。　→　上海って活気のある町ですね。

5．「ーのー」→「ーんー」

来なかったものですから　→　来なかったもんですから

飲みすぎなので　　　　　→　飲みすぎなんで

6．その他

このあいだ　→　こないだ

どこか　　　→　どっか

ところ　　　→　とこ

君のうち　　→　君んち

「気」のつく言葉

　日本語には「気」のつく言葉がたくさんある。次の言葉は毎日の生活でよく使われているものの一部である。

気が合う	：あの人とはよく気が合う。
気が大きい	：お酒を飲むとつい気が大きくなる。
気が小さい	：お金はあるのに、気が小さいので、なかなか大きい買い物ができない。
気が強い	：気が弱いので、気が強い人がうらやましい。
気が弱い	：気が弱くて、みんなの前ではなかなか意見が言えない。
気が長い	：気が長いので、佐藤さんは駅で30分も友達を待った。
気が短い	：課長は気が短いので、すぐ怒る。
気が若い	：田村さんは年齢に比べて、気が若い。
気が重い	：もうすぐ試験があるので、気が重い。
気がある	：彼は仕事をする気があるのかないのか、分からない。
気が変わる	：映画を見に行こうと思って出かけたが、気が変わって、デパートへ行った。
気が進まない	：買い物に誘われたが、気が進まないので、行かなかった。
気がする	：この問題は試験に出るような気がする。
気がつく	：家を出てから、忘れ物をしたことに気がついた。
気が楽だ	：両親が元気なうちは別々に住む方が気が楽だ。
気をつける	：これから寒くなるから、風邪をひかないように気をつけてください。
気を悪くする	：彼は友達に注意されて、気を悪くしたみたいだ。
気になる	：明日から山に行くので、天気が気になる。
気にする	：李さんは何週間も前から発表のことを気にしている。

「する」のいろいろな使い方

感覚
食堂からいいにおいがするね。
隣の部屋から誰かの声がした。
この牛乳、ちょっと古いみたい。変な味がするよ。

病気
風邪をひいて、寒気がする。
昨日お酒を飲みすぎたので、今日はちょっと吐き気がして、何も食べられない。
昨日から頭痛がする。風邪かもしれない。
頭ががんがんする。
ひじのあたりがずきんとする。

仕事
私の父は学校の先生をしている。
弟さんは今中国で何をやっているんですか。
→ レストランでアルバイトをしています。

値段
このあたりで一戸建てを買うと、5,000万円はします。
昨日買った時計は30,000円もしました。

時間
田中さんは事務所にいません。30分ほどしたら、来ると思います。
日本人の話は速くて分かりません。
→ そうですか。でも2、3か月したら、分かるようになりますよ。

その他
レントゲンを撮りますから、動かないで、じっとしていてください。
日曜日はどこも行かないで、うちでごろごろしています。

学習項目索引

－ A －

A（-い）み／A（-い）さ（名詞化）	18課会話1

－ N －

NぐらいV-るもんだ	13課会話3
NじゃA	14課会話2
Nって、～けど、～ね	6課会話2
Nでも（一緒に）どうですか	5課会話1
Nといえば、やはりNだ	19課読もう
Nとして	8課読もう
Nなんか	8課会話1
NにN付きで、～	14課読もう
Nにとって	17課読もう
Nによって違う	1課会話2
Nのことだ	1課会話2
Nのところ	4課会話1
Nの方は	18課会話2
Nのように／Nのような	16課会話2
Nをとおして	6課読もう

－ V －

V-させていただきたい	4課会話1
V-させてください	11課会話1
V（-ない）ずにV-てください	13課読もう
V（-ます）そうだ	2課会話1
V（-ます）そうなぐらい	16課会話2
V（-ます）たがる／欲しがる	5課読もう
V-たところ	17課読もう
V-たところで	9課会話1
V-たら、V-た	8課会話2
V（-ます）っ放しにする	13課会話2
V-ていく	12課会話2
V-ていただけないでしょうか	3課会話2
V-てくださると助かるんですが	17課会話1
V-てくる①	4課会話2
V-て来る②	6課会話2
V-てばかりいる	11課会話1
V-てほしい	3課会話1
V-てもらえないでしょうか	13課会話1
V（-ます）なさい	4課会話1
V-られた（可能）らと思っている	5課読もう
V-られる（受身）N	8課読もう
V-られる／V-られない（受身）+と	8課読もう
V-ることがある	18課会話1
V-るってことは／V-るということは	15課会話2
V-るには	9課会話2
V-る場合	11課読もう
V-る方が	19課会話1
V-るまで	10課会話2
V-るように言う	8課会話2
V-るようになる	11課読もう
V-ればいい	1課会話1

－ あ －

相づち、応答表現・感嘆詞	14課会話1
あいにく	2課会話2

－ い －

「いい」「悪い」の使い方	11課会話2

－ う －

～うちは／～うちに	19課会話1

－ お －

おV（ます）ください	7課会話1
おV（ます）ですか	8課会話1

― か ―

外来語	1課会話1
～か～かはNによる	20課読もう
～がする	4課会話2
慣用句	16課会話1

― き ―

擬態語①	7課会話1
擬態語②	10課会話2
擬態語③	16課会話1

― け ―

形容詞の副詞化	10課会話2

― こ ―

合成語①（～口）	1課会話1
合成語②（～化、～先）	12課読もう
合成語③（～的、～目、～名）	15課会話1
～ことになる／～ことにする	3課会話2
～ころ	20課会話1

― し ―

～じゃないですか	12課会話1
終助詞	5課会話1
縮約形①	3課会話1
縮約形②	14課会話2
省略	3課会話2
助詞の省略	14課会話1
助詞＋は	3課読もう

― す ―

～ずつ	7課会話2
（時間）する	7課会話2

― せ ―

せっかく～のに	5課読もう
接続表現（ということは、そういうわけで）	15課会話2

― そ ―

そういえば	16課会話1
そのうち～かと思って～んですが	7課会話1
その点	16課会話2
そろそろV‐ようか	11課会話1

― た ―

～だけでなく、～も	2課読もう
確か～たよね	5課会話1
ただV‐るだけでいい	3課会話2
だったら／でしたら	18課会話1
例えば～とか	17課会話2
～だろう	12課会話2

― つ ―

ついV‐てしまう	13課会話1
～って／～て	1課会話1

― て ―

～。で、～	6課会話2
～である	4課読もう
～でしょうか	2課会話2

― と ―

（名前）というN	9課会話1
～ということだった	17課読もう
～ということですね	2課会話2
～というのは～っていうことだ	1課会話1
～というのはどうですか	17課会話1
～というわけだ	20課会話1

動詞の名詞化	9課読もう	ー み ー	
倒置	12課会話2	～みたいに／～みたいだ	6課会話2
～と伝えていただきたい	2課会話2		
		ー め ー	
		名詞止め	9課読もう
ー な ー			
なかなか（＋肯定形）	19課会話1	ー も ー	
何～か	13課読もう	（数・量）も	11課読もう
何となく	19課読もう	もうちょっとでV‐るところだった	13課会話2
		もしV‐るなら、	2課読もう
ー ね ー		～ものですから	3課会話2
念のため	7課会話1		
		ー や ー	
ー の ー		やっぱり／やはり	19課会話2
～の？	4課会話2		
～のに。	20課会話1	ー ら ー	
～のは	6課会話2	～らしい	12課会話2
ー は ー		ー れ ー	
始めにV‐てから、V‐れば	10課会話1	連用中止	3課読もう
～ば、別だ	15課会話2		
（金額）は／もする	12課会話1	ー ん ー	
		～んじゃ、～	18課会話1
ー ふ ー		～んじゃない？	14課会話2
複合動詞①V（‐ます）終わる		～んだけど、一緒にどうかなと思って	5課会話1
／始める／替える／直す	13課読もう	～んだって？	16課会話1
複合動詞②V（‐ます）出す／込む	20課読もう		
文脈指示の「あれ」「あの」「それ」「その」	4課会話1		
ー ほ ー			
～ほど	2課会話1		
ー ま ー			
前もってV‐ておく	17課会話1		

語彙索引 (＊印がついているのは必須語彙ではありません)

―あ―

あいする（愛する）	15課読もう
あいだ［なつやすみの～］（間［夏休みの～］）	2課練習
あいちけん（愛知県）	5課練習
あいて（相手）	3課練習
あいにく	2課会話2
アイロン	13課会話2
あお（青）	7課練習
あがる［かいだんを～］（上がる［階段を～］）	9課練習
あき～（空き～）	20課会話1
あきかん（空き缶）	20課会話1
あく［じかんが～］（空く［時間が～］）	5課会話1
あけしめ（開け閉め）	9課練習
＊あしがぼうになる（足が棒になる）	16課会話2
＊あしこしがよわる（足腰が弱る）	19課会話1
あじつけ［する］（味付け［する］）	10課会話2
＊あしをくずす（足を崩す）	6課会話1
あずかる（預かる）	11課会話3
あせ（汗）	20課練習
あそび（遊び）	6課練習
＊あたる［2.5ばいに～］（当たる［2.5倍に～］）	12課読もう
あたる［たからくじが～］（当たる［宝くじが～］）	15課練習
あてさき（あて先）	2課読もう
～［の］あと（～［の］後）	2課練習
アドバイス［する］	7課練習
アナウンス［する］	1課会話2
あのへん（あの辺）	6課会話2
あぶら（油）	10課読もう
あやまる（謝る）	13課会話2
ある～	17課読もう
アルミ	20課会話2
あれ	12課会話1
あわせる（合わせる）	10課練習
＊あんしんかん（安心感）	19課読もう
あんないじょ（案内所）	18課練習
あんないひょうしき（案内標識）	9課会話2
あんなに	20課練習

―い―

いいよ。	11課会話1
＊～いいん（～医院）	7課練習
いえ（家）	1課練習
いえ	5課会話2
～いがい（～以外）	11課読もう
いきかえり（行き帰り）	9課練習
いきさき（行き先）	18課練習
＊いきた～（生きた～）	4課読もう
いくつか	18課練習
＊いご（囲碁）	6課読もう
～いこう（～以降）	13課読もう
いし（石）	16課読もう
いじょう（以上）	2課読もう
いじょう（異常）	7課会話1
いぜん（以前）	12課会話2
いたみ（痛み）	7課会話1
＊いたみどめ（痛み止め）	7課会話2
いたむ（痛む）	7課会話1
いためる	10課練習

いちおう（一応）	15課会話2	*うごくほどう	
いちど（一度）	3課練習	（動く歩道）	9課会話2
いちにちじゅう（一日中）	1課会話2	*うさぎごや	
いつか	19課会話1	（うさぎ小屋）	16課会話1
*いっかんせいさん［する］		*うせつ［する］	
（一貫生産［する］）	15課読もう	（右折［する］）	9課読もう
いっこだて（一戸建て）	12課会話1	〜うち	19課会話1
いっぱい	11課読もう	うつ［ひじを〜］	
いっぱんてき［な］		（打つ［ひじを〜］）	7課読もう
（一般的［な］）	11課読もう	うつる（移る）	6課会話2
*いっぴんかぎり		うで（腕）	7課会話1
（一品限り）	8課練習	うまれ（生まれ）	6課練習
〜いない（〜以内）	7課練習	うまれかわる	
*いま（居間）	6課会話1	（生まれ変わる）	20課会話2
いや［な］（嫌［な］）	8課練習	*うめたて（埋め立て）	20課読もう
〜いらい（〜以来）	15課読もう	うら（裏）	5課練習
*いらい［する］		うらやましい	14課会話2
（依頼［する］）	3課読もう	うりきれ（売り切れ）	20課練習
いらいらする	16課会話2	うわさ［する］	12課練習
いりぐち（入口）	1課読もう		
いるい（衣類）	8課読もう	ーえー	
いわゆる〜	15課会話2	エアコン	3課練習
いんさつ［する］		えいかいわ（英会話）	4課読もう
（印刷［する］）	8課読もう	えいぎょう［する］	
いんしょう（印象）	6課会話2	（営業［する］）	1課読もう
		えきまえ（駅前）	8課練習
ーうー		エジプト	3課練習
ウォークマン	8課会話1	エスカレーター	9課会話2
うきあがる（浮き上がる）	10課読もう	えび	12課会話2
うけみ（受身）	8課練習	*える（得る）	18課読もう
うける［しけんを〜］		えんりょ［する］	
（受ける［試験を〜］）	2課練習	（遠慮［する］）	1課会話2

ーおー

*OHP	20課練習
おおく（多く）	15課読もう
*おおさじ（大さじ）	10課練習
おおぜい（大勢）	9課会話2
*おおびん（大瓶）	11課会話3
オープン	14課読もう
*おかいどく（お買い得）	8課会話1
*おかえし（お返し）	11課会話3
〜おく（〜億）	15課読もう
おく［かぞくをにほんに〜］（置く［家族を日本に〜］）	3課練習
おくりもの（贈り物）	11課読もう
おくる（贈る）	11課読もう
おこる（怒る）	11課練習
おごる	11課会話1
おさえる（押さえる）	10課練習
おしゃべり	3課会話2
おじゃまします。（お邪魔します。）	6課会話1
おしゃれ［な］	14課会話1
おしらせ（お知らせ）	20課練習
おすすめ（お勧め）	14課読もう
おそれいりますが（恐れ入りますが）	13課練習
おたがい（お互い）	19課会話1
*おたより（お便り）	6課読もう
おっと（夫）	6課練習
おとな（大人）	18課会話2
おどろく（驚く）	6課会話2
*おひとりさま（お一人様）	8課練習
*おぼん（お盆）	11課読もう
おまねきいただきまして（お招きいただきまして）	6課会話1
おみまい（お見舞い）	11課読もう
*オムレツ	10課練習
おもて（表）	5課練習
おもに（主に）	12課読もう
おやめください。	1課読もう
*およぶ（及ぶ）	12課読もう
おらくにしてください（お楽にしてください。）	6課会話1
*おりこみこうこく（折り込み広告）	8課読もう
おりる（下りる）	1課読もう
*オリンピック	3課練習
おんせん（温泉）	18課会話2
*オンラインシステム	15課会話1

ーかー

〜か（〜課）	4課読もう
〜か（〜化）	12課読もう
*カーソル	10課練習
〜かい（〜会）	13課練習
かいがい（海外）	4課読もう
*〜かいかん（〜会館）	4課会話1
*がいごがくいん（外語学院）	4課読もう
かいさつ（改札）	5課会話1
かいしゅう［する］（回収［する］）	20課読もう
がいしゅつ［する］（外出［する］）	2課練習
かいだん（階段）	9課練習
*かいちょう（会長）	15課読もう
ガイドブック	18課練習
かいはつ［する］（開発［する］）	15課会話1

*がいよう（概要）	15課読もう	（活動［する］）	1課練習
がいらいご（外来語）	12課練習	カップ	13課練習
かいわりょく（会話力）	4課読もう	かつよう［する］	
かがく（化学）	20課会話2	（活用［する］）	20課読もう
かかす（欠かす）	20課読もう	かてい（家庭）	20課読もう
*かかりちょう（係長）	15課読もう	*かなう	14課会話2
*〜がく（〜額）	12課読もう	カナダ	12課読もう
*かくえき（各駅）	18課読もう	*かにゅう［する］	
かくかぞく（核家族）	19課会話1	（加入［する］）	11課練習
がくしゅう［する］		かのう（可能）	8課練習
（学習［する］）	6課読もう	かぶ（(株)）	2課読もう
がくせいじだい		かぶしきがいしゃ	
（学生時代）	3課会話2	（株式会社）	15課読もう
*かけこみじょうしゃ		*〜カプセル	7課会話2
（駆け込み乗車）	1課読もう	かみそり	20課練習
かける［アイロンを〜］	13課読もう	かみなり（雷）	16課読もう
かける［エンジンを〜］	13課練習	から（殻）	20課練習
*かこう［する］		*カラオケボックス	14課会話2
（加工［する］）	15課読もう	からから	7課練習
〜かこく（〜か国）	12課読もう	*からくりにんぎょう	
かさい（火災）	13課読もう	（からくり人形）	18課練習
かしかり（貸し借り）	9課練習	からっぽ（空っぽ）	20課会話2
かしだし（貸し出し）	1課練習	*がらりと	6課会話2
かしゅ（歌手）	14課会話2	かるい（ねんざ）	
かたさ（固さ）	16課読もう	（軽い（ねんざ））	7課会話2
かたづける［しごとを〜］		カレー	14課読もう
（片づける［仕事を〜］）	19課会話2	かわ（皮）	10課会話2
かたまり（固まり）	10課会話2	かわいそう［な］	19課会話1
かたみち（片道）	18課会話1	かわる（代わる）	2課会話1
かっきのある（まち）		〜かん（〜館）	1課練習
（活気のある（町））	6課会話2	〜かん（〜間）	11課練習
かっこいい	14課会話1	かん（缶）	20課会話1
かっこく（各国）	16課読もう	がんがん	7課練習
かつどう［する］		かんきょう（環境）	20課練習

かんこう（観光）	18課会話2	きのう（機能）	8課練習
かんじゃ（患者）	7課練習	きまる（決まる）	5課読もう
かんしゃ［する］（感謝［する］)	11課読もう	きもち（気持ち）	11課読もう
［お］かんじょう（［お］勘定）	11課会話3	キャンプ	5課練習
かんしん（関心）	6課読もう	きゅう［な］（急［な］)	13課練習
*かんしん［する］（感心［する］)	19課読もう	*きゅうしがい（旧市街）	6課会話2
*かんど（感度）	8課会話1	*きゅうじんあんない（求人案内）	8課読もう
*かんりしょく（管理職）	15課読もう	*きゅうぞう［する］（急増［する］)	12課読もう
*かんれん［する］（関連［する］)	15課読もう	*きゅうでん（宮殿）	16課読もう
		きゅうに（急に）	8課練習
		ぎゅうにゅうパック（牛乳パック）	20課会話2
ーきー		きゅうよう（急用）	5課練習
キー	3課練習	きゅうりょう（給料）	14課会話1
*キーボード	10課会話1	ぎゅっと	10課会話2
*ぎおんご（擬音語）	16課練習	～ぎょう（～行）	3課練習
きかい（機会）	5課会話2	きょういく［する］（教育［する］)	19課会話2
きがえ（着替え）	9課練習	*～ぎょうかい（～業界）	15課読もう
きがつく（気がつく）	13課会話1	きょうみ（興味）	6課練習
きがらく［な］（気が楽［な］)	19課会話1	きょうりょく［する］（協力［する］)	1課会話1
きかん（期間）	1課練習	*ギョーザ	10課会話2
*きかん（機関）	4課読もう	きょく（曲）	14課会話2
*きこく［する］（帰国［する］)	5課練習	きれる［けいこうとうが～］（切れる［蛍光灯が～］)	3課会話1
ぎじゅつしゃ（技術者）	15課会話1	きをつかう（気を使う）	19課会話1
きた（北）	1課練習	きん（金）	20課練習
*ぎたいご（擬態語）	16課練習	*きんえんタイム（禁煙タイム）	1課会話2
*きつえんじょ（喫煙所）	1課読もう	きんがく（金額）	4課読もう
きになる（気になる）	7課読もう	きんじょ（近所）	13課読もう
きにゅう［する］（記入［する］)	7課会話1		

きんぞく（金属）	20課会話1	（計画［する］）	5課読もう
		けいこうとう（蛍光灯）	3課会話1
ーくー		けいざい（経済）	12課練習
～く（～区）	2課読もう	けいたい（携帯）	11課練習
*ぐ（具）	10課会話2	*けいひ（経費）	4課読もう
ぐうぐう	16課練習	*けいやく［する］	
くじょう（苦情）	13課会話1	（契約［する］）	11課練習
ぐたいてき［な］		*～けいゆ（～経由）	9課読もう
（具体的［な］）	15課会話1	*けいり（経理）	15課読もう
くたくた	16課会話2	*けいれき（経歴）	15課会話2
くだり（のエスカレーター）		*ケーブル	11課練習
（下り（のエスカレーター））	9課会話2	ゲーム	13課練習
～ぐち（～口）	1課読もう	*げしゃ［する］	
*くにべつ（国別）	12課読もう	（下車［する］）	9課読もう
くばる（配る）	8課読もう	げじゅん（下旬）	11課読もう
*くやくしょ（区役所）	9課読もう	けす［ないようを～］	
～ぐらい	13課会話3	（消す［内容を～］）	3課練習
グラフ	11課練習	*ケチャップ	10課練習
くらべる［5ねんまえと～］		けっか（結果）	7課会話2
（比べる［5年前と～］）	12課会話2	けってん（欠点）	19課読もう
*クリスマス	11課読もう	～けど	5課会話1
*クリック［する］	10課会話1	～けん（～県）	5課練習
くる［じゅんばんが～］		～けん（～軒）	5課会話2
（来る［順番が～］）	7課会話1	けん（券）	1課会話1
グループ	11課読もう	けんか［する］	13課練習
ぐるりと	10課練習	～げんざい（～現在）	18課読もう
*くれぐれも	13課読もう	げんざい（現在）	4課練習
くわえる（加える）	10課会話2	けんそん［する］	14課練習
ぐんと	12課会話2	けんちく［する］	
		（建築［する］）	15課練習
ーけー		*げんぴんかぎり	
*けいえい［する］		（現品限り）	8課会話1
（経営［する］）	15課練習	*けんめい（件名）	2課読もう
けいかく［する］			

―こ―

*〜こ（〜湖）	18課会話2
*こいをする（恋をする）	19課練習
こう	10課会話2
〜ごう（〜号）	18課練習
こういう〜	17課読もう
こうがい（郊外）	16課会話1
ごうかく［する］（合格［する］)	8課練習
ごうけい［する］（合計［する］)	4課読もう
*こうげいひん（工芸品）	18課練習
こうこく（広告）	4課練習
こうさてん（交差点）	6課練習
〜ごうしつ（〜号室）	2課読もう
こうじょうちょう（工場長）	15課練習
こうそくバス（高速バス）	9課読もう
こうばん（交番）	9課練習
*〜ごうめ（〜合目）	18課会話1
5LDK	16課会話1
コース	3課読もう
〜こく（〜国）	12課読もう
こくない（国内）	3課練習
*こくりつきょうぎじょう（国立競技場）	5課会話1
こげる（焦げる）	13課会話2
こしょう	10課練習
*こじん（個人）	16課読もう
ごちそう［する］	5課読もう
ごちそうになる	11課会話1
ごちゃごちゃ	16課練習
ごていねいに（御丁寧に）	6課会話1
ことわり（断り）	5課読もう
ことわる（断る）	5課練習
こねる	10課会話2
このあたり（この辺り）	20課練習
このまま	2課練習
このような	16課読もう
*こべつ（戸別）	8課読もう
こぼす	7課練習
*ごまあぶら（ごま油）	10課読もう
こまかい（細かい）	10課会話2
ごみごみしている	16課会話1
ごみばこ（ごみ箱）	20課練習
*こむぎこ（小麦粉）	10課会話2
*こめる（込める）	11課読もう
ごめん。	5課練習
ごらんください。（御覧ください。）	18課会話2
*ゴルフ	16課練習
これで（しつれいします。）（これで（失礼します。））	5課会話2
これら	11課読もう
ごろごろする	11課練習
ころぶ（転ぶ）	7課会話1
こんかい（今回）	5課読もう
こんがりと	10課練習
こんご（今後）	17課読もう
コンセント	13課練習
こんなじかん（こんな時間）	6課会話2
こんなに［はやく］（こんなに［早く］)	8課練習
こんなふうに	10課会話2
コンピューターソフト	4課会話1

293

ーさー

～さ（～差）	16課読もう
ざあざあ	16課練習
*サービスカウンター	8課練習
さいきん（最近）	5課会話2
さいりよう［する］	
（再利用［する］）	20課会話2
～さき（～先）	5課読もう
～さき（～先）	9課練習
～さき（～先）	12課読もう
さき［あしの～］	
（先［足の～］）	8課練習
さくぶん（作文）	20課練習
さける（避ける）	16課会話2
さすが	14課読もう
*ざせきしてい	
（座席指定）	18課読もう
さそい（誘い）	5課読もう
さそう（誘う）	5課会話1
～さつ（～冊）	1課練習
さっと	10課会話2
*ざっぴ（雑費）	18課練習
さて	5課読もう
*さまざま［な］	20課読もう
さむけがする	
（寒気がする）	4課会話2
～さら（～皿）	11課会話3
サラダ	14課練習
サラリーマン	15課練習
さんぎょう（産業）	4課会話1
さんせい［する］	
（賛成［する］）	11課練習
サンドイッチ	14課練習

ーしー

～し（～市）	4課読もう
しあげる（仕上げる）	10課練習
*シーズン	11課読もう
シート	1課練習
*ＪＲ	9課会話2
*Ｊリーグ	5課会話1
じかい（次回）	7課会話2
しかく（資格）	15課会話1
～しき（～式）	10課会話2
しき（式）	2課会話2
じぎょう（事業）	4課練習
*じぎょうしょ（事業所）	15課読もう
しげん（資源）	20課読もう
じこくひょう（時刻表）	18課練習
じこしょうかいぶん	
（自己紹介文）	10課練習
*じさつうきん（時差通勤）	1課会話1
*じじょう（事情）	19課会話1
じしん（自信）	3課会話2
しずむ（沈む）	18課練習
しぜん（自然）	16課会話2
じぜん（事前）	20課練習
したがって（従って）	4課練習
したしい（親しい）	3課練習
*じちょう（次長）	15課読もう
～しつ（～室）	7課会話1
じっさい（実際）	2課読もう
*じっし［する］	
（実施［する］）	1課会話2
じっとする	7課読もう
*しっぷやく（湿布薬）	7課会話2
してい［する］	
（指定［する］）	1課会話1

294

していせきけん（指定席券）	1課会話1	じゅうたい[する]（渋滞[する]）	18課会話1
してん（支店）	5課読もう	じゅうたく（住宅）	8課読もう
しない（市内）	18課練習	じゅうぶん（十分）	4課練習
しバス（市バス）	9課読もう	じゅうぶん[な]（十分[な]）	20課読もう
しばらく	9課会話1		
じぶん（自分）	6課会話2	しゅうまつ（週末）	16課会話2
しぼる（絞る）	10課会話2	しゅうりょう[する]（終了[する]）	13課読もう
*しほんきん（資本金）	15課読もう		
しみん（市民）	9課読もう	しゅうりょうしき（修了式）	2課会話2
じむ（事務）	15課練習	じゅぎょう（授業）	4課練習
しめい（氏名）	4課読もう	しゅくはく[する]（宿泊[する]）	2課練習
*しめる（占める）	12課読もう		
～しゃ（～者）	4課読もう	じゅけん[する]（受験[する]）	19課会話2
*～しゃ（～社）	15課読もう	*じゅこう[する]（受講[する]）	4課読もう
しゃかい（社会）	6課練習		
*しゃかいべんきょう（社会勉強）	6課練習	しゅじゅつ[する]（手術[する]）	7課読もう
しゃくしょ（市役所）	9課読もう	*じゅしょう[する]（受賞[する]）	15課読もう
～じゃなくて	1課会話1		
しゅう（週）	4課練習	しゅだん（手段）	18課読もう
～じゅう（～中）	1課会話2	しゅっさん（出産）	11課読もう
じゆう[な]（自由[な]）	16課練習	しゅふ（主婦）	6課練習
じゅうぎょういん（従業員）	15課読もう	じゅんばん（順番）	1課練習
じゅうぎょういんすう（従業員数）	15課読もう	～しょ（～書）	1課練習
		～じょ（～所）	1課会話1
*しゅうじつ（終日）	1課読もう	しょう（賞）	15課読もう
*しゅうしゅうき（収集機）	20課会話2	～じょう（～状）	4課会話1
		*～じょう（～錠）	7課練習
しゅうしょく[する]（就職[する]）	15課練習	～じょう（～場）	16課練習
しゅうせい[する]（修正[する]）	10課練習	しょうがくせい（小学生）	20課練習
		*しょうがじる	

（しょうが汁）	10課読もう	～しょこく（～諸国）	12課読もう
しょうがっこう（小学校）	13課練習	じょし（助詞）	3課練習
*しょうぎ（将棋）	3課練習	*しょしん（初診）	7課会話1
じょうぎ（定規）	16課読もう	じょせい（女性）	6課練習
*しょうきゃく［する］		しょちゅうみまい	
（焼却［する］）	20課読もう	（暑中見舞い）	11課読もう
じょうきょう（状況）	2課練習	*しょっかん（食間）	7課練習
*じょうざい（錠剤）	7課練習	しょっき（食器）	13課練習
じょうし（上司）	3課練習	*しょようじかん	
*じょうしゃ［する］		（所要時間）	9課読もう
（乗車［する］）	9課読もう	しる（汁）	10課練習
*しょうじょ（少女）	16課読もう	しろ（城）	16課読もう
しょうしょう（少々）	2課会話1	しろ（白）	7課練習
*しょうじょう（症状）	7課会話1	しん～（新～）	8課会話2
じょうたつ［する］		じんこう（人口）	4課練習
（上達［する］）	5課読もう	しんさつ［する］	
しょうてんがい（商店街）	9課会話1	（診察［する］）	7課会話1
*しょうひ［する］		*じんじ（人事）	15課読もう
（消費［する］）	11課練習	じんじゃ（神社）	18課練習
しょうひん（商品）	8課読もう	しんせい［する］	
*じょうほうし（情報誌）	5課練習	（申請［する］）	4課読もう
*じょうほうしょり		しんぽ［する］	
（情報処理）	15課会話1	（進歩［する］）	20課読もう
*じょうむ（常務）	15課読もう	*しんや（深夜）	13課読もう
しょうゆ（しょう油）	10課読もう		
しょうりゃく［する］		―す―	
（省略［する］）	3課練習	す（酢）	10課読もう
*ショーケース	8課会話1	すいか	16課読もう
しょくご（食後）	7課会話2	*すいぎんたいおんけい	
しょくぜん（食前）	7課練習	（水銀体温計）	20課練習
しょくば（職場）	15課会話2	*すいさんぶつ（水産物）	12課読もう
しょくひん（食品）	8課読もう	すいません。	3課会話1
しょくりょう（食料）	11課読もう	～すう（～数）	11課練習

すうじ（数字）	10課練習	*セクション	16課練習
スープ	14課練習	*せだい（世代）	16課読もう
すぎ（過ぎ）	9課練習	せっかく	5課読もう
ずきずき	7課練習	せっけい［する］	
ずきんとする	7課会話1	（設計［する］）	15課読もう
すごいひと（すごい人）	6課練習	せつりつ［する］	
すごさ	16課読もう	（設立［する］）	15課読もう
すこしも（少しも）	11課練習	セミナー	18課練習
すごす（過ごす）	5課読もう	〜せん（〜線）	9課会話2
*すそ	8課練習	ぜん〜（全〜）	12課練習
〜ずつ	7課会話2	せんい（繊維）	20課会話2
すっかり	3課会話2	ぜんいん（全員）	5課読もう
スパゲッティ	14課練習	せんじつ（先日）	2課読もう
スペイン	12課読もう	*センス	14課練習
すべて	15課会話2	ぜんたい（全体）	12課読もう
すむ［はなしが〜］		せんたくもの（洗濯物）	2課練習
（済む［話が〜］）	8課練習	*せんでん［する］	
する［3,000えん〜］		（宣伝［する］）	8課読もう
（する［3,000円〜］）	12課会話1	*せんむ（専務）	15課読もう
する［4、5にち〜］			
（する［4、5日〜］）	7課会話2	ーそー	
		そういう	14課練習
ーせー		そういうわけで	15課会話2
*せいかつじょう（生活上）	7課練習	そういえば	16課会話1
*せいさんき（精算機）	1課読もう	そうおん（騒音）	13課会話1
せいぞう［する］		*そうげいバス	
（製造［する］）	15課読もう	（送迎バス）	9課読もう
*せいちょう［する］		*そうしんひょう	
（成長［する］）	15課読もう	（送信票）	2課読もう
せいねんがっぴ		*そうしんまいすう	
（生年月日）	7課読もう	（送信枚数）	2課読もう
せいべつ（性別）	7課読もう	そうたい［する］	
せかいいち（世界一）	12課読もう	（早退［する］）	4課会話2
せき（席）	1課会話1	*そうむ（総務）	4課読もう

ぞくぞく	7課練習	だい～（大～）	6課会話2
そこで	16課読もう	だい～（第～）	8課練習
*そしき（組織）	15課読もう	～だい（～代）	11課練習
*そだいごみ（粗大ごみ）	20課会話1	だい～い（第～位）	12課読もう
そだち（育ち）	6課練習	だいサービス	
そつぎょう［する］（卒業［する］)	6課会話2	（大サービス）	14課読もう
		*たいざい［する］	
そのうち	7課会話1	（滞在［する］)	6課読もう
そのうちに	5課練習	だいすう（台数）	11課練習
そのた（その他）	4課練習	だいとかい（大都会）	6課会話2
そのてん（その点）	16課会話2	だいひょう［する］	
そのとおりに	9課会話2	（代表［する］)	8課練習
そのように	2課会話2	だいぶ（大分）	5課読もう
そば	16課会話2	*たいへいよう（太平洋）	18課読もう
ソフト	13課練習	ダイヤ	20課練習
ソフトウェア	4課練習	たいわん（台湾）	12課読もう
そら（空）	19課練習	たから（宝）	20課読もう
それが	19課会話2	たからくじ（宝くじ）	15課練習
それぞれ	12課練習	たからもの（宝物）	20課練習
それでしたら	8課会話1	*たけ（竹）	16課読もう
それとも	17課読もう	だけど	16課会話2
それはいかんな。	4課会話2	たしか（確か）	5課会話1
それほどでも。	14課会話1	たしかに（確かに）	15課会話2
それよりも	18課練習	たす（足す）	18課会話1
それら	20課読もう	だす［おかねを～］	
そろう	13課会話3	（出す［お金を～］)	11課会話3
そんけい［する］		たすう（多数）	15課練習
（尊敬［する］)	8課練習	たすかる（助かる）	17課会話1
そんなこと	5課会話2	たずねる（尋ねる）	1課会話1
そんなことありません。	3課練習	ただ（～だけでいい）	3課会話2
そんなに	3課練習	だったら	18課会話1
		たっぷり	14課読もう
ーたー		たてもの（建物）	6課会話2
*ターミナル	9課読もう	たてる［けいかくを～］	

（立てる［計画を～］）	5課読もう	*チャンネル	13課練習
たとえる（例える）	16課会話1	～ちゅう（～中）	1課読もう
たのしむ（楽しむ）	18課読もう	ちゅうい［する］	
*たのみごと（頼みごと）	17課読もう	（注意［する］）	1課練習
*ダブルクリック［する］	10課練習	*ちゅういがき（注意書き）	13課練習
たまには	11課会話2	ちゅういてん（注意点）	7課練習
たまる［しごとが～］		ちゅうおう（中央）	9課練習
（たまる［仕事が～］）	19課会話2	ちゅうか（中華）	5課練習
だめ［な］	17課会話2	ちゅうしょく（昼食）	18課練習
たよる［ゆにゅうに～］		ちゅうしん（中心）	12課会話1
（頼る［輸入に～］）	12課会話2	ちゅうもん［する］	
～だらけ	20課会話2	（注文［する］）	13課練習
*たれ	10課読もう	*ちょうさ［する］	
たんご（単語）	3課読もう	（調査［する］）	16課練習
たんしょ（短所）	19課練習	ちょうしょ（長所）	19課練習
*たんす	20課会話1	*ちょうじょう（頂上）	18課会話1
だんせい（男性）	11課読もう	ちょうしょく（朝食）	18課練習
*だんち（団地）	20課会話1	*ちょうみりょう	
たんとうしゃ（担当者）	2課練習	（調味料）	10課会話2
*たんなる～（単なる～）	20課読もう	～ちょうめ（～丁目）	2課読もう
		チョコレート	11課読もう
		チラシ	8課読もう

―ち―

～ち（～地）	18課会話2	―つ―	
ちいき（地域）	12課練習		
ちきゅう（地球）	20課読もう	ツアー	18課会話2
*ちく（地区）	6課会話2	つい	13課会話1
チケット	5課練習	*ついしん（追伸）	3課読もう
ちこく［する］		ついていく（ついて行く）	9課会話2
（遅刻［する］）	2課会話1	ついでに	20課会話1
*ちしき（知識）	4課練習	つうきん［する］	
*ちじん（知人）	11課読もう	（通勤［する］）	1課会話1
ちほう（地方）	18課会話2	*つうこうにん（通行人）	9課会話1
ちゃいろ（茶色）	10課練習	*つうしん［する］	
～ちゃく（～着）	18課練習	（通信［する］）	2課読もう

299

つかいすてる（使い捨てる）	20課読もう	できあがり（出来上がり）	10課読もう
～つき（～付き）	14課読もう	できる［きゅうようが～］（出来る［急用が～］）	5課練習
つきあたり（突き当たり）	9課練習	できれば	4課会話1
つぎの（次の）	5課会話2	でぐち（出口）	1課読もう
つく［いろが～］（付く［色が～］）	10課練習	*てさぎょう（手作業）	12課練習
*つける［（ ）を～］（付ける［（ ）を～］）	3課練習	でしたら	18課会話2
つける［たれに～］	10課読もう	*デジタルカメラ	8課練習
つごうのいい（とき）（都合のいい（時））	3課会話2	テニスコート	16課練習
つたえる（伝える）	2課会話2	てばやく（手早く）	10課会話2
つづく（続く）	5課読もう	でる［くすりが～］（出る［薬が～］）	7課会話2
つづく［インド、アメリカと～］（続く［インド、アメリカと～］）	4課練習	でる［だいとかいに～］（出る［大都会に～］）	6課会話2
つつみこむ（包み込む）	10課読もう	でる［ねつが～］（出る［熱が～］）	5課練習
つつむ（包む）	10課会話2	でる［ひようが～］（出る［費用が～］）	4課練習
つとめる（勤める）	15課会話2	てんいん（店員）	8課会話1
つま（妻）	5課練習	てんきん［する］（転勤［する］）	3課会話2
―て―		でんげん（電源）	11課練習
で	6課会話2	*でんごん［する］（伝言［する］）	2課会話2
ていあん［する］（提案［する］）	17課会話1	でんし～（電子～）	8課練習
*ＴＱＣ	15課読もう	*てんじ［する］（展示［する］）	2課読もう
ていきゅうび（定休日）	1課読もう	でんしじしょ（電子辞書）	8課練習
ディズニーランド	6課練習	てんじょう（天井）	3課会話1
ていねいたい（丁寧体）	15課練習	てんしょく［する］（転職［する］）	15課会話2
テーマ	19課練習	*てんしょくぐみ（転職組）	15課会話2
てがはなせない（手が離せない）	3課会話1		
～てき（～的）	15課会話1		

*でんぴょう（伝票）	11課会話2	とくべつ［な］（特別［な］）	8課練習
		とこ	16課会話1
−と−		とこや（床屋）	12課会話1
［お］といあわせ		とざん（登山）	18課会話1
（［お］問い合わせ）	9課読もう	とし（都市）	12課練習
〜という	6課練習	とし（年）	15課練習
ということは	15課会話2	〜として	8課読もう
〜といえば	19課読もう	としょ（図書）	1課練習
ドイツ	12課読もう	としをとる（年をとる）	19課読もう
トイレットペーパー	20課会話2	とちゅう（途中）	8課会話1
どういうふうに	20課会話1	どちらか	3課練習
*とうえき（当駅）	1課会話2	どっか	14課練習
とうきょうと（東京都）	2課読もう	トップ	15課読もう
*とうしょ［する］		とても	12課会話1
（投書［する］）	6課練習	とどく（届く）	2課練習
どうしようかな。	5課会話1	〜とともに	15課読もう
*どうにゅう［する］		どなたさまですか。	
（導入［する］）	15課読もう	（どなた様ですか。）	13課会話1
とうほく（東北）	18課会話2	*〜どの（〜殿）	4課読もう
どうりょう（同僚）	3課練習	どのように	17課読もう
とうろん［する］		*とバス（都バス）	9課読もう
（討論［する］）	19課練習	*とほ（徒歩）	9課読もう
とおり（通り）	6課会話2	とめる（泊める）	17課練習
〜どおり（〜通り）	9課会話1	*ともばたらき（共働き）	19課会話1
〜どおり	12課練習	とりあつかい（取り扱い）	1課会話1
とおる［きぼうが〜］		とりかえ（取り替え）	3課会話1
（通る［希望が〜］）	4課練習	とりかえる（取り替える）	3課会話1
とかい（都会）	5課練習	*とりけし（取り消し）	1課練習
とかす（溶かす）	10課練習	どりょく［する］	
どきどき	16課練習	（努力［する］）	20課読もう
とくい［な］（得意［な］）	6課練習	どれくらい	18課会話1
*とくしょく（特色）	15課読もう	ドレス	8課練習
*どくとくの（独特の）	6課会話2	とれる［いたみが〜］	
とくに（特に）	11課読もう	（取れる［痛みが〜］）	7課会話1

とんでもない	14課会話2	～にとって	17課読もう
どんどん	6課会話2	にゅうがく［する］	
		（入学［する］）	11課読もう
ーなー		にゅうしゃ［する］	
～ない（～内）	1課会話2	（入社［する］）	6課練習
*ないせんばんごう		にゅうじょう［する］	
（内線番号）	2課練習	（入場［する］）	2課読もう
*ナイター	5課練習	*にゅうりょく［する］	
なおす［びょうきを～］		（入力［する］）	10課会話1
（治す［病気を～］）	4課練習	～によって	1課会話2
なかなか	19課会話1	*にら	10課読もう
*ながねぎ（長ねぎ）	10課読もう	にんき（人気）	12課練習
*ながめ（眺め）	18課読もう	にんげん（人間）	15課会話2
なくなる［ひとが～］		*にんげんかんけい	
（亡くなる［人が～］）	18課練習	（人間関係）	15課会話2
なごやし（名古屋市）	4課読もう		
なにかありましたら		**ーぬー**	
（何かありましたら）	8課会話1	ぬく（抜く）	7課練習
なにもございませんが		ぬける（抜ける）	9課会話1
（何もございませんが）	6課会話1		
*なまごみ（生ごみ）	20課練習	**ーねー**	
なるほど。	10課会話1	ねぎ	10課読もう
なん～（何～）	11課読もう	*ねこのひたい（猫の額）	16課会話1
～なんか	8課会話1	ねっする（熱する）	10課練習
なんとなく（何となく）	19課読もう	ねんがじょう（年賀状）	11課読もう
		*ねんざ	7課会話2
ーにー		～ねんだい（～年代）	12課読もう
にあう（似合う）	14課会話1	ねんねん（年々）	6課会話2
にこにこ	16課練習	ねんのため（念のため）	7課会話1
にこむ（煮込む）	10課練習	ねんまつ（年末）	5課読もう
にし（西）	1課練習	ねんれい（年齢）	7課読もう
*にじかい（二次会）	5課会話2		
にちじ（日時）	18課練習	**ーのー**	
*にちようひん（日用品）	11課読もう	のうりつ（能率）	12課練習

のうりょく（能力）	2課練習	はくぶつかん（博物館）	16課読もう
*のうりょくしけん（能力試験）	2課練習	バスてい（バス停）	9課読もう
		バター	10課練習
*ノーざんぎょうデー（ノー残業デー）	1課練習	はたす（果たす）	11課読もう
*ノートパソコン	3課練習	*はたらきがい（働きがい）	15課会話2
のこり（残り）	9課練習	～はつ（～発）	18課練習
～のころ	20課会話1	ばつ（×）	2課練習
～のところ	4課会話1	*パック	18課会話2
のばす（伸ばす）	10課読もう	*はっしんしゃ（発信者）	2課読もう
のばす［じかんを～］（延ばす［時間を～］）	17課練習	*はってん［する］（発展［する］）	12課練習
のび（伸び）	12課読もう	*はつゆき（初雪）	5課読もう
～のほう（～の方）	18課会話2	はで［な］（派手［な］）	8課練習
のぼる（登る）	18課会話1	はなしあう（話し合う）	5課練習
のぼる（上る）	1課読もう	はなしごえ（話し声）	13課読もう
*のみや（飲み屋）	5課会話2	はなみ（花見）	12課練習
～のように	1課練習	はやる［うたが～］（はやる［歌が～］）	9課練習
のりかえ（乗り換え）	9課読もう	はれる	7課会話1
のりば（乗り場）	9課会話2	*バレンタインデー	11課読もう
のる（載る）	8課読もう	ハンカチ	20課練習
		はんたい［する］（反対［する］）	11課練習
―は―			
はあ。	8課会話2	はんだん［する］（判断［する］）	17課読もう
バーゲン	12課練習	～ばんち（～番地）	2課読もう
はいる［ボーナスが～］（入る［ボーナスが～］）	13課練習	*はんのう［する］（反応［する］）	13課練習
はいる［よていが～］（入る［予定が～］）	5課練習	～ばんめ（～番目）	12課練習
はがき（葉書）	3課読もう	―ひ―	
～ばかり	11課会話1	～ひ（～費）	16課練習
はきけ（吐き気）	4課練習	～び（～日）	4課読もう
～はく／ぱく（～泊）	18課会話2		
はくさい（白菜）	10課読もう		

ひがえり（日帰り）	18課会話1	―ふ―	
ひかく［する］		～ぶ（～部）	2課会話1
（比較［する］）	12課会話1	*ファイル	10課練習
ひがし（東）	1課練習	ファクシミリ	2課読もう
*ひきとる（引き取る）	19課会話1	～フェアー	4課会話1
*ひきにく（ひき肉）	10課会話2	ふえる（増える）	1課会話2
ひく［じしょを～］		*ふかけつ［な］	
（引く［辞書を～］）	3課読もう	（不可欠［な］）	4課読もう
ひじ	7課会話1	*ふきん（布きん）	10課会話2
ビジネス	4課読もう	*ふくしゃちょう	
ひっこし［する］		（副社長）	15課読もう
（引っ越し［する］）	2課練習	ふくむ（含む）	2課読もう
*ヒットしょうひん		*ふさわしい	4課読もう
（ヒット商品）	15課練習	ふつう（普通）	3課練習
ビデオデッキ	19課読もう	*ぶっか（物価）	12課会話1
ひどい	4課会話2	ぶつかる［ひとと～］	
ひとばんじゅう（一晩中）	1課練習	（ぶつかる［人と～］）	7課練習
ひとびと（人々）	15課読もう	*ふっとう［する］	
*ひので（日の出）	18課会話1	（沸騰［する］）	10課読もう
ひゆ（比ゆ）	16課読もう	ぶぶん（部分）	10課練習
ひよう（費用）	4課練習	フライパン	10課練習
ひょうじ［する］		プラグ	13課読もう
（表示［する］）	1課読もう	ブラジル	3課練習
ひょうしき（標識）	9課会話2	フランス	12課読もう
ひょうばん（評判）	14課練習	ふりがな（振り仮名）	17課会話1
ひょうめん（表面）	10課会話2	プリンター	14課練習
ひらく（開く）	2課読もう	プリント［する］	8課練習
*ひらく［ファイルが～］		ふる～（古～）	20課読もう
（開く［ファイルが～］）	10課練習	プロ	14課会話2
ひりひり	7課練習	プログラム	4課読もう
～ひん（～品）	11課読もう	プロジェクト	16課練習
ひんしつ（品質）	18課練習	*フロッピー	10課練習
ヒント	16課読もう	ふわっと	10課練習
		ぶん（文）	3課練習

〜ぶん（〜分）	11課会話3	（訪問［する］）	6課会話1
ふんいき（雰囲気）	6課会話2	ボーナス	5課練習
*ふんかこう（噴火口）	18課読もう	ホーム	9課練習
ぶんつう［する］		ホームシック	19課練習
（文通［する］)	6課読もう	*ボール	10課会話2
〜ぶんの1（〜分の1）	12課会話1	*ぼしゅう［する］	
*ぶんぼうぐ（文房具）	1課練習	（募集［する］）	6課読もう
		ほしょう［する］	
ーへー		（保証［する］）	8課会話1
べいこく（米国）	12課読もう	ほしょうきかん	
へいせい（平成）	18課読もう	（保証期間）	8課会話1
へいほうメートル		ほぞん［する］	
（平方メートル）	18課練習	（保存［する］）	10課練習
へえ	3課練習	*ボックス	20課会話2
ページ	2課読もう	ほっとする	16課会話1
ぺこぺこ	7課練習	〜ほど	2課会話1
べつ（別）	15課会話2	ほどうきょう（歩道橋）	9課練習
ペットボトル	20課会話2	ほとんど	17課会話1
べつべつ（別々）	19課会話1	ほね（骨）	7課会話1
へる（減る）	12課練習	ボランティア	3課練習
*ベル	6課会話1	*ほんかくか［する］	
〜へん（〜辺）	6課会話2	（本格化［する］)	12課読もう
*へんかん［する］		*ほんじつ（本日）	1課読もう
（変換［する］)	10課会話1	*ほんば（本場）	14課読もう
*ペンパル	6課読もう		
		ーまー	
ーほー		まあ	14課会話1
〜ほう（〜方）	13課練習	まい〜（毎〜）	7課練習
*ぼうえき（貿易）	15課練習	*まいしょく（毎食）	7課練習
ほうこく［する］（報告［する］）	1課練習	*まいど（毎度）	1課会話2
ぼうし［する］		まいとし（毎年）	6課練習
（防止［する］)	13課読もう	まえ（は）（前（は））	4課練習
*ぼうそうぞく（暴走族）	16課会話2	まえもって（前もって）	17課会話1
ほうもん［する］			

305

*まきこむ（巻き込む）	18課会話1	みどりのまどぐち	
まじる（混じる）	20課練習	（みどりの窓口）	1課会話1
ますます	12課会話2	みどり（緑）	12課練習
まぜあわせる		みなみ（南）	1課練習
（混ぜ合わせる）	10課会話2	みにつける［かいわりょくを～］	
また	12課練習	（身に付ける［会話力を～］）	
まちあわせ［する］			4課読もう
（待ち合わせ［する］）	2課読もう	みにつける［ふくを～］	
まってました！		（身に付ける［服を～］）	14課会話1
（待ってました！）	14課会話2	みのまわり（身の周り）	19課読もう
［お］まつり（［お］祭り）	3課練習	*みほんいち（見本市）	9課読もう
～まで［は］	4課練習	*みみたぶ（耳たぶ）	10課会話2
まどぐち（窓口）	1課会話1	*みみにする（耳にする）	3課読もう
まとめる［～のかたちに～］		みりょく（魅力）	18課読もう
（まとめる［～の形に～］）	10課練習	*みんげいかん（民芸館）	18課練習
まどり（間取り）	16課会話1		
まなぶ（学ぶ）	6課読もう	―む―	
まねく（招く）	6課会話1	むかう［みなみぐちのほうに～］	
まもる（守る）	20課練習	（向かう［南口の方に～］）	9課会話2
まよう（迷う）	11課練習	むかし（昔）	12課練習
まる（○）	2課練習	むかむか	7課練習
まんが（漫画）	11課練習	むちゅうになる	
マンション	19課会話1	（夢中になる）	13課会話1
まんぞく［する］		むね（胸）	7課練習
（満足［する］）	15課会話2	むり［する］	
		（無理［する］）	4課会話2
―み―		むりょう（無料）	2課読もう
みかける（見かける）	9課読もう		
*みじんぎり		―め―	
（みじん切り）	10課会話2	～めい（～名）	4課読もう
～みたい［な］	5課練習	～めい（～名）	15課読もう
～みたいに	6課会話2	～めいさま（～名様）	18課会話2
みちあんないばん		めいわく（迷惑）	13課読もう
（道案内板）	9課読もう	めったに	15課会話2

めとはなのさき （目と鼻の先）	16課会話2	*やまごや（山小屋）	18課会話1
*メニュー	10課会話1	*やまのてせん（山手線）	16課練習
めん	14課読もう	やまやま（山々）	18課読もう
めんどう［な］（面倒［な］）	9課会話2	やる［えいがを～］ （やる［映画を～］）	13課練習
*めんぼう（めん棒）	10課読もう		

－も－

－ゆ－

もう（いっけん） （もう（一軒））	5課会話2	*ゆうがいごみ （有害ごみ）	20課練習
*もうちょう（盲腸）	7課読もう	ゆうじん（友人）	11課読もう
*モーターショー	2課読もう	*ゆうらん［する］ （遊覧［する］）	18課会話2
*モーターズ	2課読もう	ゆうり［な］（有利［な］）	15課会話1
*モード	10課会話1	*ゆうれい（幽霊）	16課読もう
*モーニングサービス	14課練習	ゆっくりする	6課会話2
*もくざい（木材）	20課読もう	ゆでる	10課会話2
もちもの（持ち物）	18課読もう	*ゆにゅうもの（輸入物）	12課会話2
もったいない	20課会話1	ゆれる（揺れる）	16課会話2
*モットー	15課読もう		
もっとも（最も）	4課練習		
*モデルチェンジ［する］	19課読もう		

－よ－

～もん（～問）	20課練習	～よう（～用）	15課読もう
*もんしんひょう（問診表）	7課読もう	～ようし（～用紙）	2課練習
		*ようしょく［する］ （養殖［する］）	12課読もう

－や－

		～ように	15課練習
*やかん（夜間）	4課練習	*ようほう（用法）	7課練習
*やきとり（焼き鳥）	11課会話3	*ようよやく（要予約）	18課読もう
やく（焼く）	10課練習	よこ（横）	9課読もう
*やくいん（役員）	15課読もう	よごす（汚す）	13課練習
やくす（訳す）	3課練習	よさん（予算）	8課会話1
やくわり（役割）	11課読もう	よびだす（呼び出す）	10課練習
やくをつける（訳を付ける）	17課練習	*よみあわせ（読み合わせ）	17課会話1
やっぱり	19課会話2	*よゆう（余裕）	18課読もう
やはり	19課読もう	～より	9課読もう

よる［どりょくに～］	
（よる［努力に～］）	20課読もう
*よろこび（喜び）	18課読もう
よろこんで。（喜んで。）	3課会話2
よろしい	2課練習
よろしかったら	5課読もう

ーらー

ラーメン	14課練習
らいにち［する］	
（来日［する］）	17課読もう
らく［な］（楽［な］）	19課読もう
*～らん（～欄）	2課読もう
ランチ	14課読もう

ーりー

リサイクル［する］	20課会話2
*リターンキー	10課練習
りっぱ［な］（立派［な］）	20課読もう
りゆう（理由）	4課読もう
～りょう（～料）	2課読もう
りよう［する］	
（利用［する］）	1課会話2
りょうきん（料金）	18課読もう
りょうしゅうしょ（領収書）	8課会話2
りょうしん（両親）	3課練習
*りょうめんコピー［する］	
（両面コピー［する］）	9課練習
*りょうりにん（料理人）	14課読もう
りょかん（旅館）	5課練習
*りょこうだいりてん	
（旅行代理店）	18課会話2

ーるー

*～るい（～類）	12課読もう
*ルート	18課読もう

ーれー

レシート	8課練習
*レントゲン	7課会話1

ーろー

ロールプレイカード	1課練習
ロシア	12課読もう
*ろてんぶろ（露天風呂）	18課練習

ーわー

*ワープロソフト	10課会話1
わかれる［みちが～］	
（分かれる［道が～］）	9課会話1
*わしょく（和食）	5課練習
［お］わすれもの	
（［お］忘れ物）	1課会話1
～わり（～割）	4課練習
わりあい（割合）	12課読もう
わりかん（割り勘）	11課会話3
わりやす（割安）	18課会話2
わる（割る）	10課練習
わるいね。（悪いね。）	11課会話2

ーをー

～をとおして	6課読もう

ーんー

ん？	14課練習

新日本語の中級

本冊

2000年 9月20日　初版第 1 刷発行
2025年 3月11日　第 23 刷　発　行

著作・編集　一般財団法人　海外産業人材育成協会（AOTS）
　　　　　　(旧)財団法人　海外技術者研修協会（AOTS）
発行者　　　藤嵜政子
発行　　　　株式会社　スリーエーネットワーク
　　　　　　〒102-0083　東京都千代田区麹町3丁目4番
　　　　　　　　　　トラスティ麹町ビル2F
　　　　　　電話　営業　03(5275)2722
　　　　　　　　　編集　03(5275)2725
　　　　　　https://www.3anet.co.jp/
印刷　　　　日本印刷株式会社

ISBN978-4-88319-161-1 C0081

落丁・乱丁本はお取替えいたします。
本書の全部または一部を無断で複写複製（コピー）することは
著作権法上での例外を除き、禁じられています。

新日本語の中級
本冊

―解答・スクリプト―

財団法人海外技術者研修協会

目次
もく じ

　　　　　　　　　　　　　　　　　　　　　　　　　　　　　ページ

- 第 1 課 ……………………………………………………… 1
- 第 2 課 ……………………………………………………… 3
- 第 3 課 ……………………………………………………… 6
- 第 4 課 ……………………………………………………… 9
- 第 5 課 ……………………………………………………… 12
- 第 6 課 ……………………………………………………… 16
- 第 7 課 ……………………………………………………… 19
- 第 8 課 ……………………………………………………… 22
- 第 9 課 ……………………………………………………… 24
- 第 10 課 …………………………………………………… 27
- 第 11 課 …………………………………………………… 30
- 第 12 課 …………………………………………………… 33
- 第 13 課 …………………………………………………… 35
- 第 14 課 …………………………………………………… 38
- 第 15 課 …………………………………………………… 41
- 第 16 課 …………………………………………………… 44
- 第 17 課 …………………………………………………… 47
- 第 18 課 …………………………………………………… 51
- 第 19 課 …………………………………………………… 55
- 第 20 課 …………………………………………………… 59

第1課　尋ねる・確かめる

解答

会話の練習

1. 1）入り　　2）上り　　3）下り
   4）西　　5）北　　6）非常
5. 1）お手洗い　　2）大きさ（長さ、太さ）　　3）踊り
   4）会議　　5）予定

読もうの練習

1. 1）一晩中　　2）食事中　　3）試験中
   4）会議中　　5）一年中　　6）出張中
2. A ⑩　B ⑥　C ⑧　D ⑨
   E ⑤　F ②　G ①　H ⑦
   I ④　J ③　K ⑪
3. 1）⑦　2）⑤　3）④　4）⑧　5）①
   6）⑥　7）⑨　8）②　9）⑪　10）⑩

聞こう

1. 1）②　2）③　3）①　4）②
2. ②

聞こうのスクリプト

問題1．正しい番号を選んでください。

例）　バーゲンセールに合う絵を選んでください。

A：あそこに「バーゲンセールなになに」って書いてありますね。
　　あれはどういう意味ですか。
B：ああ、あれは12月に店を閉めるので「安く売っています」っていうこと。
A：ああ、そうですか。

1）　二人の会話に合う絵を選んでください。
　　A：あれは、なに・・・注意って読むんですか。
　　B：あれは、「頭上」注意。頭の上に気をつけろってことです。
　　A：ああ、上で作業をしているからですね。

2）　正しい場所はどこですか。
　　A：ねえ、今、何て言った。
　　B：「白線の内側にお下がりください」だよ。
　　A：ああ、この線から出ないように、っていうこと？
　　B：うん。

3）　二人の会話に合う絵はどれですか。
　　A：あそこに「お座席での」の後、何て書いてあるの？
　　B：あれ？　「お座席での御飲食は御遠慮ください」だよ。
　　A：席で食事するのはだめ、っていうこと？
　　B：うん、それだけじゃなくて、飲み物もだめ。
　　A：ああ、そうなの。

4）　会話に合う絵はどれですか。
　　A：あそこに「なになに禁止」って書いてありますけど、どう読むんですか？
　　B：ああ「駐輪禁止」。
　　A：ああ、車を停めちゃだめってこと？
　　B：ううん、自転車、車じゃなくって。

問題２．次の新幹線のアナウンスを聞いて、正しい絵を選んでください。
　　A：毎度特急ＡＯＴＳを御利用くださいましてありがとうございます。この列車は５両編成でございます。指定席は３号車のみでございます。また１号車から３号車までは禁煙車両となっております。食堂車は４号車、公衆電話は２号車にございます。

第2課　電話で連絡する

解答

会話の練習
1. 1）ごろ　2）ほど　3）ほど　4）ごろ
2. 1）終わり　2）乾き　3）増え（多くなり）
   4）終わり（完成し、出来）
5. 1）ない　2）都合が悪く（用事があっ、約束があっ）
   3）会議中な　4）いっぱいな

読もうの練習
1. 1）日本語、英語　2）日本語（日本）、英語（アメリカ）
   3）内容、感想　4）アジア、ヨーロッパ
2. 1）来る　2）行く（参加する）　3）受ける　4）使う
3. 1）○　2）×　3）○　4）○

聞こう
1. 1）田中、井上、9、3、仕事、参加
   2）金、韓、今度、日曜日、会える、返事
   3）松本、アナン、終わっ、電話し、03-3694-9348
   4）李、実習が終わっ、来週、帰る
2. 1）技術センター、月、金、9、6、03-3814-2721
      03-3814-2787
   2）9、14、15、16、遊びに行き、045-786-1634

聞こうのスクリプト

問題1．次の会話を聞いて、その内容を伝言メモに書いてください。
例）　A：中国の研修生の李ですが、高木さんはいらっしゃいますか。
　　　B：もう帰りましたが、何か伝えておきましょうか。
　　　A：いや、<u>特</u>にありません。来週の月曜の9時ごろまた電話します。
　　　B：23日の9時ごろですね。
　　　A：はい。

1) A：井上と申します。田中さんをお願いしたいんですが。
   B：今ちょっと席を外しておりますが、伝言がございましたら、伝えておきます。
   A：じゃ、お願いします。9月3日は仕事の都合で参加できなくなりました。申し訳ございませんとお伝えください。
   B：9月3日はお仕事の都合で参加できなくなったということですね。
   A：はい、そうです。よろしくお願いします。

2) A：韓国の韓ですが、金さんをお願いします。
   B：金さんはまだ帰っておりませんが。
   A：じゃ、すみませんが、伝言をお願いできますか。
   B：はい、どうぞ。
   A：今度の日曜日、会えるかどうか返事が欲しいと伝えてください。
   B：はい、わかりました。

3) A：タイのアナンですが、松本さんをお願いします。
   B：松本は今会議中なんですが。
   A：そうですか。じゃ、すみませんが、会議が終わりましたら、電話をいただけませんか。番号は03-3694-9348です。
   B：はい、わかりました。03-3694-9348ですね。
   A：はい、そうです。よろしくお願いします。

4) A：もしもし、李と申しますが、井上さんのお宅でしょうか。
   B：はい、そうです。
   A：御主人はいらっしゃいますか。
   B：今あいにく出張で大阪に行っておりますが、何か伝えておきましょうか。
   A：はい、お願いします。あのう、無事に実習が終わって来週国へ帰りますと伝えていただけませんか。
   B：はい。わかりました。実習が終わって来週お国へお帰りになるんですね。
   A：はい。
   B：どうぞお体に気を付けてください。

問題２．次の電話のテープを聞いて、（　）の中に言葉を入れてください。

１）こちらは技術センターでございます。本日の受付時間は終了しました。受付時間は月曜日から金曜日までの午前９時から午後６時まででございます。お急ぎの方は夜間受付03-3814-2721におかけください。ファックスをお使いの方は03-3814-2787でお願いいたします。

２）吉田でございます。ただいま留守にしておりますが、御用の方はピーッという音の後で、お名前と御用件をお話しください。

　李です。９月14、15、16日が休みなので、そちらに遊びに行きたいんですが、御都合はいかがですか。今晩できたらお電話ください。こちらの電話番号は045-786-1634です。

第3課　頼む

解答

会話の練習

3．1）持っている　　2）置いておいて　　3）なくしてしまった
　　4）落ちていました　5）読んでおいてください　6）しまっておきました

5．1）しました　2）なって　3）して　4）なって

6．1）（どうしたらいいでしょうか。）　2）（だめだと思っているんですよ。）
　　3）（どうですか。）　　　　　　　4）（外で食べようか。）

9．1）シャワーのお湯が出ないので、調べてほしいんですが。
　　2）漢字を勉強したいんですが、いい本を紹介していただけないでしょうか。
　　3）エアコンが壊れているので、修理してほしいんです。
　　4）国の会社でも使いたいんですが、この資料をコピーさせていただけない
　　　でしょうか。
　　5）部屋の鍵が掛かりにくいので、見てほしいんですが。
　　6）国から両親が会いに来るんですが、2、3日休ませていただけない
　　　でしょうか。

読もうの練習

1．1）軽井沢にはどのくらいいるんですか。
　　2）京都では来週から大きなお祭りが始まりますよ。
　　3）鈴木先生には学生時代、随分お世話になりました。
　　4）長野では98年に冬のオリンピックがあったんですよ（ありましたよ）。

3．1）お礼の言葉　　　　　2　〜　5
　　　依頼　　　　　　　　6　〜　11
　　　終わりのあいさつ　　12　〜　14
　　　追伸　　　　　　　　17　〜　19
　　2）お礼の言葉　　　　　2　〜　3
　　　感想　　　　　　　　4　〜　6
　　　終わりのあいさつ　　7　〜　8

4．1）（新しい単語を調べるには）持っている辞書が小さい、
　　　（もっと）良い辞書を紹介して
　　2）いつも持って歩い、単語がたくさん入っている

聞こう

1. 1）Ⅱ　　2）Ⅲ　　3）Ⅱ
2. 1）やっていない　2）忙しい　3）かかる

聞こうのスクリプト

問題１．正しい文を一つ選んでください。

１）事務所で女の人と男の人が話しています。男の人はどうしますか。
　Ａ：佐々木くん、ごめん。
　Ｂ：何？
　Ａ：コピーの紙、なくなっちゃったんだけど、倉庫から取って来てくれない？
　Ｂ：今はだめ。ちょっと手が離せないから。
　Ａ：あっそう。

　Ⅰ．コピーの紙がなくなったので、倉庫に取りに行きます。
　Ⅱ．忙しいので、倉庫にコピーの紙を取りに行くことができません。
　Ⅲ．日本語が話せないので、倉庫にコピーの紙を取りに行くことができません。

２）ホテルの受付で男の人と女の人が話しています。男の人は何と言っていますか。
　Ａ：あの、403号室の田村ですが。
　Ｂ：はい。
　Ａ：あの、ベッドが柔らかすぎて、寝られないんです。腰が悪いものですから、もっと固いのに変えてもらえないでしょうか。
　Ｂ：はい、かしこまりました。30分ほどお待ちいただけますか。

　Ⅰ．寝られないので、部屋を変えてほしい。
　Ⅱ．ベッドが柔らかいので、腰が悪くなった。
　Ⅲ．腰が悪いので、固いベッドに変えてほしい。

３）寮で男の人と女の人が話しています。男の人はどうしますか。
　Ａ：ねえ、山田さん、何か長い物、ない？
　Ｂ：長い物？
　Ａ：うん、ロッカーの後ろに鍵、落としちゃったんだ。

B：ううん、あるかなあ。ちょっと管理人さんに聞いてみるから、待ってて。

　Ⅰ．鍵をなくしてしまったので、ロッカーを開けることができない。
　Ⅱ．長い物で鍵を取ろうと思っている。
　Ⅲ．管理人さんに鍵を取ってもらいたいと思っている。

問題２．佐々木さんが小川さんにゴルフを教えてくれと頼んでいます。
　　　　小川さんが断る理由をメモを取りながら、聞いてください。

佐々木：ねえ、小川さん。
小川　：何?
佐々木：実は、昨日ゴルフクラブ、買ったんだよ。
小川　：へえ、佐々木さんもゴルフ始めるの?
佐々木：うん、そうなんだ。で、是非、小川さんに、教えてもらおうと思って。
小川　：えっ、だめだよ。だめだめだめ。僕なんかまだ下手だから。
佐々木：えっ、でも、課長から、小川君はうまいんだ、って聞いたぜ。
小川　：いやあ、でも、子どもが生まれてから、ずっとやっていないし。
佐々木：大丈夫、大丈夫。
小川　：それに忙しくて、今、仕事が。
佐々木：いや、小川さんの都合がいい時でいいんだよ。いつでも。
小川　：佐々木さん、ゴルフって、お金がかかるんだよ。
佐々木：いや、教えてもらうんだから、私が、お金、払いますよ。
小川　：ううん、仕方がないな。じゃ、来月になったら、一緒に行こう。
佐々木：わあ、良かった。

第4課　許可をもらう
だい　か　きょか

解答
かいとう

会話の練習
かいわ　れんしゅう

1．1）その　　2）そこ　　3）あそこ　　4）その、あの
2．1）に　　2）のところに　　3）のところに　　4）に
6．1）治った（大丈夫な、元気になった）　　2）嫌いな
　　なお　　だいじょうぶ　げんき　　　　　　　きら
　　3）何を話している　　4）どうした
　　　なに　はな
7．1）慣れてきた　　2）無くなった　　3）なってきた　　4）なった
　　　な　　　　　　　　な
8．1）声　　2）音　　3）味　　4）吐き気
　　　こえ　　　おと　　　あじ　　　は　け

読もうの練習
よ　　　　れんしゅう

1．2）現在世界で最も人口が多い国は中国である。次にインド、アメリカと続く。
　　　げんざいせかい　もっと　じんこう　おお　くに　ちゅうごく　　　つぎ　　　　　　　　　　　　　つづ
　　4）ATCは、製品の7割を海外へ輸出している自動車メーカーである。
　　　　　　　　せいひん　わり　かいがい　ゆしゅつ　　　　　　じどうしゃ
　　　本社は大阪にある。
　　　ほんしゃ　おおさか
2．海外協力、山口英子（さん）、2000年12月9日、AOTS外語学院、
　　かいがいきょうりょく　やまぐちえいこ　　　　　　　　　ねん　がつここのか　　　　　　　がいごがくいん
　　ビジネス英会話コース、150,000
　　　　　　　えいかいわ

聞こう
き

1．1）b　　2）c　　3）a　　4）b
2．1）b、b
　　2）(d)　→　a　→　f　→（g）→　b　→　c　→　e

聞こうのスクリプト
き

問題1．次の会話を聞いて、a、b、cの中から内容に合う文を選んでください。
もんだい　つぎ　かいわ　き　　　　　　　　なか　ないよう　あ　ぶん　えら
　例　（街で、李さんが着物を着ている女の人と話しています。）
　れい　まち　リー　　きもの　き　　　おんな　ひと　はな

A：あのう、すみませんが、写真を1枚、撮らせていただけませんか。
　　　　　　　　　　　　しゃしん　　まい　と
B：え？　私の？
　　　　わたし
A：ええ。是非お願いします。
　　　　ぜひ　ねが

B：そうですか。じゃ、私で良ければ…

1）（会社で李さんが課長と話しています。）
　　A：あのう、課長、ちょっとお願いがあるんですが。
　　B：何ですか。
　　A：明日の発表の練習をしたいので、昼休みちょっと会議室を使わせていただきたいんですが。
　　B：昼休み？　うん、かまわないよ。

2）（会社の昼休みに小川さんがコンピューターの前に座っています。）
　　A：あ、小川さん、何やってるの。
　　B：ゲーム。昨日、新しいのを買って来たんだ。
　　A：へえ。面白そうね。あとで、私にもやらせて。
　　B：いいよ。もう少しで終わりそうだから、ちょっと待␣ってて。

3）（李さんは小川さんが作った資料を読んでいます。）
　　A：小川さん、この資料、私にも役に立ちそうなので、ちょっとコピーさせていただけませんか。
　　B：あ、これ？　いいですよ。はい、どうぞ。
　　A：じゃ、ちょっとお借りします。

4）（小川さんが女の人と資料を読みながら話しています。）
　　A：この資料、コピーして外の人にも配りましょう。
　　B：そうですね。あ、小川さん、これも一緒にコピーしていただけますか。
　　A：これですね。はい、わかりました。

問題2．会社で李さんが課長と話しています。
　　　　会話を聞いて、次の質問に答えてください。
　　1）李さんは課長に何をお願いしましたか。
　　2）李さんはどんな順序で話をしましたか。
　　A：あのう、課長、今よろしいでしょうか。
　　B：うん、何？
　　A：実は昨日、研修センターの井上さんと電話で話したんですが、来月の25日と26日、センターのスキー旅行があるそうなんです。

B：ああ、あれ。僕のところにも、案内のファックスが来てるよ。
A：そうですか。あのう、できれば是非、参加させていただきたいんですが。
B：スキーか。ええと、25と26ねえ... 木曜と金曜か。
A：はい。
B：2日も実習を休むのは、ちょっと困るなあ。
A：そうですか。
B：うん、今、実習が予定よりちょっと遅れているからね。
　　それに、今作っているあのプログラム、早く完成させたいし。
A：そうですね。でも、あと1か月ありますから、
　　それまでにプログラムが完成できるように、頑張ります。
B：ううん。でもねえ...
A：私、今までに一度もスキーをしたことがないので、
　　やってみたいんですが...
B：そう。
A：それに、久しぶりにセンターの先生にもお会いしたいので、できれば是非…
B：そうだなあ。いい思い出になるしね。じゃ、旅行に行けるように、
　　実習の予定について部長に相談してみようか。
A：ありがとうございます。よろしくお願いします。

質問

1）李さんは課長に何をお願いしましたか。a，b，cの中から選んでください。
2）李さんはどんな順序で話をしましたか。
　　a～gの文を正しい順序に並べてください。

第5課　誘う・断る

解答

会話の練習

1. 1) よ　2) よ、ね　3) な、かな　4) な、かな　5) よね　6) かな

読もうの練習

2. 1) a　2) b　3) b　4) a

4. 1) 雪がなくて、スキーができなかった　2) 家に忘れてしまった
   3) 定休日だった（休みだった）　4) 病気になってしまった

5. 1) 伺えたら　2) 来ていただけたら
   3) お借りできたら　4) 出席していただけたら

聞こう

1. 1) Ⅱ　2) Ⅲ　3) Ⅱ　4) Ⅰ
2. 1) Ⅲ　2) Ⅱ　3) Ⅱ　4) Ⅱ
3. 日、モーターショー、新しいモデル、珍しい、新しい技術、女性、10、新宿、西口

聞こうのスクリプト

問題1
女の人は何と答えたらいいですか。次の3つの中から選んでください。
例）
Ⅰ. 男：馬さんはさびしいと思ったときは、どうしますか。
　　女：そうですね。友達とお酒を飲んだり、一緒に話したりします。
Ⅱ. 男：馬さんはさびしいと思ったときは、どうしますか。
　　女：そうですか。友達とお酒を飲んだり、一緒に話したりします。
Ⅲ. 男：馬さんはさびしいと思ったときは、どうしますか。
　　女：そうですよ。友達とお酒を飲んだり、一緒に話したりします。

1)
Ⅰ. 男：日本の食べ物は、味が薄くておいしくないですね。

女：そうですね。健康にもいいし、私はおいしいと思います。
Ⅱ．男：日本の食べ物は、味が薄くておいしくないですね。
　　女：そうですか。健康にもいいし、私はおいしいと思います。
Ⅲ．男：日本の食べ物は、味が薄くておいしくないですね。
　　女：そうですよ。健康にもいいし、私はおいしいと思います。

２）

Ⅰ．男：働きすぎて病気になる人もいますから気を付けてください。
　　女：そう？健康が第一だからね。
Ⅱ．男：働きすぎて病気になる人もいますから気を付けてください。
　　女：そうかなあ。健康が第一だからね。
Ⅲ．男：働きすぎて病気になる人もいますから気を付けてください。
　　女：そうだよね。健康が第一だからね。

３）

Ⅰ．男：子供が病気で入院することになったので、今日は会社を休みたいんですが。
　　女：そうですね。それは大変ですね。お大事に。
Ⅱ．男：子供が病気で入院することになったので、今日は会社を休みたいんですが。
　　女：そうですか。それは大変ですね。お大事に。
Ⅲ．男：子供が病気で入院することになったので、今日は会社を休みたいんですが。
　　女：そうですよ。それは大変ですね。お大事に。

４）

Ⅰ．男：来週の忘年会に行く？
　　女：そうね。行くかどうかまだ考えてるんだ。
Ⅱ．男：来週の忘年会に行く？
　　女：そうよ。行くかどうかまだ考えてるんだ。
Ⅲ．男：来週の忘年会に行く？
　　女：そうか。行くかどうかまだ考えてるんだ。

問題２．次の会話に合う文をⅠ、Ⅱ、Ⅲの中から選んでください。
　例）　Ａ：小川さん、確か<u>クラシック</u>音楽が好きでしたよね。
　　　　Ｂ：ええ、大好きです。
　　　　Ａ：実は、今週の土曜日のコンサートの切符が２枚あるんですが、

　　　　　一緒にいかがですか。
　　　B：土曜日はちょっと、別の用事があるものですから。
　　　A：そうですか。

Ⅰ．小川さんはクラシック音楽が好きだが、土曜日は都合が悪いので断った。
Ⅱ．小川さんは土曜日は時間があるが、クラシック音楽が嫌いなので断った。
Ⅲ．小川さんはクラシック音楽が好きなので、土曜日に一緒に行くことにした。

1)　A：伊藤さん、一緒に会社の近くのスポーツクラブに入りませんか。
　　　　スポーツは健康にいいですし。
　　B：でもねえ、僕は通勤時間が長いからねえ。
　　A：毎日する必要はないんですよ。週に2日ぐらいどうですか。
　　B：ううん、まだ、子供が小さくて、遅くなると妻が大変だから。
　　　　ちょっとね。

Ⅰ．伊藤さんは健康にいいのでスポーツクラブに入ることにした。
Ⅱ．伊藤さんは毎日残業があるので入るのをやめた。
Ⅲ．伊藤さんは家が遠いし、子供が小さいので、入らない。

2)　A：来週の野球の試合に伊藤さんも出られますか。
　　B：いや、次の日に大阪に出張するんで、ちょっと。
　　A：そうですか。でも、人数が足りないので、是非出ていただけないでしょうか。
　　B：ううん、残念だけど次の機会にしておくよ。

Ⅰ．伊藤さんは野球が嫌いなので出るのを断った。
Ⅱ．伊藤さんは次の日に大阪に出張するので断った。
Ⅲ．伊藤さんは人数が足りないので試合に出るつもりだ。

3)　A：李さん、今度の日曜日、何か予定がありますか。
　　B：ええと、今のところ別にありません。
　　A：私は家族とディズニーランドに行くんだけど、
　　　　良かったら一緒に行きませんか。
　　B：ディズニーランドですか。
　　　　すみません、せっかく誘っていただいたんですが、何度も行ったことが

　　　　　あるので・・・実は、先月も友達と行ったばかりなんです。
　　　　A：そうですか。

Ⅰ．李さんは一緒にディズニーランドに行くことにした。
Ⅱ．李さんは何度もディズニーランドに行ったことがあるので断った。
Ⅲ．李さんは日曜日忙しいので断った。

4）　A：伊藤さん、あさって暇？
　　　B：うん、何？
　　　A：ちょっと一杯飲みに行かないかと思って。
　　　B：ああ、いいね。スケジュールを確かめてみるよ。
　　　　　あ、あさっては学生時代の友達と約束があったんだ、ごめん。
　　　A：そう、じゃあしかたがないな。

Ⅰ．伊藤さんは暇なので飲みに行くことにした。
Ⅱ．伊藤さんは約束があって飲みに行けない。
Ⅲ．伊藤さんは体の調子が悪いので飲みに行けない。

問題3．次の会話を聞いて、（　）の中に言葉を入れてください。
伊藤：あ、李さん、モーターショーの招待券が2枚あるんですが、
　　　今度の日曜日、もし時間があったら一緒にどうですか。
李　：モーターショーですか。どんなことをするんですか。
伊藤：日本や外国の自動車メーカーが新しいモデルの車を見せるんですよ。
　　　珍しい車や新しい技術を使った車がいろいろ見られますよ。
李　：へえ、そうですか。
伊藤：それに車の説明をしてくれる女性もきれいだしね。
　　　会場はいつも人でいっぱいですよ。
李　：それは面白そうですね。
　　　カメラを持って行ってもかまいませんか。
伊藤：ええ、大丈夫です。
李　：何時から始まりますか。
伊藤：9時からなんですけど、10時に新宿駅の西口で会いませんか。
李　：分かりました。西口ですね。

第6課　訪問する・紹介する

解答

会話の練習

1. 1) ③d ④i　　2) ⑤j ⑥b　　3) ⑦f ⑧c　　4) ⑨e ⑩g
3. 1) b　2) a　3) b　4) b
4. 1) どうだった
   2) どこへ行く
   3) (アメリカの) どこで落ちた (どこな)
   4) どのくらい行く
6. 1) 見ました (会いました)、まじめそうな人
   2) 行きました、きれいな
   3) 聞きました、(とても) 面白
   4) 行きました、大きな家 (大きい、きれい)
7. 1) 技術が進んだ　2) 涼しい　3) いろいろな言葉が話せる
   4) 天気がいい
8. 1) 事故があった　　　　　2) 雨が降る (雨になる)
   3) 留守 (いない、出かけている)　4) 故障している (壊れている)
9. 1) a　2) b　3) a　4) b

読もうの練習

2. 正解例：日本の文化や習慣を学び、実習、日本人の考え方を学び

聞こう

1. 1) d　2) c　3) b　4) f
2. 1) a. ×　b. ×　c. ○　d. ×
   2)
   ```
    3 | 2
   ---+---
    1 | 4
   ```

聞こうのスクリプト

問題1. aからfの中から正しいものを選んで会話を完成させてください。
　例) A：すみません。
　　　B：はい、何でしょうか
　　　A：今日から隣の課で研修する中国の李と申します。

ここで３か月の間、研修する予定です。よろしくお願いいたします。
　　　　B：伊藤です。（ａ．こちらこそどうぞよろしく。）
１）　A：こんにちは。
　　　B：あ、伊藤さん、どうぞ。お待ちしていました。
　　　A：失礼します。これはつまらない物ですが。
　　　B：これは、これは、（　　　　　　　　　）
２）　A：ごめんください。
　　　B：あ、李さん、待っていました。
　　　A：すみません、ちょっと遅れまして。
　　　B：まあ、まあ、よく来てくれました。さあ、（　　　　　　　　　）
３）　A：李さん、どうぞ足を崩してください。
　　　　　お国では椅子とテーブルの生活でしょう？
　　　B：ええ、でも大丈夫です。
　　　A：無理なさらなくてもいいですよ。（　　　　　　　　　）
４）　A：すき焼きは食べたことがありますか。
　　　B：天ぷらはあるんですが。
　　　A：そうですか。さあ、出来ましたよ、おあがりください。
　　　　　あ、卵につけて食べるとおいしいですよ。
　　　B：はい、（　　　　　　　　　）

問題２．
１）次の会話を聞いて正しいものには○、正しくないものには×を入れてください。
２）二人が話した順序のとおりに、絵に番号を入れてください。

伊藤さんはブラジル人のロベルトさんを訪ねました。
今日はお祭りの日で、ブラジル人のパレードがあります。
伊藤　　：ごめんください。
ロベルト：ああ、伊藤さん、お待ちしていました。
　　　　　さあ、どうぞお上がりください。
伊藤　　：失礼します。
　　　　　これは日本酒なんですが。一緒に飲もうと思って。
ロベルト：これはどうも。気を使っていただいて、ありがとうございます。
伊藤　　：今日はいい天気で良かったですね。
ロベルト：ええ、１年に１回のお祭りですからね。
伊藤　　：この町のブラジル人のパレードは有名なんで、楽しみにしてたんです。

ロベルト：今年もみんな頑張っていますよ。
　　　　　特に、今回は70人の子供が一緒にブラジルのダンスを踊るんで、
　　　　　きっと面白いですよ。
伊藤　：へえ、それは楽しそうですね。で、いつごろからこのお祭りに
　　　　　ブラジル人のパレードが出るようになったんですか。
ロベルト：ええと、5年くらい前かな。日本に仕事に来たブラジル人が
　　　　　お祭りで踊ったのが、始まりです。
　　　　　今では、そのパレードを見たくて見物に来る人も増えてきました。
伊藤　：この町は外国人が多いって聞きましたけど、
　　　　　何人ぐらい住んでいるんですか。
ロベルト：今は、3,800人ぐらいいると思いますよ。
　　　　　町の人口の1割が外国人なんです。
　　　　　私みたいなブラジル人のためのスーパーとかレストランも
　　　　　あるんですよ。
伊藤　：そうですか。じゃあ、生活しやすくていいですね。
ロベルト：ええ。あ、もうこんな時間ですね。
　　　　　そろそろパレードが始まりますよ。通りに出ましょうか。
伊藤　：ええ。

1）次の文を聞いて正しいものには○、正しくないものには×を入れてください。
例：　ロベルトさんはブラジル人だ。
a．　今年のお祭りで子供が日本のダンスを踊る。
b．　この町の人口の2割がブラジル人だ。
c．　ブラジル人のためのいろいろなお店がある。
d．　この町は外国人には住みにくい。
2）　二人が話した順序のとおりに、絵に番号を入れてください。

第7課　症状を伝える

解答

会話の練習

1. 1）お入りください　2）お飲みください　3）お出しください
   4）お読みください
5. 1）がんがん　2）ひりひり　3）ぞくぞく　4）ずきずき
   5）からから　6）むかむか
6. 1）もう一度チェックして（練習して）　2）着て
   3）傘を持って行き　4）電話で確かめて
9. 1）食前、2カプセルずつ　2）食間、1錠ずつ　3）毎食後、2錠ずつ
10. 1）一人ずつ　2）2錠ずつ　3）12本ずつ　4）1枚ずつ

活動

2. 1）2　2）青カプセル　　毎食後
   　　　　　白錠剤　　　毎食間
   3）3　4）青カプセル　　9
   　　　　　白錠剤　　　12
   　　　　　合計　　　　21

聞こう

1. （3）やけど、　（1）骨が折れている、
   （2）ねんざ、　（4）歯が痛い
2. （4）（1970）年（5）月（6）日
   （5）（28）歳
   （6）（スキーを）してころんで、（腰）を強く打った。
   　　それからずっと（痛く）て、（歩き）にくい。
   （2）日前から
   （7）b
   （8）a、1年前、盲腸

聞こうのスクリプト

問題1．医者の言葉を聞いて、正しい絵を選んでください。
　例）　医者：熱がありますね。のどもはれていますね。薬を出しておきますから、
　　　　　　　2、3日しても治らないときはまた来てください。
　1）　医者：痛むでしょう。レントゲン写真を見てください。
　　　　　　ここの骨に異常があるのが分かるでしょう。
　　　　　　ほら、ここが。分かりますか。
　2）　医者：触ると痛みますか。
　　　　　　かなりはれていますね。まあ、骨には異常はないでしょうが、
　　　　　　念のためレントゲンを撮ってみましょう。
　3）　医者：お湯をこぼしたんですか。ずいぶん赤くなっていますね。
　　　　　　痛みますか。2日ぐらいはお風呂に入らない方がいいですよ。
　　　　　　今日は塗り薬と痛み止めを出しておきますよ。
　4）　医者：じゃあ、口を開けてください。あ、大分はれていますね。
　　　　　　これじゃあ痛くて何も食べられないでしょう。

問題2．病院で研修生と会社の担当者が話しています。
　　　　会話を聞いて問診表に記入してください。
　小川：医者に診てもらう前に、この問診表に記入しなければならないんです。
　　　　私が書きましょうか。
　李　：ええ、お願いします。
　小川：李さん、生年月日はいつですか。
　李　：生年月日って何ですか。
　小川：生まれた日です。
　李　：ああ、そうですか。
　　　　1970年5月6日です。
　小川：1970年5月6日ですね。
　　　　何歳ですか。
　李　：28歳です。
　小川：ええと、28歳。
　　　　じゃあ、症状を詳しく言ってください。
　李　：スキーをしていて転んで、腰を強く打っちゃったんです。
　　　　それから、ずっと腰が痛くて、歩きにくいんです。

小川：いつからですか。
李　：ええと、2日前からです。
小川：アレルギーがありますか。
李　：特にありません。
小川：手術したことは？
李　：ええと、1年ぐらい前に盲腸の手術をしました。
小川：盲腸ですね。外には？
李　：いいえ、ありません。

第8課　買い物する

解答

会話の練習

1. 1) d　2) f　3) e　4) c　5) a
5. 1) なんか　2) の方が　3) なら　4) なら　5) なんか
　　6) なんか

読もうの練習

2. 1) 呼ばれた　2) 笑われる　3) 誘われた　4) 頼まれ
　　5) 聞かれ　6) 書かれ
3. 1) B　2) A　3) C　4) A　5) C　6) A　7) B　8) C　9) B

聞こう

1. 1) (言われ)て　→　(言う)
　　2) (売られ)てる　→　(売る)
　　3) (書かれ)た　→　(書く)
　　4) (宣伝され)てる　→　(宣伝する)
2. 1) b　2) a　3) c　4) f
3. 1) ×　2) ○　3) ×　4) ○　5) ×

聞こうのスクリプト

問題1．次の会話の中の受け身形を辞書形に変えてください．
例)　新聞と一緒にいつもチラシが配られてるんだけど、どう思う？
　　…ううん、紙の無駄ね。
1)　これ、体にいいって言われて買ったんだけど、本当かな。
　　…さあ、一度飲んでみたら。
2)　このごろいろんな物が健康食品として売られてるね。
　　…そうね。あんまり買ったことないけどね。
3)　あそこに現品限りって書かれた紙がはってあるね。安くなってるのかな？
　　…うん、多分ね。
4)　いらっしゃい、いらっしゃい。

これがテレビでよく宣伝されてるウォークマンですよ。
...ちょっと見せて。

問題2．店で女の人が店員と話しています。女の人が買いたいものは何ですか。下の絵の中から選んでください。

例） A：ニュースとか音楽とか中国の番組を聞こうと思って・・・。
　　 B：これなら、中国や韓国のもよく聞こえますよ。

1） A：日本語を勉強するのに、使いたいんですが。
　　 B：聞くだけでしょうか、それとも録音もできるものがいいでしょうか。
　　 A：どちらもできるものがいいです。あ、それから軽いのがいいんですが。
　　 B：じゃ、これなんかぴったりですよ。いかがですか。

2） A：これは軽いですね。それにモニターも付いているんですね。
　　 B：ええ、この画面で今撮ってるものが見られるんですよ。
　　　　それだけじゃなくて、お客さん自身も撮れるんですよ。
　　 A：それは便利ですね。

3） A：すみません、これください。
　　 B：はい、ありがとうございます。急に降ってきましたね。
　　 A：ええ。今日は降らないと思ったんですけどね。
　　 B：ええ。

4） A：これはいくつぐらい言葉が入っているんですか。
　　 B：5万語です。
　　 A：住所とか電話番号も登録できますか。
　　 B：はい、もちろんできます。

問題3．次の会話を聞いて正しいものには○、正しくないものには×を入れてください。

A：ちょっとすみません。日本語の辞書が欲しいんですが。
B：こちらにいろいろございますが。
A：分からない漢字の読み方を調べるのに使いたいんですけど。
B：それじゃ、この漢和辞典はどうでしょうか。
A：ん、これは言葉の意味が漢字で書いてあるので、読めませんね。
　　説明が平仮名で書かれているものはありませんか。
B：そうですか。じゃ、小学生が使っているような辞書がいいかもしれませんね。
　　これなんかいかがですか。外国の方もよくお買いになりますし。
A：これはいいですね。漢字には全部振り仮名が付けてあるし、
　　説明も外の辞書より易しそうですね。これにします。
B：はい、ありがとうございます。

第9課　道を尋ねる

解答

会話の練習

1. 1) 渡った　2) 入った　3) 曲がった　4) 降りた
2. 1) そこ、その　2) その、あそこ、その
3. 1) 「中田」、町　2) 「花」、歌　3) 「小川さん」、人
   4) 「スターウォーズ」、映画

読もうの練習

1. 1) 大田交差点横、区役所前　2) 大田駅下車、Ａ２出口すぐ右
   3) 徒歩10分　4) 桜通り一丁目下車
2. 1) 突き当たり　2) 残り　3) 行き、帰り　4) 過ぎ
   5) 貸し、借り　6) 着替え

聞こう

1. 1) 3番、近い　2) 東京、緑色　3) 新幹線乗り場、50m
   4) 左、右折、100
2. 1) 産業会館　2) カメラ、15　3) 本

聞こうのスクリプト

問題1．次の会話を聞いて、文を完成させてください。

例）（地下街で）
A：すみません。お手洗いはどこにありますか。
B：ええと、まっすぐ行って、あの靴屋の角を左へ曲がったところにあります。
A：どうもありがとうございます。

1) （地下鉄の改札口で）
A：あのう、すみません。桜商店街へ行くには、何番の出口が一番いいですか。
B：ああ、商店街？　あそこの3番出口の階段を上がると、すぐですよ。
A：3番ですね。どうもありがとうございました。

2）（横浜駅で）
A：ちょっとすみません。新宿へ行きたいんですが、どの電車に乗ったらいいでしょうか。
B：新宿はですね、ええと、東京行きの電車に乗って、品川で降りてください。それから山手線に乗り換えてください。緑色の電車です。
A：東京行きに乗って、品川で降りて、山手線に乗り換えればいいんですね。
B：はい、そうです。
A：どうもありがとうございました。

3）（駅で）
A：あのう、みどりの窓口はどこにありますか。
B：みどりの窓口はええと…あそこに「新幹線乗り場」と書いてありますね。
A：はい。
B：あの案内板の矢印のとおりに行ってください。ここから50mほど先にあります。
A：そうですか。どうもありがとうございました。

4）（町の中で）
A：ちょっと伺いますが、中区役所へ行く道を教えていただけませんか。
B：ええと、あそこの角を左へ曲がると、大通りに出ます。
A：左ですね。
B：はい、そこを右へ曲がってまっすぐ、そうですね、100mぐらい行くと、右側にありますよ。
A：どうもありがとうございました。

問題２．二人の会話を聞いて、地図の中の（　　　）に言葉を入れてください。
（李さんが地図を見ながら田村さんの説明を聞いています。）
A：すみません。カメラが故障しちゃったもんですから、修理に出したいんですが、カメラ屋はありませんか。
B：カメラ屋ね。ええと、寮はここで、カメラ屋は…ここね。歩いて15分ぐらいで行けるわよ。
A：あ、そうですか。
B：寮を出ると、すぐ右の方に横断歩道があるでしょう。
A：はい。ここですね。
B：そう。これを渡ってずっとまっすぐ行って、一つ目、二つ目の信号をね。
A：はい。
B：ここを左に曲がって少し行くと、左の方にＡＢＣカメラの看板が見えるから。

この右にあるのは産業会館。知ってるでしょ？
A：ああ、あの産業会館ですか。わかりました。
　　それから、本屋も近くにありますか。
B：ええと、確か、カメラ屋から少し行ったところにあったと思うけど。
A：そうですか。どうもありがとうございました。

第10課　手順を説明する

解答

会話の練習

3．1）○　　2）×　　3）×　　4）○

5．1）ぐるりと　　2）こんがりと　　3）さっと　　4）ふわっと

読もうの練習

1．1）なる　　2）加え　　3）包み込む　　4）伸ばして
   5）ゆでる　　6）浮き上がる　　7）つけて

聞こう

1．1）f　　2）b　　3）d　　4）e

2．1）b
   2）c → e → d → a → b
   3）白く、赤い、固く

聞こうのスクリプト

問題1．次の文は、どの機械の使い方を説明していますか。
　　　　a～fの中から選んでください。
　例）　ここにお金を入れて、切符の金額を選んで、ボタンを押してください。
　　　　何か問題が起きた場合は、この赤いボタンを押せば、係の人が来てくれますよ。
　1）　ここにお金を入れて、それから欲しいものを選んでボタンを押すだけでいいんですよ。簡単でしょう？　あ、でも、Lサイズがいいときは、まずこの右のボタンを押して、それから買いたいものを選ぶようにしてください。順序が違うと、サイズが選べませんから。お釣りは自動的に出て来ますけど、出ない場合はこのレバーを回してみてください。
　2）　ええと、まず字が書いてある方を下にして、ここに紙を置きます。そうしたら、相手の番号を押して、スタートボタンを押せばいいんです。それから、きちんと送れたかどうか確かめたい時は、このボタンを押せばチェックできますよ。

3) まず最初に書類をこうやってこの上に置いて。次に何枚欲しいか、枚数を押して...ええと、サイズは自動的に選んでくれるからこのままで大丈夫。あ、それから、字の大きさや濃さを変えたい時は、ここで調節して。あとは、このスタートボタンを押すだけだよ。

4) 始めにこのメニューから「お引き出し」をお選びください。次にカードをこちらに入れ、お客様の暗証番号を入力なさってください。そして必要な金額を入力して、その表示が正しければ、確認の所を押してください。これで、現金が出て参ります。カードも一緒に出て参りますので、お忘れにならないように御注意ください。

問題２．馬さんは小川さん達としゃぶしゃぶを食べに行きました。店での会話を聞いて、次の質問に答えてください。

1) この料理はどんな料理ですか。a～dの中から選んでください。
2) どうやって食べますか。a～eの絵を小川さんが説明した順序に並べてください。
3) おいしく食べるには、どうすればいいですか。（　）に言葉を入れて文を完成させてください。

A：これ、何ていう料理ですか。

B：しゃぶしゃぶだよ。馬さん、食べたこと、ない？

A：ええ、初めてです。どうやって食べるか、教えていただけませんか。

B：いいよ。じゃ、まずたれだね。ここにあるねぎとしょうがをたれに入れて、それからこの皿の牛肉を、はしで１枚ずつ取って。

A：はい。...ずいぶん薄く切ってありますね。

B：うん。しゃぶしゃぶは、薄い肉のほうがおいしいんだよ。

A：お湯で肉をゆでるんですね。

B：いや、長い時間ゆでるんじゃなくて、肉がちょっと白くなるまででいいんだよ。白くなったらさっと取り出して。

A：これくらいでいいですか。

B：うん。牛肉はすぐ固くなるから、やり過ぎないようにした方がいいよ。まだちょっとだけ赤いくらいがうまいんだ。

A：はい、いただきます。．．．ああ、おいしい！　小川さん、こっちにある野菜はどうするんですか。

B：これも肉と同じように、お湯に入れて、サッと取り出して、たれにつけて食べるんだよ。さあ、馬さん、食べてみて。

A：はい。

質問
1) この料理はどんな料理ですか。a～dの中から選んでください。
2) どうやって食べますか。a～eの絵を小川さんが説明した順序に並べてください。
3) おいしく食べるには、どうすればいいですか。(　　　)に言葉を入れて、文を完成させてください。

第11課　人とつきあう

解答

会話の練習

3．1）うちでごろごろしてばかりい、外で遊びなさい（外で運動しなさい）
　　2）テレビを見てばかりい、家の仕事を手伝いなさい（本を読みなさい）
　　3）ビールを飲んでばかりい、何か食べなさい
　　4）そんなに働いてばかりい、休みなさい
6．1）×　2）○　3）×　4）×
7．1）○　2）×　3）×　4）○

読もうの練習

1．1）パソコンを利用する　　2）携帯電話を使う
　　3）ケーブルテレビを見る　4）牛乳を飲む　5）卵を食べる
3．1）遅れた　2）遅れる　3）する　4）行く　5）なった
　　6）する
4．1）○　2）×　3）○　4）×

聞こう

1．1）B　2）A　3）B　4）A
2．1）C　2）D　3）B　4）A
3．1）○　2）○　3）×　4）×　5）○

聞こうのスクリプト

問題1．次の会話を聞いて、「いいよ」が「〜してもいい」の意味の場合はA、
　　　「〜しなくてもいい」の意味の場合はBと書いてください。
　例1）　A：このボールペン、借りてもいいですか。
　　　　B：いいよ。
　例2）　A：じゃ、今日の食事代、私が払います。
　　　　B：いいよ。
　1）　A：ここにある皿、全部片づけといた方がいい？
　　　　B：いいよ。いいよ。

2)　A：この資料、コピーしてもいいですか。
　　B：いいよ。
3)　A：この資料、明日の会議までにコピーすればいいんですか。
　　B：あ、それはいいよ。
4)　A：あのう、ちょっと寒いんで、クーラー消したいんですが。
　　B：あ、いいよ。

問題２．次の会話を聞いて、何のための贈り物をしているか、
　　　　A～Eの中から正しいものを選んでください。

例)　A：高橋さん、おめでとうございます。
　　B：え？
　　A：29歳になったんでしょう？
　　B：ああ、そうそう。今日は10月1日だったね。
　　A：これ、プレゼントなんですけど。
　　B：わあ、どうもありがとう。よく覚えててくれたね。

1)　A：おめでとうございます。女の子だそうですね。
　　B：ええ。
　　A：もう名前は決めました？
　　B：いえ、なかなか決まらなくて。
　　A：そうですか。あのう、これ、お祝いです。
　　B：あ、どうもすみません。
　　A：じゃ、奥様にもよろしく。

2)　A：式まであと2週間だそうですね。
　　B：ええ、今旅行の準備とかいろいろ忙しくて。
　　A：そうですか。あのう、これ、つまらないものですけど、
　　　　お二人で使ってください。
　　B：どうもすみません。
　　A：じゃ、<u>お幸せに</u>。

3)　A：か・と・う・さん！
　　B：何？
　　A：これ、どうぞ。
　　B：わ、どうもありがとう。
　　A：今日はいっぱいもらってるんでしょう、チョコレート？
　　B：<u>そんなことないさ</u>。

　　　　A：私のを一番先に食べてね。
　　　　B：うん。
4）　A：山本さん、大丈夫ですか。
　　　　B：あ、木村さん、来てくださったんですか。
　　　　A：ええ。びっくりしましたよ。山本さんが入院したって聞いて。
　　　　B：御心配かけてすみません。
　　　　A：これ、田舎から送って来たりんごなんですけど。
　　　　B：あ、どうもすみません。

問題3．会社で朝、田中さんと李さんが話しています。
　　　　会話を聞いて正しいものには○、正しくないものには×を入れてください。
A：田中さん、おはようございます。
B：あ、李さん、おはよう。
A：ゆうべはどうもありがとうございました。
B：いや、いろいろ面白い話が聞けて楽しかったよ。
A：奥様の料理、本当においしかったです。
B：いやいや。
A：それにとても広い家でびっくりしました。
B：とんでもない。
A：息子さん、風邪はどうですか。
B：あ、もう元気になって、今日は学校行ってるよ。そうそう、ゆうべは随分遅くなっちゃったけど、電車には間に合った？
A：ええ、大丈夫でした。
B：それは良かった。うちは駅から遠いからねえ。
　　それに電車も遅くなると少ないし。
A：でも、緑が多くて、とてもいい所ですね。
B：いやあ、近くに店が少ないって、いつも家内が文句を言ってるよ。
A：そうですか。
B：ま、良かったら、また遊びに来て。
A：ありがとうございます。
B：そうそう。李さん、ギョーザ作るの、うまいそうだね。
A：あ、国ではよく作ってますけど。
B：じゃ、今度うちで作ってもらおうかな。
A：はい、分かりました。

第12課　比較する

解答

会話の練習

1. 1）も　2）は　3）も　4）は
2. 1）○　2）×　3）○　4）×
4. 1）間に合う　2）話せる　3）使える　4）にぎやかに
5. 1）らしい　2）だろう　3）だろう、らしい　4）だろう、らしい
6. 1）出来てきた　2）増えてきた、増えていく　3）なってきて
   4）変わっていく

読もうの練習

1. 1）機械化　2）都市化　3）自動化　4）映画化
2. 1）輸出先　2）出張先　3）送り先　4）行き先
3. 1）×　2）○　3）×　4）○

聞こう

1. 1）○　2）×　3）○　4）○
2. 1）[c]（③）　2）[d]（④）　3）[b]（⑤）　4）[e]（②）
3. 1）○　2）×　3）×　4）×

聞こうのスクリプト

問題1．例のように、男の人が言っている「～じゃない」の中で、「～だと思う」と同じ意味のものに○、そうでないものには×を入れてください。

例1）　A：あの人、どこの国の人か、知ってる？
　　　B：多分、タイ人じゃないかな。

例2）　A：あの人、タイの人かな。
　　　B：多分、タイ人じゃないよ。

1）　A：何か、外で音がしてるね。
　　　B：多分、雨の音じゃない。
　　　　けさ、天気予報で、今晩降るだろうって言ってたよ。

2）　A：このノート、小川さんの？

　　　　B：え、これ、僕のじゃないよ。誰のだろう。
3）　A：この町も、10年前と比べると、随分変わりましたね。
　　　　B：うん、一番変わったのは駅の周りじゃないかな。
　　　　　新しい店がかなり増えたから。
4）　A：今度の土曜日は、台風が来るらしいから、ピクニックはまた今度にしようか。
　　　　B：え、台風が来るのは金曜日でしょう？　土曜日はもう大丈夫じゃない。

問題２．次の文を聞いて、内容に合うグラフをa～eの中から選んでください。
　　　　そして、そのグラフに一番いい題名を右の①～⑤の中から選んでください。
例）　アメリカからの水産物輸入額は、第2位の中国の約1.5倍です。
1）　日本の自動車部品の約4割はアメリカへ輸出されています。
2）　タイが外の国へ輸出している米の量は、全体の約3割で、
　　　アメリカよりも多いです。
3）　日本のコンピューターの輸入額を見ると、一番多いのはアメリカの製品で、
　　　全体の約3割を占めています。第2位はシンガポール、そして台湾と続きます。
4）　日本の自動車の生産台数は、世界全体の約5分の1を占めています。
　　　第1位のアメリカは、全体の約4分の1です。

問題３．次の話は、日本人の海外旅行についての1996年のレポートです。
　　　　まず1）～4）の文を読んで、それから次の話を聞いてください。
　　日本人の海外旅行者の数は1985年から10年ほどの間にぐんと増えました。90年代の始めには日本の経済が悪化して、その数は少し減りましたが、その後はまた増えています。1985年には約500万人、90年には約1,100万人、95年には約1,500万人の人が海外旅行に出かけています。この10年で3倍に増えたと言えます。
　　その理由は幾つか考えられます。まず85年頃に比べて、今は円がかなり高くなりました。そのため、国内を旅行するより、近くの外の国へ行った方が安い場合もあるのです。それから、日本国内の交通費が随分高いこと、お正月や夏休みなどには長い休みがとれる会社が増えていることも、理由として考えられるでしょう。
　　1）～4）の中で、話の内容に合う文には○、合わない文には×を入れてください。

第13課　苦情を言う・謝る

解答

会話の練習

4．1）買い物をし　　2）夢中になって（時間を忘れて）
　　3）食べ　　　　4）泣いて
8．1）朝、会った　　2）荷物を預かってもらった
　　3）呼ばれた　　　4）遅刻する（遅刻しそうな）

読もうの練習

1．1）何回か、何回も　2）何台も、何台か　3）何年か、何年も
　　4）何人か、何人も
5．1）打ち　2）見　3）読み　4）かけ
6．1）鍵をかけて　　2）電気を消して
　　3）名前を書いて　4）水をやって

聞こう

1．1）b　2）e　3）a　4）d
2．課長が考えていること　　　1）資料　2）電話　3）（この）仕事
　　佐々木さんが考えていること　1）出張　2）残業　3）土、日

聞こうのスクリプト

問題1．次の日の朝、何と言って謝りますか。a～eの中から選んでください。
例）　電話でアパートの下の階の人が上の階の人に話しています。
A：あ、下の階の者です。あのう、足音がちょっとすごいんですが、
　　もう少し静かにしてもらえないでしょうか。
B：あ、すみません。すぐ子供に注意します。
A：お願いします。
1）　電話でアパートの下の階の人が上の階の人に話しています。
A：あ、下の階の者です。あのう、洗濯機、使っていらっしゃいますか。
B：ええ。

A：あのう、もう真夜中ですので・・・。
B：すみません。すぐ止めます。
A：お願いします。

2) 電話でアパートの隣の人が話しています。
A：あの、隣の者ですけど、話し声がちょっと大きいんですが、もう少し・・・。
B：あっ、すみません。気がつかなくて。すぐ静かにします。
A：お願いします。

3) 飲み屋で二人の人が話しています。
A：ねえ、こんなとこで寝ないで。そんなに飲んでないでしょう・・・。もう、帰るんだから起きて。
B：あ、分かったよ、ごめん。
A：大丈夫? 一人で帰れる?
B：うん、大丈夫。

4) 電話で馬さんが小川さんに話しています。
A：もしもし、あの、馬と申しますが。
B：はあい、ああ、馬さんか、私です。どうしたのこんなに遅く。
A：あっ、すみません。お休みでしたか。
B：うん。
A：どうも、すみません。ちょっと困ったことがあって・・・。

問題2．伊藤課長が佐々木さんと話しています。会話を聞いて、課長と佐々木さんの考えていることを（　）に言葉を入れて完成してください。

伊藤　：佐々木君、この間頼んだ書類、どうした？
佐々木：書類？・・・ああ、はい、あれ、今やっています。
伊藤　：今やってる？　だめだよ、書類を出す日は守らなくちゃ。
佐々木：すみません。今週、出張が入ったものですから。
伊藤　：でも随分前から資料渡してあるんだから・・・
　　　　すぐしなきゃだめだよ。
佐々木：申し訳ありません。あの、これからすぐやります。
伊藤　：君はいつもそう言うけど・・・。
佐々木：今晩は残業して、それでも終わらなかったら、土日も会社に来て終わらせますので。
伊藤　：うん、向こうの会社から「まだか？」っていう電話が来る前にね。

佐々木：はい、これからは十分気をつけます。
伊藤　：うん、十分気をつけてくれよ。
　　　　あれが出来ないとこの仕事は進まないんだから。
佐々木：はい、分かりました。

課長と佐々木さんの考えていることを（　）に言葉を入れて完成してください。

第14課　褒める・けんそんする

解答

会話の練習

　　3．1）そう？、ああ　　2）いや　　3）あれ？　　4）いや、ええと
　　　　5）えっ？、えっ！　　6）ん？、そう
　　4．1）おなかが痛い　　2）旅行に行く　　3）病気な（調子が悪い）
　　　　4）風邪をひいた

読もうの練習

　　2．1）○　　2）×　　3）×　　4）○　　5）○

聞こう

　　1．1）死んでしまった　　2）持っている
　　　　3）並べておいて　　4）準備しておかなければ
　　2．1）E、持ち、書き、上手に　　2）A、おしゃれ、入り
　　　　3）C、ロシア語、いい　　4）D、速い、動き
　　3．3－1　1）○　　2）×　　3）×　　4）×　　5）○
　　　　3－2　便利、ファッションフロア、おしゃれ、いい家具、いろいろな国の料理

聞こうのスクリプト

　　問題1．次の会話を聞いて例のように書き換えてください。
　　例）　A：あ、どうしよう。電車の中にかばんを忘れちゃった。
　　　　　B：じゃ、すぐ駅の人に連絡した方がいいよ。
　　1）　A：ねえ、聞いた？　木村さんちの猫、昨日死んじゃったんだって。
　　　　　B：本当？　とってもかわいい猫だったのにね。
　　2）　A：こないだの会議のメモ、持ってない？
　　　　　B：うん、あるよ、これ。
　　3）　A：今何時？
　　　　　B：1時25分。

　　　　A：え？　もうそんな時間？　悪いけど、ここにある書類、あの机の上に並べといて。

4）　A：課長確か来週会議やるって言ってたよね？
　　　B：うん。
　　　A：じゃ、今週中に資料、準備しとかなきゃ。

問題２．次の会話の内容に合う絵を選んで、例のように適当なことばを入れてください。
例）　A：どうぞ召し上がってください。
　　　B：はい、いただきます。ううん、いい<u>香り</u>ですね。
　　　A：良かったら砂糖、どうぞ。
　　　B：ありがとうございます。

1）　A：ごめん。これ、さっき借りてて、返すの忘れてた。ありがとう。
　　　B：あ、いえ。
　　　A：それ、すごく持ちやすいね。
　　　B：ええ。
　　　A：書きやすくて、僕の下手な字も、上手に見えるみたい。
　　　B：私も<u>気に入って</u>るんです。
　　　A：今度僕も同じの買おうかな。

2）　A：あ、それ、佐々木さんのだったの？
　　　B：うん。
　　　A：形がとってもおしゃれね。
　　　B：そう？
　　　A：書類とかたくさん入りそうで、いいな。
　　　B：実はこれプレゼントなんだ。
　　　A：彼女から？
　　　B：うん、まあね。

3）　A：李さん、すごいねえ。
　　　B：はあ？
　　　A：聞いたよ、こないだロシアからうちの会社にお客さんが来た時、李さんが<u>通訳した</u>んだって？
　　　B：ええ、まあ。
　　　A：ほんとに<u>ぺらぺら</u>だって言ってたよ、ロシア語。
　　　B：いえいえ。
　　　A：日本語だけじゃなくて、ロシア語もうまいんだね。

　　　　　B：大学の時ちょっと勉強してただけなんですよ。
　　　　　A：頭、いいんだなあ、ほんとに。
　4）　A：わあ、打つの速いですね、田中さん。
　　　　　B：いえそれほどでも。
　　　　　A：指の動きが違いますね。
　　　　　B：前の会社では毎日コンピューター使ってたんだけど...。
　　　　　A：ああ、そうなんですか。

問題3．山口英子さんが友達の道子さんと昼休みに話しています。
　1．会話を聞いて、正しいものには○、正しくないものには×を入れてください。
　2．英子さんはこのデパートのどんな点がいいと言っていますか。

A：道子、こないだ出来たタスコってデパート、もう行ってみた？
B：ううん、まだだけど。
A：すごいんだよ、大きくて。駅前で便利だし。
B：へえ。英子、いつ行ったの？
A：こないだの日曜日。　すごく込んでたけどね。
B：映画館もあるんだって？
A：そうそう。私は入らなかったけど、いっぱい人が並んでてすごかったのよ。
B：そう。それで店はどんな感じなの？
A：あのね、1階から4階まで全部ファッションフロアですごくおしゃれなの。
　　それから5階は全部家具売り場で、いい家具がいっぱいあるの。
B：ふうん。
A：それに6階はレストランフロアになっていろんな国の料理が食べられるのよ。
B：ほんと。
A：私、すごく気に入っちゃった。
B：へえ。買い物もたくさんしたの？
A：素敵な服があったから、買ってもらったの。
B：買ってもらった？　誰に？
A：もちろん、彼よ。
B：あ、そう。

　1．正しいものには○、正しくないものには×を入れてください。
　2．英子さんはこのデパートのどんな点がいいと言っていますか。

第15課　仕事について話す

解答

会話の練習
3．1）C　2）D　3）B　4）A

5．1）ということは　2）そういうわけで　3）それなら　4）ところで

読もうの練習
1．1）建築設計者を募集しています。
　2）部品から製品まで一貫生産しています。
　3）設立以来多くの賞を受賞しました。
　4）製品について外国からも問い合わせが多数来ています。
　5）原料は主に東南アジアから輸入されています。
　6）技術開発の予算が急増しました。
2．1）日　2）目　3）名　4）数　5）用　6）部
3．1959、4億5,000万、1,200、エアコン、設計開発、組み立て、1985、ＴＱＣ、賞

聞こう
1．1）b　2）e　3）f　4）c
2．1）×、◎　2）○、○　3）△、◎　4）◎、◎

聞こうのスクリプト

問題1．男の人はどんな仕事をしていますか。（　　　）の中から選んでください。
例）　A：すみません。お仕事は？
　　　B：外国から来た技術研修生に日本語を教えています。
　　　A：そうですか。どのくらい教えていらっしゃるんですか。
　　　B：20年近くです。
1）　A：李さん、国ではどういう仕事をしているの？
　　　B：銀行のオンラインシステムのプログラムを作っているんです。
　　　A：難しそうね。

　　　　B：いいえ、そんなことありません。誰にでもできますよ。
2） A：アナンさん、タイではどんな仕事をやってるの？
　　　　B：ラインを管理する仕事です。工場にはいろいろなラインがありますけど、そこの作業がうまくいってるかどうかを見る仕事です。
　　　　A：そう。その仕事は長いの？
　　　　B：いいえ、今年の始めにこの仕事に変わったばかりです。
3） （エレベーターの中で）
　　　　A：金さん、あれ見て！　上がっていく速さが分かるでしょう。
　　　　B：すごい速さですね。こんなに速いのは私の国ではあまり見られませんね。
　　　　A：そうそう。金さんもエレベーター関係の仕事でしたね。
　　　　B：ええ。主に設計ですが、これはデザインも新しいですね。
4） A：何を勉強しに日本にいらっしゃったんですか。
　　　　B：金型です。日本は金型の技術が進んでいますから。
　　　　A：そうですか。
　　　　B：日本では設計から完成まで機械化された部分がたくさんありますけど、最後の検査は実際に手で触って細かいところまでチェックするんですよ。
　　　　A：お国でも同じやり方ですか。
　　　　B：はい、まあ。

問題2．次の会話は久しぶりに会った二人が喫茶店で話しています。
　　　　会話を聞いて、話している人は給料や仕事などにどのくらい満足しているか下の表に書いてください。

A：久しぶりだね。元気？
B：うん、まあね。佐々木君は？
A：うん、元気だよ。
B：仕事にはもう慣れた？
A：少しずつ慣れてきたけど、学生時代と違うよね。
B：そりゃそうよ。私の方は通勤時間が長くて大変よ。毎日うちに帰ったら寝るだけよ。佐々木君はいいわね。寮だから。会社までどのくらいかかるの？
A：歩いて2、3分だよ。朝もゆっくり起きればいいから、本当に楽でいいよ。
B：うらやましい。私なんか朝7時に出て、帰りは夜の10時よ。
A：仕事、そんなに忙しいの？
B：うん。銀行って、3時に閉まるけど、その後が大変なの。

毎日残業、残業。佐々木君も残業あるんでしょう？
A：うん、あるよ。毎日じゃないけど、時々。まあ、
　このくらいの残業はしかたないと思ってるけど。でも、銀行って給料多いんだろう。
B：仕事の量を考えたら、多くないと思うけど...、まあ一応満足してる。
　そっちは？
A：そうだね。僕も同じかな。
B：でもね、銀行の仕事って、本当に細かいのよ。1円違っても、
　もう一度計算のやり直しよ。時々嫌になることもあるわ。
　それに仕事のやりがいもあんまりないし...
A：そうかなあ…。僕の場合は人を相手にしてるから、とてもやりがいがあるね。
　研修生の実習がうまくいくように調整したり、いろいろなことを話したり、
　できればこの仕事、ずっと続けたいよ。
B：でも、私の方も周りの人が親切に教えてくれるから、本当に助かってるわ。
A：それは僕も同じだよ。

二人は給料や仕事などにどのくらい満足しているか下の表に書いてください。

第16課　例える

解答

会話の練習

1. 1）ない（見ない）　2）すぐ帰る
   3）タイに住んでいた　4）事故があった
4. 1）d　2）c　3）e　4）b
5. 1）いらいら　2）どきどき　3）ほっと
   4）からから　5）ごろごろ　6）くたくた
7. 1）静かだ　2）残業が少ない　3）住宅費が安い　4）自由だった

読もうの練習

1. 1）かわいい　2）固い　3）明るい　4）冷たい
2. はっきり、国、地域、世代、石、固いパン

聞こう

1. 1）こんこん　2）とんとん　3）どさっと　4）ばたばた
2. 1）貸す　2）広い　3）軽い　4）出なかった
3. 3-1 1）上がらない　2）うまい　3）悪い　4）目
   3-2 1）なる　2）する　3）合う　4）重い
   3-3 b、a

聞こうのスクリプト

問題1. 次のテープを聞いて、（　）の中から適当なことばを選んで入れてください。
例）　A：随分雨が降るね。
　　　B：うん、すごい雨だね。
1）　A：小川さん、大丈夫？　風邪。
　　　B：ううん、昨日からせきが止まらないんだ。
2）　A：誰か来たみたいだね。
　　　B：あ、本当だ。誰かノックしてる。
3）　A：今何か音がしたね。

B：ああ、棚の上から辞書が落ちたんだよ。

4） A：佐々木さん、廊下を走らないようにしてくださいよ。
　　　もっと静かにお願いします。
　　B：あ、すみません。急いでたもんですから。

問題２．次の会話を聞いて（　　）に適当な言葉を入れてください。

例） A：すみません。天井の蛍光灯が１本切れちゃったんで、
　　　取り替えてほしいんですが。
　　B：今ちょっと手が離せないんで、30分ぐらい後でもいいですか。
　　A：はい、かまいません。

1） A：ちょっと手を貸してくれる？　この段ボール、
　　　重くて一人じゃ持てないんだけど。
　　B：うん、いいよ。今行くから、待ってて。
　　A：ありがとう。

2） A：東京電気の田中さんっていう人知ってる？　今度仕事で会うんだけど。
　　B：いや、僕は知らないけど、井上さんなら知ってるんじゃない？
　　　顔が広いから。
　　A：そう、じゃ、井上さんに聞いてみるよ。

3） A：こないだみんなでカラオケに行ったけど、
　　B：うん。
　　A：山田さんって、お酒を飲むと何でもよく話すんだね。
　　　人の秘密もぺらぺらしゃべってたよ。
　　B：うん。口が軽いんだよ、あの人は。

4） A：きのう情報処理技術者の試験を受けに行ったんだけど。
　　B：へえ？　で、どうだった？
　　A：それが難しくて、手も足も出なかったよ。

問題３．次の会話はホームステイに行った金さんが日本人と話している会話です。
　　　会話を聞いて、次の問題に答えてください。

1） 会話の中に出てきた慣用句を書いてください。
2） 会話の中に出てきた「気」の付く言葉を書いてください。
3） 会話の内容に合うものに○を付けてください。

A：もうすぐお正月ね。
B：はい、そうですね。お正月の準備は大変ですか。

A：ええ。毎年12月は本当に忙しくて、猫の手も借りたいぐらいよ。
B：猫の手を借りる？
A：ええ、とても忙しいことを例えて言ってるんだけど、
韓国にもこういう言い方ある？
B：ええ、ありますよ。韓国語にも同じような慣用句が、たくさん。
頭とか、手とか、口を使った言い方がね。
A：そう。日本語にもたくさんあるわね。頭が上がらないとか、口がうまい、
口が悪い、目がないとか、外にもいろいろあるわよ。
B：韓国語と似ている慣用句は分かりやすいですね。でも、日本語にあって、
韓国語にないものもありますよ。
A：そう？　例えばどんなもの？
B：「気」を使った言葉です。日本の人と話していると、よく出てきますね。
気をつける、気になる、気にする、気が合う、気が重い…。
いくらでもありそうですね。
A：確かにそうね。金さんよく知ってるのね。
B：いや、そんなことないですよ。でも、韓国語には「気」のつく慣用句は
ないんですよ。
A：そうなの。

1）会話の中に出てきた慣用句を書いてください。
2）会話の中に出てきた「気」のつく言葉を書いてください。
3）会話の内容に合うものに○を付けてください。

第17課　相談する・提案する

解答

会話の練習

1. 1) 買っておいた　2) 予約しておいた　3) コピーしておいた
   4) 読んでおいた
2. 1) 地図を書いてくださる　2) 待ってくださる
   3) 説明してくださる　4) 注意してくださる
6. 1) 持って来る、外で食べる　2) 見る、雑誌で調べる
   3) おしゃべりする、紹介してもらう　4) スポーツをする、映画を見る

読もうの練習

1. 1) ○　2) ×　3) ×　4) ○
3. 1) 研修生にとっては難しい。
   2) 漢字が読めない人にとっては大変だ。
   3) 私にとっては高かった。
   4) 日本人にとっては辛すぎると思う。
4. 1) ○　2) ×　3) ×　4) ○

聞こう

1. 1) Ⅲ　2) Ⅱ　3) Ⅲ　4) Ⅲ
2. 2-1　Ⅰ. ○　Ⅱ. ×　Ⅲ. ○　Ⅳ. ×

   2-2　飲めない、飲ませない、話せない

聞こうのスクリプト

問題1．研修生が日本人にいろいろ相談しています。
　　　　日本人が言った内容に合うものを次の3つの中から選んでください。
例）　（寮で田村さんと、李さんが話しています。）
A：李さん、ここの生活にはもう慣れた？
B：ええ、大体。でも、夜、なかなか眠れないんですよ。
A：そう。周りの音がうるさいの？

B：いえ、周りは静かです。どうして眠れないのか、よく分からないんですけど…

A：じゃ、散歩したりスポーツしたりしてみたら？　毎日ちょっと体を動かせば、よく眠れるわよ。

Ⅰ．毎日何か運動をしたらいいと思う。
Ⅱ．周りの部屋の人に、静かにしてもらったらいいと思う。
Ⅲ．あまり体を動かさないで、ゆっくり休めばいいと思う。

1）　（会社でアナンさんと松本さんが話しています。）

A：あのう、この資料のことなんですけど、知らない単語が多くて、書いてあることがよく分からないんですが…

B：あ、これ？　ううん、どうしようかな。今ちょっと手が離せないんですよ。…アナンさん、英語はどうですか。読めますか。

A：はい、英語の方が日本語よりは…。

B：そう。じゃ、英語の資料があるかどうか、後で見てみましょう。

Ⅰ．今忙しいので、後で単語の意味を説明する。
Ⅱ．後で松本さんが英語で内容を説明する。
Ⅲ．英語の資料を後で探してみる。

2）　（寮で田村さんと李さんが話しています。）

A：どうしたの、李さん。何か探してるの。

B：ええ。実は明日の朝、大使館に行かなきゃならないんですけど、会社の人にもらった地図を無くしちゃったみたいなんです。

A：それは困ったね。じゃ、大使館に電話して、行き方を聞いたらどう？

B：でも、番号が分からないんです。無くした地図に、連絡先も書いてあったんですが…

A：じゃ、調べてあげようか。104に聞けば、分かるから。

Ⅰ．大使館への行き方を地図で調べてあげる。
Ⅱ．大使館の電話番号を番号案内で聞いてあげる。
Ⅲ．大使館に電話して、行き方を確かめてあげる。

3）　（会社の昼休み、アナンさんと松本さんが話しています。）

A：松本さん、私、日本人の友達をもっと作りたいと思ってるんですが、どうしたらいいでしょう。

B：そうね…。周りの日本人に、もっと自分からどんどん話しかけたら。

　　　　アナンさんの日本語、かなりうまくなったし。
A：でも、みんないつも忙しそうだし...
B：ううん、でも、休憩の時とか、仕事が終わった後とか、
　　短い時間でもいいんじゃない？　みんなも、仕事ばかりしてると疲れるし、
　　遠慮する必要ないですよ。
Ⅰ．もっと日本語が上手になったら、友達が増えるだろう。
Ⅱ．会社の人は疲れているので、あまり話しかけない方がいい。
Ⅲ．機会があったら、研修生の方から日本人に話しかけた方がいい。

4）（会社で小川さんと李さんが話しています。）
A：李さん、来月お母さんが日本へ遊びに来るんだって？
B：ええ。私も来月は夏休みが1週間あるので、ちょうどいい機会だと思って。
　　でも、ホテルをどうするか、今迷ってるんです。
A：泊まる所、決まってないの？
B：ええ。夏休みのシーズン中はどこも高くて...。シャワーが付いてない部屋
　　ならあるって言われたんですが、それじゃ、ちょっと...
A：そうか。でも、僕もホテルはあまり知らないなあ...
　　総務課の鈴木さんに相談してみたら？　彼なら、僕より詳しいと思うよ。
Ⅰ．シャワーが付いていない部屋なら、紹介できる。
Ⅱ．夏休みのシーズンはどこも高いので、探すのは無理だ。
Ⅲ．鈴木さんなら、いい所を教えてくれるだろう。

問題2．馬さんは研修センターの井上さんに久しぶりに会って、会社の実習の様子を
　　　　いろいろ話しています。二人の会話を聞いて、次の問題に答えてください。
1）会話の後で4つの文を聞いて、会話の内容に合うものには○、
　　合わないものには×を入れてください。
2）井上さんが馬さんに言ったことをまとめてください。
井上：馬さん、どう？　実習にはもう慣れた？
馬　：ええ、おかげさまで。始めは大変でしたけど、
　　　会社の皆さんが丁寧にいろいろ教えてくださって...。
井上：そう、それは良かった。
馬　：皆さん、とても親切なんですよ。昼休みもよく食事に誘ってくださるし。
　　　...でも、ちょっと困ることもあるんですけど。
井上：困ること？

馬　：ええ。実は、時々会社の帰りに飲みに行こうって誘われるんですよ。
　　　でも私、お酒は全然だめなんで、困ってしまって。
井上：そう。
馬　：国で一度、ちょっと飲んだことがあるんですけど、
　　　ひどく気分が悪くなって…。
井上：そう。じゃ、いつもお酒の誘いは断ってるの？
馬　：ええ。でも、前に本で読んだんですが、日本の会社ではお酒のつきあいは
　　　とても大切だそうですね。だから、ちょっと心配なんです。
　　　飲めないからと言って、断ってもいいんでしょうか。
井上：そうだなあ。一度、一緒に行ってみれば？　仕事中はなかなか話せない人と
　　　も、ゆっくりおしゃべりができるし。無理に飲まなくても、ジュースを飲ん
　　　で、食事するだけでもいいんだよ。
馬　：え？　飲みに行こうって誘われたのに、食事だけでもいいんですか。
井上：うん、会社の帰りに飲みに行くと、みんな、酒と一緒に何か食べるからね。
　　　夕食だと思えばいいんだよ。それに、お酒が飲めないことをきちんと
　　　説明すれば、誰も馬さんに無理に飲ませないと思うけど。
馬　：そうですか。ちょっと安心しました。じゃ、私も一度行ってみます。

1）次の文を聞いて、会話の内容に合うものには○、合わないものには×を入れて
　　ください。

例1）　馬さんはよく会社の人とお酒を飲みに行く。
例2）　会社の人は馬さんを昼休みによく食事に誘ってくれる。
Ⅰ．　馬さんは一度だけお酒を飲んだことがある。
Ⅱ．　馬さんは、日本の会社ではアフターファイブのつきあいも大切だということ
　　　を知らなかった。
Ⅲ．　馬さんはまだ実習先の日本人といっしょに飲みに行ったことがない。
Ⅳ．　井上さんに相談して安心したので、馬さんはこれからお酒を
　　　たくさん飲もうと思っている。

2）次の文は井上さんが馬さんに言った内容のまとめです。（　　　）に
　　言葉を入れて、文を完成させてください。

第18課　計画を立てる

解答

会話の練習
1. 1) 見える　2) 立った　3) 食事した　4) 使う
3. 1) 飲んだ　2) 近い
   3) 残業している（働いている）　4) 高い（する）
6. 食事の方、ホテルの方

読もうの練習
1. 1) 親しみ　2) 速さ　3) 広さ
   4) 痛み　5) 悲しみ　6) 良さ
2. 1) ○　2) ×　3) ×　4) ×

聞こう
1. 1) Ⅱ　2) Ⅱ　3) Ⅲ　4) Ⅲ
2.
   1　日時　　　　　　（10）日（土）曜日　夜（6）時から（10）時まで
   2　場所　　　　　　寮の（食堂）
   3　料理の準備　　　（スーパー）で買い物して、一人（一つ）料理を作る
   4　費用　　　　　　みんなで（割り勘）にする
   5　飲み物　　　　　先月のパーティーの（ビール）と（ウイスキー）
   　　　　　　　　　　足りなかったら、（自動販売機）で買う
   6　写真　　　　　　（バス旅行）の時の写真を（壁）に貼り出す
   7　ボランティアへの連絡
   　　　　　　　　　　（加藤）さんが外の（ボランティア）に連絡してくれる

聞こうのスクリプト

問題1．次の会話を聞いて、同じ内容の文を、ⅠからⅢの中から選んでください。
例）　観光案内所で李さんと案内所の人が話しています。
李　：あの、日本の祭りを見てみたいんですけど、どこかありませんか。
店員：そうですね・・・今度の日曜日に箱根で秋祭りがございます。
　　　ここから1時間ぐらいで行けますよ。

李　：そうですか。その祭りでは、何が見られるんですか。
店員：いろいろ御覧になれますよ。花火や、踊りや、それから、屋台もたくさん出るので楽しいですよ。
李　：そうですか。面白そうですね。
Ⅰ．今度の日曜日に箱根で夏祭りがあって、花火が見られる。
Ⅱ．箱根の秋祭りの場所まで、ここから3時間ぐらいかかる。
Ⅲ．箱根の秋祭りでは、花火や踊りが見られる。

1）　旅行代理店で李さんと店の人が話しています。
李　：このバス旅行のパンフレットに「添乗員1名」と書いてありますけど、どういう意味ですか。
店員：お客様のお世話をさせていただく者が1名いるということですが…
李　：あ、そうですか。運転手の外に誰かもう一人一緒に行くんですね。
店員：はい、御出発からお帰りになるまで、ずっとお客様と御一緒させていただきます。
Ⅰ．このバス旅行は、誰か外の人と一緒に参加しなければならない。
Ⅱ．運転手の外にもう一人お客の世話をする人がバスに乗る。
Ⅲ．このバスは添乗員が時々運転手に代わって運転する。

2）　旅行代理店で李さんと店の人が話しています。
李　：このパンフレットにある、パックツアーというのは何ですか。
店員：はい。ホテル、交通ルート、食事などが決まっているので、安いお値段で御利用できる旅行でございます。
李　：僕たち3人のグループなんですけど、それでも参加できますか。
店員：はい、何名様でも参加できます。全部で30名様の旅行でございますが、今、お申し込みになっている方は20名ぐらいですから、まだ大丈夫でございます。
Ⅰ．このパックツアーは、いろいろなサービスがあるから料金が高い。
Ⅱ．このパックツアーは、一人だけでも参加できる。
Ⅲ．このパックツアーは、全部で20名の旅行だ。

3）　旅行代理店で李さんと店の人が話しています。
李　：あのう、来週の土日に高山に行きたいんですが、ホテルはまだ予約できますか。3人なんですが。
店員：少々お待ちくださいませ、今調べてみますので

　　　　・・・あ、あいにくいっぱいでございますね。
　　　　ええ、花木ホテルで、ツインが一つだけございますが・・・。
李　：うん、ツインですか・・・僕たち3人だし、どうしようかなあ。
店員：あの、このツインにはもう一つベッドが入れられますから3名様でも
　　　御利用できますが。
李　：そうですか・・・じゃ、ちょっと友達と相談します。
Ⅰ．李さんたちは部屋が見つからないので、旅行をやめた。
Ⅱ．李さんたちは3人だから、ツインに泊まることができない。
Ⅲ．ツインにも3人泊まることができる。

4）　ホテルのロビーで李さんと添乗員が話しています。
添乗員：皆さま、お疲れ様でした。
李　：あ、添乗員さん、市内へ食事に出かけるのは何時でしたか。
添乗員：5時でございます。
李　：じゃ、5時少し前に、またここで待っていればいいですね。
添乗員：あの、バスの中でもお伝えしましたが、ホテルの駐車場でバスに乗ってお
　　　　待ちください。
李　：はい、分かりました。
Ⅰ．李さんたちは5時少し前にロビーで待っていればいい。
Ⅱ．李さんは添乗員がバスの中で言ったことがよく分かっていた。
Ⅲ．李さんたちは5時少し前にバスの中で待っていればいい。

問題2．次の会話を聞いて、3人の話の内容を表にまとめてください。
李　：先週ボランティアグループの人にバス旅行に招待してもらったよね。
　　　今度はこっちがパーティーを開いて、みんなを招待しない？
馬　：うん、いいね。
アナン：やろうやろう。
李　：場所はこの寮の食堂でいい？
馬　：うん。日にちは、土曜日がいいよね。
　　　10日の土曜日の、ええと、夜6時からはどう。
アナン：うん、いいよ。じゃあ、土曜日の昼ごろみんなでスーパーに買い物に行こう。
李　：うん。一人一つ、料理を作るといいね。
馬　：そうね。お金は、後でみんなで割り勘にしましょうよ。
李／アナン：分かった。

李　：で、飲み物はどうする？
アナン：先月開いたパーティーの時のビールとウイスキーがまだかなり残ってる
　　　から大丈夫。足りなかったら、外の自動販売機で買ってくればいいよ。
馬　：じゃ、私、バス旅行の時に撮った写真を壁に貼り出そうか。
李　：あ、それはいいね。
アナン：それからボランティアの人にどうやって連絡する？
李　：加藤さんに電話すれば、みんなに伝えてくれるよ。
アナン：わかった。じゃ、僕が今日中に加藤さんに連絡します。
　　　ええと....パーティーが終わるのは10時ごろかな。
李　：そうだね。

3人の話の内容を表にまとめてください。

第19課　意見を述べる

解答

会話の練習

1. 1）良かった　　2）面白かった（よくできた）
   3）よく仕事ができる　　4）雰囲気がいい
2. 1）一人でいる（住む）　　2）家にいる（家でごろごろしている）
   3）定期を買う　　4）田舎に住む
3. 1）しません（やってません）、うちでごろごろしてる（テレビで見る）
   2）行きません、うちで飲む
   3）しません、買ってくる（外で食べる）
   4）行きません、近い所でゆっくりする
4. 1）なかなかうまく話せない（大変だ）
   2）すぐ覚えられる　　3）自由な時間がたくさんある　　4）自由だ
6. 1）に　　2）は　　3）に　　4）に
7. 1）転職する、やっぱり仕事は面白い方がいい、給料、会社に残った
   2）今は買わない、お金がない、家族、買った
   3）核家族、気が楽だ、両親、大家族
   4）田舎がいい、物価も安い、子供の教育、都会

読もうの練習

1. 1）スキー　　2）原宿　　3）物価（言葉）　　4）ごみの問題
2. 1）うれしそうだ　　2）楽しそうだ
   3）調子が悪い（いつも眠い）　　4）体の調子がいい
3. （いいところ）

   1）品質が良い。
   2）故障が少ない。
   3）詳しい説明書や保証書が付いている。

   （良くないところ）

   1）必要のない機能が多い。
   2）モデルチェンジが早すぎる。
   3）修理代が高くて、時間もかかる。

聞こう

1. 1）Ⅱ　2）Ⅲ　3）Ⅰ　4）Ⅱ
2. ノート型、メール、安い、大きくて、狭い、ノート型

聞こうのスクリプト

問題1．次の会話を聞いて、正しい理由を選んでください。

例）A：ねえ、忘年会するんだけど、中華とイタリア料理とどっちがいい？
　　B：みんなで食べるなら、中華の方がいいな。
　　　いろんな料理を一緒に大勢で食べながら話せるだろう。
　　A：でも、若い人は中華よりもイタリア料理の方が好きよ。
　　　イタリア料理ならおしゃれな店も多いし、参加する人も増えるかもしれない。
　　B：それもそうだね。じゃあイタリア料理にしようか。

忘年会でイタリア料理にした理由は何ですか。
Ⅰ．日本の若い人はイタリア料理の方が好きだから。
Ⅱ．いろいろな料理を一緒に食べられるから。
Ⅲ．イタリア料理にみんな慣れていないから。

1）A：田中さん、シンガポールに転勤するんだって。どのくらい行くの？
　　B：多分3年くらい。それで、家族を連れて行くかどうか迷ってるんだ。
　　A：ふうん、子供さんの教育問題は頭が痛いね。
　　B：うん、外国に慣れるだけでも大変なのに、
　　　上の学校に入るための勉強もしなきゃならないからね。
　　A：でも、できるだけ家族と一緒にいることが大切だと思うな。

家族を連れて行った方がいいと女の人が言っている理由は何ですか。
Ⅰ．日本の教育の問題は頭が痛いから。
Ⅱ．家族と一緒にいることが大切だから。
Ⅲ．外国に慣れるのが大変だから。

2）A：海外旅行はどこへ行くか決まった？
　　B：まだ決めてない。アジアかヨーロッパか考えてるんだけど。
　　A：どっちもいいね。でも、私だったらアジアがいいな。物価も安いし、
　　　食べ物もおいしいし、それに近いし。
　　B：ううん、ヨーロッパの文化や歴史も面白そうだけどね。

女の人がアジアに行きたい理由は何ですか。
Ⅰ．アジアの文化や歴史が面白そうだから。
Ⅱ．近くて日本と文化や歴史が似ているから。
Ⅲ．物の値段も安いし、料理もおいしいから。

3）　A：山へ行くのと海へ行くのとどっちが好き？
　　　B：僕は海の方が好きだな。
　　　　 のんびりできるし、海の食べ物の方が好きだからね。
　　　A：でも山の空気はきれいだし、涼しいし、頂上の景色もすばらしいよ。
　　　　 海は暑いしね。
　　　B：ふうん。じゃあ、山登り好き？
　　　A：ううん、疲れるのは嫌い。
女の人が山の方がいいと言っている理由は何ですか。
Ⅰ．景色や空気がきれいだから。
Ⅱ．のんびりできるから。
Ⅲ．山登りが好きだから。

4）　A：最近のテレビ番組、子供にいいと思う？
　　　B：そうだなあ。でも見るなとは言えないしね。
　　　　 人気がある番組を見てないと学校でも友達と話ができないって言うし。
　　　A：でも、私はできるだけ見せたくないな、あんまりいい番組はないし、
　　　　 それに目にも良くないし。
　　　B：それはそうだけど、つい親が見てしまうから、
　　　　 子供にだけ見ないように言うのは難しいなあ。
　　　A：親を見て子供は大きくなるって言うからね。
女の人が、子供にテレビ番組を見せたくない理由は何ですか。
Ⅰ．子供が夜遅くまで親と一緒にテレビを見てしまうから。
Ⅱ．いい番組は少ないし、目も悪くなるから。
Ⅲ．いつも人気のある番組のことを子供達が話すから。

問題２．次の会話を聞いて、下線部に適当な言葉を入れてください。
　A：田中さん、そんなにコンピューターの雑誌を買ってどうしたの。
　B：いやあ、実は今度のボーナスで、新しいコンピューター買おうと思って
　　 あれこれ調べてるんだ。

A：それはいいね。
B：今、デスクトップ型の大きいのにするか、ノート型の小さいのにするか迷ってるんだ。
A：何に使うのか目的がはっきりすれば決められると思うけど。
B：そうだなあ。僕はインターネットを使って外国のことを知りたいんだ。
A：じゃあ、ワープロとして使うだけじゃないんだね。
B：もちろん、ワープロとして使うことはあるけど、外にもいろいろ使いたいんだ。インターネットでメールを送り合ったり、外国のテレビを見たりね。
A：それなら最新のコンピューターを買う必要があるね。
B：そうなんだ、でも同じ性能だとノート型の方がデスクトップ型より10万円ぐらい高いんだよ。
A：じゃあ、デスクトップ型がいいよ。画面が大きくて見やすいし。
　　で、部屋にデスクトップ型を置く場所はあるの。
B：それがちょっと。部屋は狭いし、物がいっぱいで、もう場所がないんだ。
A：何だ、それじゃあ、考える必要ないよ。
　　高いけど買うのはノート型しかないね。
B：やっぱりね。

下線部に適当な言葉を入れてください。

第20課　環境を考える

解答

会話の練習
3．1）間に合った　　2）取って　　3）勉強した　　4）たくさんあった
5．1）自転車、たんす　2）魚の骨、卵の殻　3）古新聞、ペットボトル
　　4）割れた瓶・ガラス、かみそり
6．1）×　2）×　3）○　4）○　5）×　6）○

読もうの練習
1．1）呼び出して　2）貼り出して　3）捜し出した　4）取り出して
2．1）巻き込まれる　2）飲み込んで　3）差し込んで　4）駆け込み
4．1）○　2）×　3）×　4）○

聞こう
1．1）e　2）f　3）c　4）d
2．1）リサイクル　2）市民　3）アイディア　4）出す　5）活用
　　6）家族　　7）生ごみ　8）庭　9）無理　10）2回
　　11）増やし　12）収集　13）種類　14）ごみ　15）山や川

聞こうのスクリプト

問題1　寮で田村さんと研修生が、話しています。
　　　　（　）の中から正しいものを選んでください。

例）
A：テレビで言ってたけど、家庭ごみも工場から出るごみもどんどん増えてるそうね。
B：そうらしいですね。ごみを出さないように、みんなで気を付けないといけませんね。
A：それでね、私、外で食事するときは、いつもこれ、持ってくの。
B：へえ、そうですか。
質問：田村さんが持って行く物は何ですか。

1）
A：田村さん、壁の時計が止まっていますよ。
B：あ、そう。じゃ、取り替えなきゃね。

A：新しいのありますか。
B：ありますよ... はい、これ。李さん、取り替えてくれる？
A：いいですよ。

李さんが取り替える物は何ですか。

2）

A：田村さん、毎日食事の準備、大変ですね。
B：作るのはいいのよ。洗うのが大変なの。ほら、手がこんなになって。
A：洗剤の使いすぎですか。
B：ううん、洗剤はできるだけ使わないようにしているの。
　　水を汚しちゃいけないって言うからね。それにね、洗剤を買う時も中身だけ
　　買って、入れ替えて使ってるのよ。一回で捨てるのもったいないからね。
A：そうですね。

田村さんが入れ替えて使う物は何ですか。

3）

A：金さん、これ持ってったら。そこのスーパーに行くんでしょ。
B：ううん、どうしようかな...
A：いつももらうから袋がこんなにあるのよ、ほら。
B：じゃ、持って行きます。
A：はい、3枚でいいよね。
B：はい。行って来ます。

金さんが持って行く物は何ですか。

4）（寮の田村さんと馬さん）

A：田村さん、何してるんですか。
B：きれいだからしまっておくの。後で役に立つのよ。
A：面白い絵ですね。色もきれいだし。
B：これなんか、旅行に行って買ったお土産を包んでたものなの。
　　なかなかいいでしょう？
A：そうですね。

田村さんが集めているものは何ですか。

問題２．アナウンサーが、3人の人にインタビューをしています。
次の会話を聞いて3人の意見を表に書いてください。

アナウンサー：今日は皆さん、お集まりくださいまして、ありがとうございます。
早速ですが、まず、ごみをどう活用するか、皆様の御意見をお聞か
せください。高橋さんからどうぞ。
高橋　　　：そうですね、私ね、ごみのリサイクルですね、これが非常に大切だ
と思うんですよ。
リサイクルをどんどんしないといけませんよね、杉浦さん。
杉浦　　　：ええ。私も高橋さんの意見と同じです。それで、例えば、
市役所が市民からアイディアを集めたら、どうでしょう。
きっといいアイディアが集まると思いますよ。
アナウンサー：そうですね、池沢さんはどうですか。
池沢　　　：私、アパートに住んでいるんですけど、ごみを出す日、これ、
みんな守ってほしいですね。生ごみの日なのに壊れた家具とか、
瓶とか捨ててますよね。ごみを出す日も守れないのに、
ごみの活用は無理ですよ。
アナウンサー：なるほど。ところで、最近はごみを出さないようにしようと
よく言われますけど、これについてはどう思われますか。
高橋　　　：うちは8人家族だからなかなか難しいですね...
杉浦　　　：生ごみは庭に埋めるとか、……
池沢　　　：うちなんか、庭がないから無理ですね。ペットボトルとかちょっと
多すぎるように思うんですけど。
アナウンサー：そうですか。では、市役所に対してどんな御意見がありますか。
高橋　　　：やっぱり、ごみを出す日を増やしてほしいですね。私のとこなんか、
週に2回しか来てくれませんよ。
杉浦　　　：ごみ収集場所をもっと増やすことですね。そしてごみの種類別に
ごみ箱を置いてほしいと思います。
池沢　　　：私はごみをどこにでも捨てることが問題だと思います。
家庭や町のごみだけではなく、山や川に捨てられたごみのことも
考えてほしい。
アナウンサー：今日は、皆さん本当にいい御意見をありがとうございました。
3人の意見を表に書いてください。